新竹蔡汝修原輯
桃園吳椿榮校注

臺灣近百年研究叢刊

# 臺海擊鉢吟集校注

文史哲出版社印行

國家圖書館出版品預行編目資料

臺海擊鉢吟集校注 / 蔡汝修原輯, 吳椿榮校注. -- 初版. -- 臺北市：文史哲, 民 101
面；公分（臺灣近百年研究叢刊；17）
ISBN 978-986-314-037-5（平裝三冊）

863.51　　101011213

臺灣近百年研究叢刊　17

# 臺海擊鉢吟集校注（全三冊）

原輯者：蔡汝修
校注者：吳椿榮
出版者：文史哲出版社
http:// www.lapen.com.tw
e-mail：lapen@ms74.hinet.net
登記證字號：行政院新聞局版臺業字五三三七號
發行人：彭正雄
發行所：文史哲出版社
印刷者：文史哲出版社
臺北市羅斯福路一段七十二巷四號
郵政劃撥帳號：一六一八〇一七五
電話886-2-23511028・傳真886-2-23965656

定價新臺幣二二〇〇元

中華民國一〇一年（2012）六月初版
中華民國一〇一年（2012）九月修訂再版



ISBN 978-986-314-037-5　　08417

# 臺海擊鉢吟集校注

臺海擊鉢吟集校注授梓之際，荷蒙

連前副總統永平博士慨頒鴻題、玄奘大學前教務長

文學博士李孟公惠貽長序，不佞心銘良深、茲虔申

由衷之謝悃于萬一。

壬辰春吳椿榮拜言

臺海擊鉢吟集重編問世誌慶

# 詩苑流輝

連戰敬題

連戰

# 凡例

一、本書根據石印線裝本臺海擊鉢吟集（國立臺灣大學藏書）與壁角生陳鐓厚先生手鈔本校注重編，茲以臺海擊鉢吟集校注為書名重新面世。

二、原刊本依韻目編輯、未加標點，本書改依詩作內容分詠史、傳奇、月旦、懷古、形容、生活點滴、記事、時令、寫景、詠月、詠花草、詠鳥獸蟲魚、詠物、雜詠、哀輓計十五類重編。原附錄趙鍾麒先生輓蔡七律四首，悉予錄存，期維完整原貌。

三、全部詩作除詳加校正外，分析韻、釋題、注解等三項逐首整理。其中，注解悉以句為單位，并採以詩譯詩方式處理，期保留詩之特質。

四、釋題、注解等文字，凡有所徵引皆注明出處，並儘可能附以舊圖、舊照、書影與適當新照等資料。

五、原刊本雖列有同仁齒錄，惟文字簡略、部分作者且名諱缺如。原編者所謂「同仁」，實僅限於竹梅吟社社員，並未包括全部詩作作者。鑒此，特依志乘、文獻，撰作者略傳，俾閱者瞭解各詩作者生平事略。

六、校注者學識譾淺、目光如豆，詮釋未必周全。魯魚亥豕亦在所難免，至盼　高明君子不吝指正。

# 臺海擊鉢吟集序（原刊本蔡序）

光緒丙戌秋①，余與吾竹諸友倡立竹梅吟社，而為擊鉢之舉。初尚吟侶寥寥，繼則聞風至者甚多。月夕花晨，鑪香椀茗，刻燭命題，擲箋鬥捷。僉謂：後起風雅，不減晉安②。己丑③而後，或則應官遠去，或則作客他方。甚有騎鯨長辭，相繼而赴修文之聘者。吟壇樂事，於焉中止。

甲午④春，陳君瑞陔⑤禮闈報捷⑥，錦旋後，復與余興懷前事，雅訂後期。正擬大會衣冠，重張旗鼓；不謂良緣有限，盛事難逢。當天心爛醉之時，正海水羣飛之日。江山無恙，風景全殊。城郭依然，人民非舊⑦。欲求昔日之晨夕過從、詩酒從事者，不可復得。臺山蒼蒼，閩海茫茫，此恨其將曷極耶？所幸，曩時所作，剩稿猶存。再三展讀，覺吉光片羽，愈見可珍。雖以良朋星散，天各一方。而往事上心，恍然如昨；則夫出諸劫火之餘，而留此泥痕之迹者，豈蒼蒼者亦有所呵護於其間耶？爰令兒子汝修，錄而藏之。凡諸君子之名姓里居悉載於右⑧。其詩之多寡，或一二篇、或數十篇，各隨乎遇之後先，聚之常暫，非敢以意為去取也，名之曰：臺海擊鉢吟集，共四百餘篇。後之君子取是集讀之，將應求之感，諒有同情；

而文獻之徵，此亦一事也。

歲次戊申⑨仲春穀日客村⑩蔡見先啟運題序

**附注：**

①光緒十二年歲次丙戌。時，公元一八八六年。
②東晉謝安。
③光緒十五年、公元一八八九年。
④光緒廿年（一八九四）。本年，西太后六十壽辰，清廷為祝壽特開恩科京試。
⑤陳濬芝字瑞陔。餘詳作者略傳篇。
⑥明清試進士稱禮闈，以其事掌於禮部也。
⑦「江山無恙，……人民非舊。」指甲午清廷喪師、臺疆割讓事件言。
⑧指同仁齒錄。惟是項資料並不完整，「悉載」一節，乃蔡公之期望耳。
⑨光緒卅四年，歲次戊申，時割臺雖已十三年，作者仍以干支等紀年，以示不奉日帝正朔。
⑩客雅村簡稱客村，今新竹市客雅里。

# 李序

連橫《臺灣詩乘》自序云：「臺為海上荒土，我先民入而拓之，以長育子姓，艱難締造之功多，而優遊歌舞之事少；我臺灣之無詩者，時也，亦勢也。明社既屋，漢族流離，瞻顧神州，黯然無色，而我延平郡王以一成一旅，志切中興，我先民之奔走疏附者，漸忠勵義，共麾天戈，同仇敵愾之心堅，而屹雅揚風之意薄；我臺灣之無詩者，時也，亦勢也。清人淹有，文事漸興，士趣科名，家傳制藝，二三俊秀始以詩鳴，遊宦寓公亦多吟詠。重以輿圖易色，民氣飄搖，侘傺不平，悲歌慷慨，發揚蹈厲，凌轢前人；臺灣之詩，今日之盛者，時也，亦勢也。」誠然，臺灣以邊陲僻壤，遠介海東瀛堧，詩風之興，首見於明季沈斯庵之《福臺新詠》，而盛於清季唐景崧之牡丹詩社。迨日本佔領時期，故國遺民，結社唱和，藉以抒其蘊結之思，蓄積之志，振大漢之天聲，綿綿不絕，如霧峰之櫟社，尤其中之翹楚，此徵之於史實可知也。

清光緒丙戌（一八八六）秋，新竹蔡見先倡立竹梅吟社，招攬吟侶，互為唱酬，並以擊缽吟號召，遂令此風靡於全島，一時作者雲起焉。及甲午之役，清廷敗績，滄桑以後，萬事皆非，吟壇於焉中止，所存剩稿，乃令其子汝修錄藏，並於戊申（一九〇八）仲春付之剞劂，藉永其傳，而名之曰《臺海擊鉢吟集》。此書原刊本各詩作，係按韻目編次，詩多詠史或詠物之作，清新錦麗，雄渾沈鬱，如春鳥秋蟲，各應其聲，雖和暢淒切之聲不同，均足以美聽聞而感人心也。惟此書刊行之後，閱今將近百年，焚蕩之餘，傳本罕觀，故連橫《臺灣詩乘》並無一語及之，即臺灣銀行經濟研究室，前曾校刊《臺灣文獻叢刊》數百種，此書竟然失收。其後，臺灣省文獻委員會出版《臺灣歷史文獻叢刊》，依類刊行，其「詩文集類」亦闕而未錄。豈書之傳與不傳，亦有幸與不幸耶？吾友吳椿榮默庵先生，歷任教育部高等教育司副座、督學等職，平生恬於祿利，於世俗所誇耀而歎詫之者，漠然不以置懷，故於前歲罷官旋里，杜門不與外事，日以讀書著述自遣。嘗自國立中央圖書館臺灣分館發現《臺海擊鉢吟集》一冊，頓時驚為秘籍，蓋此書列入閉架善本，倘非搜訪百至，讀者無從觀覽，故此書實已久無人知矣。今幸默庵先生無意發現，疑為天壤間之孤本，深懼此書隨世磨滅，乃取而詳加校注，並將編次改以內容歸類，而依析韻、釋題、注解等序整理。欲使作者之意，宛若告語，詩中典實，皆探源索本，以期有助鑑賞。然誦其詩、讀其書，而不知其人，可乎？是以作者七十四人，各考其爵里，臚列於卷末，庶使藝林之士，隨類以求詩，因人而論世。全稿殺青，因取而授梓，不日即將出版餉世。此猶豐城寶劍，沉埋塵土已久，一旦得其尺鐵寸金，其光焰將騰耀於上下，足為人間快覩。昔顧嗣立編選元詩三集成，夜夢古衣冠前來拜謝者數百人，此蓋詩道通乎幽冥，天地鬼神之秘，盡寄於人心，而詩又人心之所寄，故能動天地，感鬼神也。

默庵先生，才敏學邃，下筆輒數千言。自幼讀書，即稱詩文采苑。服官之後，兼擅公牘，部中無人能出其右，知交遍海內。余與其論交，則最晚而最厚，知其述作方殷，筆札日富，猶之驅驥騷以就坦途，故其學術成就，堪稱卓絕。頃讀其《臺海擊鉢吟集校注》手稿，洋洋灑灑，八十餘萬言，此豈余棄筆所能及者哉！平心而論，從事詩文校注工作，實非易事，本身若非學富五車，則難作探本窮源之工夫。清代學者杭世駿《道古堂集》卷八〈李太白集輯注序〉云：「作者不易，箋疏家尤難。何也？作者以才為主，而輔之以學。興到筆隨，第抽其平日之腹笥，而縱橫曼衍，以極其所至，不必沾沾獺祭也。為之箋與疏者，必語語核其指歸，而意象乃明；必字字還其根據，而證佐乃確。才不必言，夫必有什倍於作者之卷軸，而後可以從事焉。」同卷〈李義山詩注序〉又云：「詮釋之學，較古昔作者為尤難。語必溯源，一也；事必數典，二也；學必貫三才而窮七略，三也。」由此可見，作詩為難，注詩為尤難，唐僧皎然謂鍾嶸非詩家之流，不應為詩作評，其尤難可知也。默庵先生窮數年之力，完成此書之校注工作，並持而過余山居問序，余甚私慰於衷，喜其有此豐碩成果。遍觀坊間已刊行之各種臺灣詩抄，無論其為總集或別集，皆未見有作詩注之者，焉知此書不為本島詩注之嚆矢也。余故欣然而曰，此不獨新竹 竹梅吟社之幸，亦吾臺文獻保存之幸也，因略識數語於簡端，以俟夫世之採詩者。

中華民國九十三年歲次甲申中秋前一日，後學**李孟晉**敬序於新竹玄奘大學中國語文學系

# 臺海擊鉢吟集校注 目次

卷二……四九

卷五……二〇二

## 第二冊

## 貳、傳奇

## 參、月　旦

## 伍、形　容

## 陸、生活點滴……六一七

## 柒、記　事

**捌、詠時令**

## 玖、寫 景

## 拾、詠 月

第三冊

## 拾貳、詠鳥獸蟲魚

## 拾參、詠物……一一二五

拾肆、雜　詠……一二九四

# 壹、詠史

## 卷一

### 一、舜在牀琴

鄭兆璜

謨蓋機心任覬覦①，鼓琴聊自訴憂虞②。如何一曲南薰後③，依舊天倫敘友于④。

【析韻】

覦、虞、于，上平、七虞。

【釋題】

孟子 萬章上：「象往入舜宮，舜在牀琴。」意謂：象以為穿井弒兄之計已售，喜不自勝。逕入舜室，欲鼓其琴。詎舜往見之，象愕不懌也。史記 五帝本紀：「虞舜者，名曰重華。重華父曰瞽叟。……舜父瞽叟盲而舜母死。瞽叟更娶妻而生象。象傲，瞽叟愛後妻子，常欲殺舜。……後，瞽叟又使舜穿井，……舜既入深，瞽叟與象共下土實井，舜從匿空出去；瞽叟、象喜，以舜已死。象曰：『本謀者象，象與其父母分。』於是，曰：『舜妻堯二女與琴，象取之。牛、羊、倉廩予父母。』象乃止舜宮居，鼓其琴。舜往見之，……」在，介詞。于。通「於」。表動作、行為等之處所。牀，ㄔㄨㄤˊ。同「床」。坐臥之具。易 剝：「剝牀以足。」釋名 釋牀帳：「人所坐臥曰牀。牀，裝也。所以自裝載也。」琴，鼓也。彈也。西晉 陸機（二六一—三〇三）豪士賦：「孟嘗遭雍門而泣，而琴之感以末。」

**【注解】**

①謨蓋……覦　他，胸懷歹念、心存巧詐。我只好聽憑他有非分的企圖。謨蓋ㄇㄛˊ ㄏㄞˋ。謀害。蓋，通「害」。孟子 萬章上：「謨蓋都君咸我績，牛羊父母，倉廩父母，干戈朕，琴朕，二嫂使治朕妻。」清 洪頤煊（一七六五—一八三三）讀書叢錄卷七：「謀蓋，猶言謀害也。」機心，巧詐之心。莊子 天地：「吾聞之吾師，有機械者必有機事，有機事者必有機心。機心存於胸中，則純白不備。」任，聽憑。三國 魏 嵇康（二二三—二六二）琴賦：「齊萬物兮超自得，委性命兮任去留。」覬覦，非分的企圖。左傳 桓公二年：「庶人、工、商，各有分親，皆有等衰。是以民服事其上，而下無覬覦。」

②鼓琴……慮　姑且自個兒藉彈琴陳訴憂慮。鼓琴，彈琴。餘參釋題。聊自，且自。謂：姑且自己。詩 檜風 素冠：「我心傷悲兮，聊與子同歸兮。」鄭玄箋：「聊，猶且也。」自，親身。躬親，謂自己。詩 小雅 節南山：「不自為政，卒勞百姓。」孟子 離婁上：「人必自侮，然後人侮之；家必自毀，而後人毀之；國必自伐，而後人伐之。」唐 李商隱（八

一三—八五八）東還詩：「自有仙才自不知，十年長夢採華芝。」憂虞，憂慮。易繫辭上：「悔吝者，憂虞之象也。」唐杜甫（七一二—七七〇）北征詩：「揮涕戀行在，道途猶恍惚；乾坤含瘡痍，憂虞何時畢？」

③如何……後　彈完了南風以後，怎麼樣？如何，怎樣。詩小雅庭燎：「夜如何其，夜未央。」南薰，亦作「南熏」。指南風歌。孔子家語辯樂：「舜彈五絃之琴，歌南風之詩。其詩曰：『南風之薰兮，可以解吾民之慍兮。南風之時兮，可以阜吾民之財兮。』」後，表時間。與「先」相對。漢書石顯傳：「鄭令蘇建得顯私書，奏之，後以他事論死。」

④依舊……于　仍和往常一般，發抒兄弟間的友愛。天倫，自然倫次。指兄弟。　友于，發抒兄弟友愛之義。敘，ㄒㄩˋ。亦作「敍」、「叙」。發抒也。東晉王羲之（三〇三—三六一）蘭亭集序：「雖無絲竹管絃之盛，一觴一詠，亦足以暢敘幽情。」書君陳：「惟孝友于兄弟。」後漢書史弼傳：「陛下

虞舜，姓姚，一說姓嬀，名重華，有虞氏。由四岳舉於堯，堯命攝政三十年，除四凶，舉八元八愷，天下大治。受禪繼堯位，都蒲阪，在位四十八年，南巡，崩於蒼梧之野。

隆於友于，不忍遏絕。」

## 二、舜在牀琴

施天鈞

貳室春深夢不孤①，在牀心事一琴俱②。分明泣訴絃中寫③，謨蓋人來入聽無④？

【析韻】

孤、俱、無，上平、七虞。

【釋題】

詳本卷、一、釋題，茲從略。

【注解】

①貳室……孤　別宮裏，甥舅情篤。即使做夢也不會寂寥。貳室，別宮。孟子 萬章下：「舜尚見帝，帝館甥於貳室，亦饗舜，送為賓主，是天下而友匹夫也。」春深，春意濃鬱。謂帝堯款待愛壻甚殷，甥舅情篤若春深也。夢，睡眠時，大腦局部皮質並未完全停止活動而引起的腦內部的表現活動。墨子 經上：「夢，臥而以為然也。」東漢 王充（二七―九七？）論衡 死偽：「且夢，象也。」唐 杜甫 夢李白詩之二：「故人入我夢，明我長相憶。」紅樓夢第二五回：「（小紅）唬醒過來，方知是夢。」不孤，不寂寥。論語 里仁：「德不孤，必有鄰。」

②在牀……俱　在牀榻上彈奏時，內心的思緒，和琴繫在一起。在牀，參本卷、一、釋題。心事，內心所思念或期望的事。指思緒言。唐 劉皂（七七八？—八二五？）長門怨詩之三：「旁人未必知心事，一面殘妝空淚痕。」清 龔自珍（一七九一—一八四一）己亥雜詩之二二九：「吟到恩仇心事湧，江湖俠骨恐無多。」一琴，猶云那一把琴。俱，在一起。南宋 趙汝茪（？—？，理宗時人。）漢宮春詞：「湖間舊時飲者，今與誰俱？」

③分明……寫　一面流淚，一面訴說的情節，清清楚楚地呈現在琴絃上。分明，清楚。唐 元稹（七七九—八三一）內狀詩寄楊白二員外：「彤管內人書細膩，金奩御印篆分明。」水滸傳第八六回：「前面行軍旗上，寫的分明：『大遼副統軍賀重寶』。」泣訴，亦作「泣愬」。流淚訴說。南宋 沈作喆（一一〇五—？）寓簡卷一〇：「明皇時，胡番入見，伶人識其貌，不能堪，相與泣訴於上前。」東周列國志第六一回：「獻公使教其嬖妾，嬖妾不率教，師曹鞭之十下，妾泣愬於獻公。」絃中「寫」，傾吐。發抒。詩 邶風 泉水：「駕言出遊，以寫我憂。」唐 李白（七〇一—七六二）于五松山贈南寧常贊府詩：「遠客投名賢，真堪寫懷抱。」

④謨蓋……無　心懷歹念的人啊！你既已到了這裏，究竟有沒有聽入耳？謨蓋，參前首注①。來，至。詩 小雅 采薇：「憂心孔疚，我行不來。」傳：「來，至也。」易 繫辭下：「日往則月來，月往則日來，日月相推而明生焉。」論語 學而：「有朋自遠方來，不亦樂乎？」入聽無，聽進去了嗎？入，由外而內。無，疑問詞。唐 白居易（七七二—八四六）問劉

十九詩：「晚來天欲雪，能飲一杯無？」

## 三、烽火戲諸侯

陳濬芝

妃子分明一笑逢①，驪山烽舉戲從容②。雍州從此無完壤③，劫火千秋付祖龍④。

【析韻】

逢、容、龍，上平、二冬。

【釋題】

史記 周本紀：「……三年，幽王嬖愛褒姒。褒姒生子伯服。幽王欲廢太子；太子母，申侯女而為后。後，幽王得褒姒愛之，欲廢申后，并去太子宜臼，以褒姒為后，以伯服為太子。……褒姒不好笑，幽王欲其笑萬方，故不笑。幽王為熢燧大鼓。有寇至，則舉燧火，諸侯悉至；至而無寇，褒姒乃大笑，幽王說之。為數舉燧火，其後不信，諸侯益不至。……」熢燧，ㄈㄥ ㄙㄨㄟˋ。本作「熢熢」，亦作「熢隧」。熢同「烽」。遠古邊境報警，白晝積薪燃煙稱「烽」，夜則舉「燧」，以望火光也。墨子 號令：「晝則舉烽，夜則舉火。」熢，亦作「燧」，同「烽」。熢燧即烽火。戲，ㄒㄧˋ。捉弄，嘲弄。國語 晉語九：「智襄子戲韓康子而侮段規。」諸侯，分公、侯、伯、子、男五等。周制：諸侯應服從天子政令，向天子朝貢、述職、出兵、服役。禮記 王制：「王者之制，祿爵公、侯、伯、子、男凡五等。」疏：「此公、侯、伯、子、男，獨以侯為名，稱諸侯者，舉中而言。又，爾雅，侯為君，故以侯言之。」

## 【注解】

①妃子……逢　妃子顯然藉著嫣然一笑來迎合君王。妃子，皇帝的側室，地位僅次於后。唐 王建（七六六—？）宮詞之七一：「妃子院中初降誕，內人爭乞洗兒錢。」在此，妃子指褒姒言。分明，明明。顯然。南朝 梁武帝（四六四—五四九）遊仙詩：「委曲鳳臺日，分明柏寢事。」唐 杜甫 歷歷詩：「歷歷開元事，分明在眼前。」元 關漢卿（生卒年不可考）竇娥冤楔子：「嗨！這箇那裏是做媳婦，分明是賣與他一般。」一笑逢　藉一笑來迎合（或奉承）。一笑，笑一聲，極短暫地笑。孟子 告子下：「逢君之惡其罪大。」趙岐注：「逢，迎也。君之惡心未發，臣以諂媚逢迎而導君為非，故曰罪大。」

②驪山……容　驪山邊境舉烽示警，玩笑可開得不慌不忙。驪山，古驪戎居之，故名。在今陝西 臨潼縣東南。又名藍田山。烽舉，即舉烽。古戍守邊境，有警即於高土臺上燃火舉之以告。北宋 蘇軾（一○三六—一一○一）驪山絕句之二：「幾變雕牆幾變灰，舉烽指鹿事悠哉！」餘詳釋題。戲從容，玩笑開得不慌不忙。戲，開玩笑。論語 陽貨：「前言戲之耳。」從容，不慌不忙。莊子 秋水：「儵魚出遊從容，是魚之樂也。」從，ㄘㄨㄥ。

③雍州……壤　從這個時候起，雍州不再是完整的領土了。雍州，古九州之一。書 禹貢：「黑水 西河惟雍州。」周禮 夏官 職方氏：「乃辨九州之國，……正西曰雍州。」今陝西、甘肅、青海 額濟納之地，即古雍州。完壤，完整的疆域。壤，ㄖㄤˇ。泥土之通稱。在

此，引申作「疆域」、「疆土」解。

④劫火……龍　從此兵燹千年不斷，這一切就交給秦始皇了。劫火，亦作「刧火」、「刦火」、「刼火」。本佛教語。謂壞劫之末所起的大火。後亦借指兵火。此處從後解。清 顧炎武（一六一三—一六八二）恭謁天壽山十三陵詩：「康 昭二明樓，並遇劫火亡。」納蘭性德（一六五五—一六八五）南歌子 古戍詞：「何年劫火賸殘灰，試看英雄碧血滿龍堆。」千秋，千年。形容歲月長久也。一年有一秋，千秋即千年。西漢 李陵（前？—前七四）與蘇武詩：「嘉會難再遇，三載為千秋。」付，交與。給與。祖龍，指秦始皇。史記 秦始皇本紀：「（卅六年）秋，使者從關東夜過華陰 平舒道，有人持璧遮使者曰：『為吾遺滈池君。』因言曰：『今年祖龍死。』使者問其故，因忽不見，置其璧去。使者奉璧具以聞。始皇默然良久，曰：『山鬼固不過知一歲事也。』退言曰：『祖龍者，人之先也。』使御府視璧，乃二十八年行渡江所沉璧也。」集解：「蘇林曰：祖，始也；龍，人君象。謂始皇也。」

## 四、美人忍笑

陳朝龍

含睇生成未破瓜①，美人風趣愛羞遮②。如何褒姒終難忍③，一笑烽煙誤國家④。

【析韻】

瓜、遮、家，下平、六麻。

**【釋題】**

美人，猶言佳人、美女也。容貌姣好、身材勻稱之女子曰美人。此處，隱指褒姒而言。褒姒，亦作襃姒。周 褒國之女子，姒姓。公元前七七九年，周幽王（姬宮湦）伐褒，褒侯進褒姒，為幽王所寵幸。性不好笑。幽王悅之萬方不得。乃舉烽火以召諸侯，諸侯急至，而無外敵入寇事，褒姒大笑。幽王遂數舉烽火，以博褒姒之笑。後申侯聯犬戎攻周，幽王又舉烽火，諸侯以為戲，不至，幽王被弒於驪山之下。詩 小雅 正月：「赫赫宗周，褒姒烕之。」國語 晉語一：「周幽王伐有褒，褒人以褒姒女焉。」楚辭 天問：「周幽誰誅？焉得夫褒姒？」餘詳史記 周本紀幽王一節及呂氏春秋 疑似。忍，克制。荀子 儒效：「志忍私，然後能公；行忍性情，然後能脩。」笑，（面部）表情顯露愉悅狀且發欣喜之聲。易 同人：「同人先號咷而後笑。」鄧析子 無厚：「體痛者口不能不呼，心悅者顏不能不笑。」

**【注解】**

①含睇……瓜　還不到及笄之齡，天生含情脈脈。含睇生成，生來就含情脈脈。含睇，含情而視也。睇，ㄉㄧˋ。斜視，流盼。楚辭 九歌 山鬼：「既含睇兮又宜笑，子慕予兮善窈窕。」生成，自然形成，與生俱有，並非做作。水滸傳第一〇五回：「那山四面，都是生成的石室，如房屋一般，因此叫做房山。」未破瓜，還不到十六歲。舊稱女子十六歲為「破瓜」。「瓜」字拆開為兩個「八」字，即二八之齡，故稱。東晉 孫綽（三一四—三七一）情人碧玉歌之二：「碧玉破瓜時，郎為情顛倒。」唐 皇甫枚（生卒年不詳，昭宗前後時人）三水

小犢 綠翹：「（魚玄機）色既傾國，思乃入神，喜讀書屬文，尤致意於一吟一咏。破瓜之歲，志慕清虛。」明 王錂（生卒年不詳，萬曆間人）春蕪記 賜婚：「主上聞知宅上小姐，雖自破瓜之年，未遂摽梅之願。」又，古女子十五六歲稱及笄（ㄐㄧ）。

②美人……遮　她的風度、情趣，那麼容易難為情，又時時刻刻掩飾著。美人，姿容姣好的女子。指褒姒。餘參釋題。風趣，風度情趣。愛羞遮，容易難為情且隨時掩飾。愛，易發生某種變化；常發生某種行為。如：這小孩愛哭。羞，ㄒㄧㄡ。難為情。遮，ㄓㄜ。掩飾；掩蔽。

③如何……忍　怎麼臨了，妳還是按捺不住？如何，參卷一、一、注③。終，事務的結局。在此，作「臨了」（ㄌㄧㄠˇ）解。難忍，不容易忍。謂按捺不住。

④一笑……家　為博取她剎那間的一笑，任意舉烽、混淆軍情、破壞公信、貽害國家。一笑，謂剎那間的笑顏。烽煙，同「烽燧」。即烽火。烽，又作「熢」。古邊境報警信號。白晝放煙曰「烽」，夜間舉火稱「燧」。墨子 號令：「與城上烽燧相望。晝則舉烽，夜則舉火。」誤，害。傷害。國語 晉語三：「女（汝）誤梁由靡使失秦公，而罪三也。」晉書 愍帝紀：「愍帝將出降，歎曰：『誤我事者，麴（麴允）、索（索綝）二公也。』」清 袁枚（一七一六—一七九七）與香亭書：「要知此理不明，雖得科名作高官，必至誤國誤民。」國家，國的通稱。古諸侯封地稱國，大夫封地稱家。易 繫辭下：「君子安而不忘危，存而不忘亡，治而不忘亂，是以身安而國家可保也。」孟子 離婁上：「人有恆言，皆曰天

下國家，天下之本在國，國之本在家，家之本在身。」

## 五、美人忍笑

鄭兆璜

丰韻居然解語花①，幾回欲笑確羞遮②。含情別有關情處③，一轉秋波背絳紗④。

【析韻】

花、遮、紗，下平、六麻。

【釋題】

同前首，略。

【注解】

①丰韻……花　憑儀態、論神情，她確實是善解人意的美人。丰韻，儀態神情。水滸傳第四回：「魯達看那女子時，另是一般丰韻，比前不同。」近人蘇曼殊（一八八四—一九一八）破簪記：「余且答且細瞻之，則容光靡豔，丰韻娟逸。」居然，確實。世說新語 言語：「袁彥伯（宏）為謝安南（奉）司馬，都下諸人送瀨鄉將別，既自悽惘，歎曰：『江山遼落，居然有萬里之勢。』」解語花，喻美人。開元天寶遺事卷下解語花：「明皇秋八月，太液池有千葉白蓮數枝盛開，帝與貴戚宴賞焉。左右皆嘆羨久之，帝指貴妃示於左右曰：『爭如我解語花？』」南宋 趙彥端（一一二一—一一七五）鷓鴣天 玉婉詞：「清肌瑩骨

能香玉，豔質英姿解語花。」

②幾回……遮　不知道多少次，想含笑；卻害臊地掩飾起來。幾回，幾次。多少次。羞遮，參考卷一、四注②。

③含情……處　懷著深情，另又深藏不露。含情，懷著深情。東漢 王粲（一七七—二一七）公宴詩：「今日不極懽，含情欲待誰？」唐 白居易 長恨歌：「含情凝睇謝君王，一別音容兩渺茫。」明 高啟（一三三六—一三七四）聽教坊舊妓郭芳卿弟子陳氏歌：「含情欲為秋娘賦，愧我才非杜牧之。」別有，另外有。別，另外。史記 高祖本紀：「使沛公、項羽別攻城陽。」闗情，掩飾感情。唐 張鷟（開元前後時人）遊仙窟：「琵琶入手，未彈中間，僕乃詠曰：『心虛不可測，眼細強闗情；迴身已入抱，不見有嬌聲。』」處，指時空言。

④一轉……紗　秋水般晶瑩惹人的眼神，一旦移動，瞬間，她的臉蛋已朝向紅紗帷幕。一，一旦。轉，指移動視線。秋波，形容女子美目清如秋水也。北宋 蘇軾 百步洪詩之二：「佳人未肯回秋波，幼輿欲語防飛梭。」絳紗，紅紗。紗，絹之輕細者。唐 韋應物（約七三七—七九二）蕚綠華歌：「仙容矯矯兮雜瑤珮，輕衣重重兮蒙絳紗。」明 徐渭（一五二一—一五九三）憶潘公詩之二：「帳底畫眉猶未了，寺丞親着絳紗來。」

## 六、美人忍笑

蔡振豐

娉婷人立背窗紗①，欲笑春風暫忍些②。【倒】是含情情更好③，微窩生頰豔梨花④。

**【析韻】**

紗、些、花，下平、六麻。

**【釋題】**

詳本卷、四、釋題；從略。

**【注解】**

①娉婷……紗　背對著窗紗，站著一位姿態曼妙的美人兒。娉婷，ㄆㄧㄥ ㄊㄧㄥˊ。姿態美好。玉臺新詠西漢辛延年（武帝時人，生卒年不詳）羽林郎詩：「不意金吾子，娉婷過我廬。」樂府詩集春歌之十五：「娉婷揚袖舞，阿那曲身輕。」唐喬知之（？—六九七？）綠珠篇：「石家金谷重新聲，明珠十斛買娉婷。」清李漁（一六一〇—一六八〇）意中緣借兵：「專望你提精勁，救娉婷，除梟獍。」窗紗，糊在窗上的紗。唐白居易三月三日詩：「畫堂三月初三日，絮撲窗紗燕拂簷。」鄭谷（八五一—九一〇？）春草碧色詩：「窗紗迎擁砌，簪玉妒成茵。」南宋楊萬里（一一二七—一二〇六）初夏睡起詩之一：「梅子留酸軟齒牙，芭蕉分綠與窗紗。」冷齋夜話：「西風不入小窗紗，秋氣應憐我憶家。」日人竹

添光鴻（一八四二—一九一七）悼亡詩：「瓶梅寫出橫斜影，淡映窗紗如有人。」

②欲笑……些　想一展笑顏，那姸麗的容貌，忽然稍作片刻的隱藏。春風，喻美。「春風面」的省詞。唐杜甫詠懷古跡之三：「畫圖省識春風面，環珮空歸月夜魂。」南宋陳與義（一〇九〇—一一三八）和張規臣水墨梅之四：「含章簷下春風面，造化功成秋兔毫。」元王實甫（本名德信，大都人，生卒年不詳）西廂記第一本第一折：「我見他宜嗔宜喜春風面，偏宜貼翠花鈿。」暫，猝。忽然。左傳僖公三〇年：「武夫力而拘諸原，婦人暫而免諸國。」忍些猶言忍著點。忍一會兒。在此，意謂片刻的隱藏（笑顏）。

③倒是……好　反而懷著深情，那情調愈發動人。倒，原刊「到」，茲訂正之。倒是，反而。表示同一般情理相反。通「反倒」。含情，參卷一、五、注③。情，心理上發於自然的意念。在此，係指情調言。好，美善。引申作「動人」解。

④微窩……花　臉腮上的小酒窩，美麗賽過梨花。微窩生頰，兩腮同時出現小小的酒窩。頰，ㄐㄧㄚˊ。豔，ㄧㄢˋ。隸作「艶」。亦作「豔」。美麗賽過……。梨花，亦作「棃花」。梨樹的花，色雪白。昔以「梨花帶雨」形容楊貴妃泣下如雨的姿容。唐白居易長恨歌：「玉容寂寞淚闌干，梨花一枝春帶雨。」後恆用以狀女子嬌豔。封神演義第四回：「紂王定睛一看，見妲己烏雲疊鬢，杏臉桃腮，淺淡春山，嬌柔柳腰，真似海棠醉日，梨花帶雨。」

## 七、褒姒裂繒

陳朝龍

寸絲物力亦艱辛①，無那君王媚美人②。一笑繒聲酣聽處③，河山瓦裂委強秦④。

**【析韻】**

辛、人、秦，上平、十一真。

**【釋題】**

褒姒，詳本卷、三、四等兩首釋題，茲從略。裂，撕也。繒，ㄗㄥ。絲織品之總稱。古謂之帛，漢稱之曰繒。漢書 灌嬰傳：「灌嬰，睢陽販繒者也。」西晉 皇甫謐（二一五—二八二）帝王世紀：「帝桀淫虐，……日夜與妹喜及宮女飲酒，常置妹喜於膝上。妹喜好聞裂繒之聲而笑，桀為發繒裂之，以順適其意。」唐 李商隱（八一三—八五八）僧院牡丹詩：「傾城惟待笑，要裂幾多繒。」桀、幽治國均鮮務德，喜、褒皆具傾城之姿，朝龍等吟友遂張冠李戴，誤將妹喜作褒姒也。裂繒，其聲清厲，引人亢奮。妹喜，有施氏之女，後為夏桀妃。國語 晉語一：「昔夏桀伐有施，有施人以妹喜女焉。」韋昭注：「有施，喜姓之國，妹喜其女也。」妹，音ㄇㄛˋ。楚辭 天問作「妹嬉」。

**【注釋】**

①寸絲……辛　即便是短短的一段絲線，資源的取得也很不容易。寸絲，短短的一小段絲

（線）。寸，長度單位，十分為寸，十寸為尺。在此，形容極短或極小。如：寸步、寸土……。物力，財物的力量。猶今語「資源」。艱辛，艱難辛苦。謂很不容易。

②無那……人　無可奈何啊！幽王一心一意，想方設法，討好美人。那，奈。表感嘆。唐王維（七〇一—七六一）酬郭給事詩：「強欲從君無那老，因將臥病解朝衣。」無那，無奈。無可奈何也。君王，指周幽王姬宮涅。宣王靖之子，在位十一年，自公元前七八一年至前七七一年。媚，ㄇㄟˋ。巴結。書冏命：「無以巧言令色，便辟側媚。」美人，指褒姒。

③一笑……處　盡情地享受撕裂絲帛所發出的音聲和隨之而來的歡笑聲。繒聲，撕裂絲帛所發出的音聲。繒，詳釋題。酣聽，盡情地聽。所曰處。即所在的地方。詩邶風擊鼓：「爰居爰處，爰喪其馬；于以求之，于林之下。」史記五帝本紀：「遷徙往來無常處，以師兵為營衛。」漢書李陵蘇武傳：「陵敗處，出塞百餘里。」

④河山……秦　國土像瓦片墜地般破碎了，這一切只有付託壯盛的嬴秦來收拾。河山，猶言國土。疆域。史記趙世家：「燕秦謀王之河山，閒三百里而通矣。」清黃遵憲（一八四八—一九〇五）贈梁任父同年詩：「寸寸河山寸寸金，伛離分裂力誰任。」瓦裂，如瓦墜地而碎裂。喻分崩離析。分裂。尚書大傳卷三：「紂之卒輻兮，紂之車瓦裂。」魏書匈奴傳劉聰等傳序：「桓靈失政，九州瓦裂。」委強秦，付託給壯盛的嬴秦。秦王政先後滅六國，結束戰國七雄分裂的局面，於公元前二二一年統一全國，定皇帝稱號。

## 八、褒姒裂繒

蔡振豐

風流天子亦翻新①，繒裂聲聲博一顰②。太息江山從此壞③，當朝補袞更無人④。

【析韻】

新、顰、人，上平、十一真。

【釋題】

同前首。

【注解】

①風流……新　花俏輕浮、不拘禮法的君王，也玩起推陳出新的點子。風流天子，花俏輕浮、不拘禮法的君王。在此，指周幽王。風流，有多義。此處，用以形容花俏輕浮、不拘禮法。敦煌曲子詞南歌子一：「悔家風流壻，風流無準憑。」清李漁慎鸞交造端：「小生外似風流，心偏持重也。」翻新，從舊的變化出新的。謂取悅寵妃的點子推陳出新。

②繒裂……顰　反覆不停的裂帛音聲，換來愛妃微皺眉尖。繒裂，猶裂繒。參前首釋題。聲聲，反覆多次的音聲。唐白居易琵琶行：「絃絃掩抑聲聲思，似訴平生不得志。」博，換來。如：「博」一青衿。一顰，皺一下眉頭。顰，ㄆㄧㄣˊ。亦作「嚬」。皺眉。

③太息……壞　唉！國家的領域、政務，從這個時候分裂、惡化。太息，出聲長歎。楚辭離

騷：「長太息以掩涕兮，哀民生之多艱。」江山借指國家的領土、政務言。三國志 吳書 賀邵傳：「割據江山，拓土萬里。」（指疆域版圖）。元無名氏百花亭第三折：「指望待整乾坤，定江山，安社稷，……。」（含版圖、政權而言）。壞，不好。謂國土分裂、政務廢弛。

④當朝……人　在位者竟然沒有人及時規諫、勸阻。當朝，ㄉㄤ ㄔㄠˊ。本朝。當代。在此，作「正在朝掌政柄、理政務的人」解。補袞，本義：帝王所著袞龍之服。故稱補救、規諫帝王之過失，曰補袞。袞，ㄍㄨㄣˇ。亦作「衮」。詩 大雅 烝民：「袞職有闕，維仲山甫補之。」傳：「有袞冕者，君之上服也。仲山甫補之，善補過也。」更無人，竟然沒有人。更，ㄍㄥˋ。卻。竟然。史記 游俠列傳 郭解：「郭解……少時陰賊，慨不快意，身所殺甚眾。……及解年長，更折節為儉，以德報怨，厚施而薄望。」

## 九、息夫人犒師

蔡振豐

冶容早識皆淫誨①，犒勞當年悔露嬌②。一盞未酬心已醉③，桃花無主可憐宵④。

**【析韻】**

嬌、宵，下平、二蕭。

**【釋題】**

息，一作「鄎」（ㄒㄧ）。西周初封，姬姓。故城在今河南 息縣北。左傳 隱公十一年：「鄭、息有違言，息侯伐鄭。」杜預注：「息國，汝南 新息縣。」息夫人，息侯之夫人，息嬀（ㄍㄨㄟ）。春秋、陳國女，有美色。榮按：蔡哀侯娶於陳，息侯亦娶焉。息侯夫人過蔡，蔡侯無禮。息侯請楚伐蔡。周莊王十三年九月（公元前六八四）楚師潰蔡軍，俘哀侯獻舞歸。左傳 莊公十四年：「蔡哀侯繩息嬀以語楚子。楚子滅息，以息嬀歸。生堵敖及成王焉。未言，楚子問之，對曰：『吾一婦人而事二夫；縱弗能死，其又奚言？』楚子以蔡侯滅息，遂伐蔡。秋，楚入蔡。」犒師，以酒食等物慰勞軍隊。今謂勞軍。左傳 僖公廿六年：「齊孝公伐我，公使展喜犒師。」又，三十一年：「（秦師）及滑，鄭商人弦高將市於周，遇之，以乘韋先、牛十二，犒師。」

**【注解】**

①冶容……誨　早知道妖豔的裝扮，都是奢華的負面示範。冶容，妖豔的打扮。易 繫辭上：「慢藏誨盜，冶容誨淫。」早識，已經知道。早，表時間。與「晚」相對。謂事前。識，ㄕˋ。知道。詩 大雅 瞻卬：「如賈三倍，君子是識。」皆，全。都。莊子 盜跖：「丘之所言，皆吾之所棄也。」唐 溫庭筠（八一二—八七〇？）夢江南詞：「過盡千帆皆不是，斜暉脈脈水悠悠。」淫誨，奢華的負面示範。

②犒勞……嬌　真後悔那一年賞勞楚軍時，表現嫵媚豔麗、清潤細語。犒勞，賞勞，慰勞。

呂氏春秋 悔過：「使人臣犒勞以璧，膳以十二牛。」以酒食等物慰勞曰犒（ㄎㄠˋ）。左傳 僖公三十三年：「寡君聞吾子將步師出於敝邑，敢犒從者。」當年，昔年、往年。晉書 文苑傳 序：「翰林總其菁華，典論詳其藻絢，彬蔚之美，競爽當年。」悔，ㄏㄨㄟˇ。事後自省有所不是的心理狀態。今語「後悔」。露嬌，表現出嫵媚豔麗、清潤細語的儀態。露，ㄌㄡˋ。南朝 梁 江淹（四四四—五〇五）別賦：「珠與玉兮豔暮秋，羅與綺兮嬌上春。」唐 杜甫 宿昔詩：「花嬌迎雜樹，龍喜出平地。」前蜀 李珣（唐僖宗前後時人，生卒年不詳）望遠行詞：「瓊窗時聽語鶯嬌，柳絲牽恨一條條。」

③一盞……醉　滴酒未沾，內心已小鹿亂撞。一「盞」，ㄓㄢˇ。亦作「琖」、「醆」，（廣韻）。小杯。方言卷五：「盞，桮也。……自關而東，趙 魏之間曰椷（ㄒㄧㄢˊ），或曰盞。」注：「最小桮也。」桮，ㄅㄟ。同「杯」。未「酬」，ㄔㄡˊ。勸酒。主答客曰酬。主人自飲酌以勸賓之酒也。說文作「醻」。儀禮 鄉飲酒禮：「主人實觶酬賓。」東晉 陶潛（三六五—四二七）遊斜川詩：「提壺接賓侶，引滿更獻酬。」醉，迷。痴迷之如醉。莊子 應帝王：「列子見之而心醉。」

④桃花……宵　桃花夫人身不由己；值得憐憫的長夜。桃花，息夫人別稱桃花夫人，在此省作「桃花」。唐 劉長卿（七〇九—七八六？）桃花夫人廟詩：「寂寞應千歲，桃花想一枝。」無主，謂不由己。聶夷中（咸通前後人，生卒年不詳）送友人歸江南詩：「上國身無主，下第誠可悲。」可憐，值得憐憫。莊子 庚桑楚：「汝欲返性情而無由入，可憐哉！」成玄

英疏：「深可哀愍也。」唐白居易賣炭翁詩：「可憐身上衣正單，心憂炭賤願天寒。」清紀昀（一七二四—一八〇五）閱微草堂筆記灤陽消夏錄四：「然情狀可憐，亦使人心脾悽動。」宵，夜晚。詩豳風七月：「書爾于茅，宵爾索綯。」

## 一〇、息夫人犒師　　陳朝龍

酬恩報怨竟相要①，勉強軍前濁酒澆②。到底傾樽即傾國③，桃花臉破合歡宵④。

**【析韻】**

要、澆、宵，下平、二蕭。

**【釋題】**

詳本卷、九、釋題。

**【注解】**

①酬恩……要　答謝恩德、報復讎怨，居然混在一塊兒。酬恩，謝恩。唐羅隱（八三三—九〇九）青山廟詩：「市簫聲咽跡崎嶇，雪恥酬恩此丈夫。」北宋沈括（一〇三一—一〇九五）謝進守令圖賜絹表：「生負素志，不能效力於當年；沒而有知，尚期酬恩於瞑目。」明湯顯祖（一五五〇—一六一六）紫釵記杏園題名：「青雲已是酬恩處，莫惜芳時醉錦袍。」報怨，報復讎怨。論語憲問：「以直報怨，以德報德。」回答、回復曰報。怨，ㄩㄢˋ。

仇恨。易繫辭下：「益以興利，困以寡怨。」又，亦作埋怨解，亦謂不滿。西漢李陵答蘇武書：「苟怨陵以不死，然陵不死，罪也。』北宋趙子發（？—？，生卒年待考）菩薩蠻詞：「怨春風雨惡，二月桃花落。」竟，居然。表性態。雜纂新錄不想活：「竟敢在老虎頭上拔毛。」相要，邀請。要，ㄧㄠ。通「邀」。唐元稹代九九詩：「自隱勤勤索，相要事事隨。」

②勉強……澆　在楚師的先頭部隊前方，灑酒濺地，行迎接之儀，內心萬般不甘。勉強，內心不願而強為之。三國魏嵇康與山巨源絕交書：「不相酬答，則犯教傷義，欲自勉強，則不能久，四不堪也。」軍前，楚師先頭部隊前方。濁酒，以糯米、黃米釀酒，其色溷濁，故稱。前引與山巨源絕交書：「時與親舊敘闊，陳說平生，濁酒一杯，彈琴一曲，志願畢矣。」清李景福（生卒年不詳）暮春遺意詩：「殘燈和夢斷，濁酒帶愁傾。」澆，以酒灑地。唐李白東山吟：「白鷄夢後三百歲，酒酒澆君同所懽。」

③到底……國　畢竟，乾杯敬酒的代表是美女息媯啊！到底，畢竟。唐李山甫（懿宗前後時人，生卒年不詳）秋詩：「鄒家不用偏吹律，到底榮枯也自均。」傾樽，猶言乾杯。樽，ㄗㄨㄣ。本作「尊」，亦作「罇」。古盛酒器。即，是。就是。左傳襄公八年：「民死亡者，非其父兄，即其子弟。」史記老莊申韓列傳老子：「或曰：儋即老子也。」傾國，在此，指息夫人。意謂美女。唐李白清平調：「名花傾國兩相歡，長得君王帶笑看。」白居易長恨歌：「漢皇重色思傾國，御宇多年求不得。」

④桃花……宵　妳啊！顏面碎裂、尊嚴蕩然地度過這男女同榻的長夜。桃花，參前首注④。臉破，猶云顏面盡失、尊嚴蕩然。合歡，本指男女交歡。警世通言 玉堂春落難逢夫：「沈洪平平日原與小段名有情，那時扯在鋪上，草草合歡，也當春風一度。」清 紀昀 閱微草堂筆記 如是我聞二：「夫婦亦甚相悅，……視其衾已合歡矣。」此處，係用以描述息嬀遭楚文王擄歸…。宵，參前首注④。

## 十一、息夫人不言

林清漪

讀史君休為史愚①，不言為節理誠誣②。安知氈帳承歡夜③，果是含情一語無④。

**【析韻】**

愚、誣、無，上平、七虞。

**【釋題】**

蔡、息素不睦；蔡哀侯娶於陳，息侯亦娶焉。息侯夫人過蔡，哀侯無禮，息侯請楚伐蔡，楚師俘哀侯獻舞歸。楚王聞息嬀美，自蔡還而滅息，擄息嬀。西漢 劉向（公元前七七？—前六）列女傳：「夫人者，息君之夫人也。楚伐息，破之。虜其君，使守門，將妻其夫人而納之于宮。楚王出游，夫人遂出。見息君，謂之曰：『人生要一死而已。何至自苦？妾無須與而忘君也，終不以身更貳醮。生離于地上，豈如死歸于地下哉？』乃作詩曰：『谷則異室，死則同穴。謂予不信，有如皦日。』息君止之，夫人不聽，遂自殺。息君亦自殺，同日俱死。楚王賢其夫人守節有義，乃以諸侯之禮合而葬之。」按：此說與本卷、九、釋題所引左傳異。不言，緘默無語也。唐 杜牧（八〇三—八五二）題桃花夫人廟詩云：「細腰宮裡露桃新，脈脈無言度幾春；至竟息亡緣底事，可憐金谷墜樓人。」清一統志：「漢陽府桃花夫人廟在黃陂縣東三十里。唐 杜牧有題桃花夫人廟詩，即息夫人也。」清詩別裁卷一二鄧漢儀題息夫人廟：「千古艱難惟一死，傷心豈獨息夫人。」清 俞樾（一八二一—一九〇六）茶香室叢鈔 夫人竹：「按自來咏息夫人者，止言桃花，無言竹者。據劉向列女傳夫人固烈女子也，千載之下，猶有此竹以表貞萋，足為桃花夫人一洗之矣。」餘參卷一、九、釋題。

**【注解】**

①讀史……愚　您研究歷史，不要被史書蒙蔽。讀史，誦念歷史。讀，誦。引申作「研究」解。君，對人的敬稱，猶今語「您」。休，莫。不要。唐 杜甫諸將詩：「洛陽宮殿化為烽，休道秦關百二重。」為史愚，被史書（或史籍）所蒙蔽。為，ㄨㄟˊ。同「為」。被。漢書 高帝紀：「趙王武臣為其將所殺。」愚，ㄩˊ。蒙蔽。欺騙。孫子 九地：「能愚士卒之耳目，使之無知。」

②不言……誣　由於操守的問題，始終緘默不語，這個道理確實被捏造的情節所毀。不言，不說話。參本卷、九、釋題所引左傳莊公十四年及本首釋題。為節，由於操守的問題。為，ㄨㄟˋ。由於，為了。孟子 萬章下：「仕非為貧也，而有時乎為貧。」節，操守。左傳成公

十五年：「子臧辭曰：『前志有之曰：聖達節，次守節，下失節。』」理誠誣，理果真被揑造的情節所毀。亦即以非為是、道德淪喪。理，道理，法則。易 繫辭上：「易簡而天下之理得矣。」禮記 仲尼燕居：「禮也者，理也。」疏：「理，謂道理，言禮者使萬物合於道理也。」誠，果然，確實。孟子 公孫丑上：「子誠齊人也，知管仲 晏子而已矣。」誣，揑造事實，毀人名譽、名節。易 繫辭下：「誣善之人其辭游。」

③安知……夜　那知道帳篷裏，迎合人意、博取歡心的夜晚，又怎麼過的？氈帳，用氈做成的帳篷。樂府詩集 隋 薛道衡（五四〇—六〇九）王昭君：「毛裘易羅綺，氈帳代帷屏。」氈，ㄓㄢ。亦作「氊」。用獸毛（通常採綿羊毛）碾合而成的片狀物。承歡，迎合人意，博取歡心。楚辭 九章 哀郢：「外承歡之汋約兮，諶荏弱而難持。」唐 白居易 長恨歌：「承歡侍宴無閑暇，春從春遊夜專夜。」夜，指日沒後。自昏至旦（日出前）的時段。詩 大雅 抑：「夙興夜寐，灑埽廷內，維民之章。」

④果是……無　真的連一句帶有感情的話，都不曾說出口嗎？果，真。表態。史記 梁孝王世家：「竇太后哭極哀，不食。曰：『帝果殺吾子。』」含情，參本卷五、注③。一語無，一句話都沒有。

## 十二、息夫人不言

陳朝龍

到底傾城亦可愚①，楚宮忍辱為全夫②。不言儘有難言處③，悔不軍前效綠珠④。

**【析韻】**

愚、夫、珠，上平、七虞。

**【釋題】**

詳前首釋題，茲從略。

**【注解】**

①到底……愚　畢竟美女也會被人玩弄。到底，參本卷、十、注③。傾城，顛覆邦國。詩大雅瞻卬：「哲夫成城，哲婦傾城。」後多用以指美女。漢書外戚傳李延年歌：「北方有佳人，絕世而獨立；一顧傾人城，再顧傾人國。寧不知傾城與傾國，佳人難再得。」因用傾城傾國以形容絕色女子。在此，從後解。可愚，能夠（或可以）玩弄。

②楚宮……夫　為成全丈夫，在楚宮勉強承受各種恥辱的煎熬。楚宮，楚王的宮室。忍辱，勉強承受恥辱的煎熬。西漢李陵答蘇武書：「殺身無益，適足增羞；故每攘臂忍辱，輒復苟活。」全夫，成全丈夫。

③不言……處　緘默不語，雖有不容易說明白的時候。不言，參前首釋題。儘有，雖有。初

刻拍案驚奇卷卅四：「話說世間齊眉結髮，多是三生分定。儘有那揮金霍玉，百計千方，圖謀成就的，到底卻捉個空。」難言，不容易說（明白）。處，時。時候。唐 劉長卿江州留別薛六柳八二員外詩：「江海相逢少，東南別處長。」南宋 岳飛（一一〇三—一一四二）滿江紅 寫懷詞：「怒髮衝冠，憑欄處，瀟瀟雨歇。」

④悔不……珠　後悔沒有在楚軍前，自殺明節。悔，參本卷、九、注②。軍前，指楚師前。效，摹倣。綠珠（公元？—三〇〇）西晉 石崇（二四九—三〇〇）所蓄歌妓，善吹笛。時趙王 司馬倫弒賈后，自稱相國，專擅朝政。崇與潘岳等謀勸淮南王（司馬允）、齊王（司馬冏）圖倫，謀未發。倫有嬖臣孫秀，家世寒微，與崇有宿憾。既貴，又向崇求綠珠，崇怒、不許。乃力勸倫殺崇。崇母、兄、妻、子，十五人皆死。甲士抵門逮崇，綠珠跳樓自殺。（事詳晉書 石崇傳，世說新語 仇隙。）另詳卷五、八一釋題。

## 十三、吳宮教美人戰

蔡振豐

### 之一

彩旗分擁美人兵①，多少工夫教得成②。此即女戎他日兆③，越溪一進便傾城④。

之二

最難制是美人兵⑤，試法何妨教戰爭⑥。願向先生假符節⑦，胭脂隊裏一橫行⑧。

**【析韻】**

兵、成、城，下平、八庚。

兵、爭、行，下平、八庚。

**【釋題】**

典出史實吳宮教陣。史記孫吳列傳：「孫子武者，齊人也。以兵法見於吳王闔廬。闔廬曰：『子之十三篇，吾盡觀之矣，可以小試勒兵乎？』曰：『可。』於是，許之。出宮中美女，得百八十人。孫子分為二隊，以王之寵姬二人各為隊長，皆令持戟。……約束既布，乃設鈇鉞，即三令五申之。於是，鼓之右，婦人大笑。孫子曰：『約束不明，申令不熟，將之罪也。』復三令五申，而鼓之左，婦人復大笑。孫子曰：『約束不明，申令不熟，將之罪也；既已明而不如法者，吏士之罪也。』乃欲斬左右隊長。吳王從臺上觀，見且斬愛姬，大駭。趣使使下令曰：『寡人已知將軍能用兵矣。寡人非此二姬，食不甘味，願勿斬也。』孫子曰：『臣既已受命為將，將在軍，君命有所不受。』遂斬隊長二人以徇。用其次為隊長。於是，復鼓之，婦人左右前後跪起皆中規矩繩墨，無敢出聲。」東漢趙曄（明、章二帝時人，生卒年不詳）吳越春秋闔閭內傳：「孫子者，名武。吳人也。善為兵法，辟隱深居，世人莫知其能。胥乃明知鑒辯……七薦孫子。……（吳王）問曰：『兵法寧可以小試耶？』孫子曰：『可。可以小試於後宮之女。』王曰：『諾。』孫子曰：『得大王寵姬二人以為軍隊長，各將一隊。令三百人皆被甲兜鍪操劍盾；而立告以軍法，隨鼓進退左右、迴旋。使知其禁。乃令曰：『一鼓皆振，二鼓操進，三鼓為戰形。』於是，宮女皆掩口而笑。孫子乃親自操枹擊鼓，三令五申，其笑如故。孫子顧視諸女連笑不止；孫子大怒，兩目忽張，聲如駭虎，髮上衝冠，項旁絕纓，顧謂執法曰：『取鈇鑕。』孫子曰：『約束不明，申令不信，將之罪也。既已約束、三令不申，卒不卻行，士之過也。軍法如何？』執法曰：『斬！』武乃令斬隊長二人，即吳王之寵姬也。吳王登臺觀望，正見斬二愛姬，馳使下之令曰：『今日寡人已知將軍用兵矣。寡人非此二姬，食不甘味，宜勿斬之。』孫子曰：『臣既已受命為將，將法在軍，君雖有令，臣不受之。』孫子復撝鼓之，當左右、進退、迴旋，規矩不敢瞬目，二隊寂然無敢顧者。於是，乃報吳王，曰：『兵已整齊，願王觀之；惟所欲用使赴水火，猶無難矣，而可以定天下。』吳王忽然不悅，曰：『寡人知子善用兵，……』」

**【注解】**

①彩旗……兵　彩色的旗幟，各聚集如花似玉的女兵。彩旗，彩色的旗幟。古用作儀仗。唐李商隱行次西郊作一百韻詩：「彩旗轉初旭，玉座當祥煙。」清會典圖輿衛彩旗：「皇貴妃儀仗彩旗，雲緞，硃紅、黑二色，俱斜幅，不繡。餘如鳳旗之制。」分擁，各聚集……。分，ㄈㄣ。一半。公羊傳莊公四年：「師喪分焉。」注：「分，半也。」宮女編成二隊，

故曰分。擁，聚集。三國志 蜀書 諸葛亮傳：「今操已擁百萬之眾，挾天子而令諸侯，此誠不可與爭鋒。」美人兵，史記 孫武列傳：「出宮中美女，得百八十人。孫子分為二隊，以王之寵姬二人各為隊長，皆令持戟。」故稱。

②多少……成　須用多少的時間和精神，才能完成教育訓練。多少，若干。幾何。工夫，亦作「功夫」。猶言時間、精神。唐 元稹琵琶詩：「使君自恨常多事，不得功夫夜夜聽。」北宋 呂南公（一〇〇七—一〇八六）奉寄子發詩：「能無智慮隨天轉，未有工夫與俗爭。」教得成，猶言教好。謂完成教育訓練。教化、訓誨曰教。

③此即……兆　這就是將來女禍的徵候。此即，這就是。女戎，猶言女禍。國語 晉語一：「史蘇告大夫曰：『有男戎必有女戎。』」注：「戎，兵也。女兵，言其禍猶兵也。」他日，將來的某一天或某一時期。日後。孟子 滕文公上：「墨者夷之因徐辟而求見孟子。孟子曰：『吾固願見，今吾尚病……。』他日又求見孟子。」北宋 林逋（九六七—一〇二六）先生將終之歲自作壽堂因書一絕以志之：「茂陵他日求遺稿，猶喜曾無封禪書。」兆，ㄓㄠˋ。古占卜，在龜板或獸骨上鑽刻，再用火灼，視裂紋以定吉凶。顯示吉凶之裂紋，曰兆。引申作事情發生前的徵候或跡象。左傳 襄公八年：「兆云詢多。」

④越溪……城　越溪的秀女，一旦入宮，就有顛覆邦國之虞啊！越溪，傳說為越國美女西施浣紗之處。唐 李白 送祝八之江東賦得浣紗石詩：「西施 越溪女，明豔光雲海。」元 薩都剌（一二七二—？）越溪曲：「越溪春水清見底，石罅銀魚搖短尾。」隱指西施。一進，

一經獻上。一，一經。一旦。左傳 成公二年：「蔡 許之君，一失其位，不得列於諸侯。」進，奉上。禮記 曲禮上：「侍飲於長者，酒進則起。」便，就。即。表性態。史記 東越傳：「楊僕使使上書，願便引兵擊東越。」傾城，參本卷、十二、注①。

⑤最難……兵　最不容易統御的是如花似玉的女兵。最「難制」，ㄋㄢˊ ㄓˋ。不容易掌控。不容易統御。美人兵，參本首注①。

⑥試法……爭　考驗的方式，可以訓練她們作戰、爭鬥。試法，考驗的方式。何妨，不妨。謂可以。戰爭，作戰、爭鬥，多指國與國間或民族與民族間的武裝衝突。

⑦願向……節　期盼向先生您，借取符節。先生，指孫武。假符節，借符節。符節，古代的一種符信。以金、玉、竹、木、角等製成，上刻文字，分為兩半，使用時以兩半相合為驗。

⑧胭脂……行　（以便）在粉紅行列裡，非常率意地來去自如。胭脂隊，即美人兵。猶云粉紅行列。橫行，非常率意而行。一，一，音「ㄧ」。副詞，表程度。非常。甚。很。橫行，ㄏㄠˊ ㄒㄧㄥˊ。漢書 司馬相如傳 上林賦：「扈從橫行，出乎四校之中。」注：「言其跋扈恣縱而行，出於校之四外也。」

## 十四、吳宮教美人戰

鄭 兆 璜

豈真粉黛擅知兵①，孫子韜鈐法也行②。一變吳宮歌舞態③，繡旗風捲陣雲橫④。

【析韻】

兵、行、橫，下平、八庚。

【釋題】

同前首，略。

【注解】

①豈真……兵　美女長於軍事，難道不假？豈，難道。詩 王風 大車：「豈不爾思，畏子不奔。」真，不假。粉黛，借喻美女。唐 白居易長恨歌：「回眸一笑百媚生，六宮粉黛無顏色。」擅，ㄕㄢˋ。專長。南朝 梁 任昉（四六〇—五〇八）宣德皇后令：「文擅雕龍，而成輒削　。」知兵，通曉軍事。史記 項羽本紀：「宋義論武信君之軍必敗，居數日，軍果敗。兵未戰而先見敗徵，此可謂知兵矣。」

②孫子……行　孫武的用兵謀略、練兵方式，都做通了。孫子，指孫武。詳前首釋題。韜鈐，ㄊㄠ ㄑㄧㄢˊ。六韜與玉鈐篇等二古兵書之合稱。亦指用兵謀略。在此，從後解。法，練兵方式。行，ㄒㄧㄥˊ。實施。易 繫辭上：「形而上者謂之道，形而下者謂之器，化而裁之謂之變，推而行之謂之通。」

③一變……態　完完全全更改了吳宮歌唱舞蹈的情況。一變，完完全全地更改。一，盡。變，更改。易 夬 本義：「剛長乃終，謂一變則為純乾也。」論語 雍也：「子曰：『齊一變至於魯，魯一變至於道。』」吳宮，參前首釋題。歌舞，歌唱舞蹈。詩 小雅 車舝：「雖

無德與女，式歌且舞。」南宋 林升（生卒年不詳）題臨安邸詩：「山外青山樓外樓，西湖歌舞幾時休？」事之情況曰態。唐 羅隱（八三三—九一〇）謝江都鄭長官啟：「因循世態，放蕩宦遊。」

④繡旗……橫　繡旛被風掀翻得像疊起的雲朵，有如兵陣交錯。繡旗，即繡旛。唐 溫庭筠 感舊陳情詩：「繡旗隨影合，金陣似波旋。」唐 章碣（生卒年不詳）贈邊將詩：「宛轉龍蟠金劍雪，連錢豹躩繡旗風。」捲，ㄐㄩㄢˇ。掀起、翻開。陣雲橫，雲朵疊起彷如兵陣交錯。

## 十五、西子捧心

辛 邦 彥

吳宮儘日蹙雙蛾①，心事難明手自摩②。莫怪美人終抱痛③，受恩深處負恩多④。

**【析韻】**

蛾、摩、多，下平、五歌。

**【釋題】**

亦作西施捧心。西子，春秋 越女西施之別稱。孟子 離婁下：「西子蒙不潔，則人皆掩鼻而過之。」注：「西子，古之好女西施也。」莊子 天運：「故西施病心而矉（顰）其里，其里之醜人見而美之，歸亦捧心而矉其里。其里之富人見之，堅閉門而不出，貧人見之，挈妻子而去之走。」捧心，用手承托著心。

**【注解】**

①吳宮……蛾　她，整天在深宮中。吳宮，春秋 吳國的王宮。儘日，終日。整天。明 陳子龍（一六〇八—一六四七）南鄉子詞：「儘日對紅顏，畫闌深，半掩關。」蹙，ㄘㄨˋ。本作「蹴」。縮。左傳 成公十六年：「其卦遇復䷗，曰：『南國蹴，射其元王中厥目。國蹴王傷，不敗何待？』」雙蛾，女子雙眉。玉臺新詠序：「南都石黛，最發雙蛾；北地臙脂，偏開兩靨。」

②心事……摩　內心的思緒，外人不容易了解；只見，她雙手不斷地搓揉。心事，參卷一、二、注②。難明，（外人）不容易理解。手自摩，自個兒雙手相搓。

③莫怪……痛　不要責備美人老是心懷傷痛。莫怪，休怪。不要責備。美人，指西施。終，竟。猶言老是。抱痛，心懷傷痛。南朝 梁 江淹 詣建平王上書：「而下官抱痛圓門，含憤獄戶，一物之微，有足悲者。」明 劉基（一三一一—一三七五）書蘇伯修御史斷獄記後：「而銜寃抱痛之民，莫不伸眉引項，若槁葉之待滋潤。」

④受恩……多　她獲得的德澤多麼地厚重。相對的，背恩之過卻也不少。受恩，獲得恩澤。西漢 劉向 說苑 復恩：「夫施德者，貴不德；受恩者，尚必報。」三國 蜀 諸葛亮（一八一—二三四）前出師表：「臣不勝受恩感激。」唐 韓愈（七六八—八二四）為裴相公讓官表：「受恩益大，顧己益輕。」本句此處係指吳王 夫差寵愛西施愈恆而言。負恩，猶背恩。隋 江總（五一九—五九四）哭魯廣達詩：「悲君感義死，不作負恩生。」在此，

指西施以美色迷惑夫差，吳終為越所滅，夫差自焚等史實。多，不少。

## 十六、一錢看西施

蔡振豐

之一

淺笑輕顰百媚生①，一錢爭欲看傾城②。便宜最是游湖客③，明月清風夜夜情④。

之二

千金一笑買難成⑤，聲價緣何見面輕⑥？未必便宜真若此⑦，捧心也覺不分明⑧。

【析韻】

生、城、情，下平、八庚。

成、輕、明，下平、八庚。

【釋題】

「一錢看西施」意謂：難得一見西施也。一錢，一文錢。指額度、數量極小（少）而言。引申作機會難得解。錢，本有多義：（一）古人稱鐵鏟曰錢。（二）測量單位曰錢。二銖四絫為一錢；積十錢重一兩。（三）遠古吾人先祖仿農器—鐵鏟之形，以金屬鑄幣，原稱泉，取泉水流行周遍之義。戰國末年始有圓周孔方形之貨幣，改稱錢。西晉魯褒（太康、元康間人，生卒年不詳）錢神論云：「錢之為體，有乾坤之象，內則其方，外則其圓。……視之為兄，其字孔方，……」由是，謔稱孔方曰錢。西漢桓寬（生卒年不詳）鹽鐵論相刺：「通一孔，曉一理，而不知權衡；以所不睹不信人，若蟬之不知雪。」目視曰看。西施，姓施。名諱與生卒年均待考。一作先施，又稱西子。春秋末越國苧蘿山（今浙江諸暨縣南）人。史載：句踐為亂吳國政，求美女於國中，得諸暨苧蘿山鬻薪之女，曰西施、鄭旦。恐其樸鄙，施以羅縠，教以容步，習於土城，臨於都巷。三年學服，西獻於吳。夫差寵幸有加，特於姑蘇西南靈岩山巔營構館娃宮，銅溝玉欄，飾以珠玉，金碧輝煌，氣派脫俗。句踐十年生聚、十年教訓，一舉滅吳；西施與范蠡遂相偕入五湖（一說太湖）而去。事詳越絕書、吳越春秋等書。今蘇州市郊尚有琴臺、玩花池、西施洞等古蹟。

## 【注解】

①淺笑……生　眉尖稍皺，臉腮微笑，嫵媚萬千。淺笑，猶言微笑。南朝梁元帝（五〇八—五五五）採蓮賦：「恐沾裳而淺笑，思傾船而斂裾。」唐李商隱河陽詩：「龍頭瀉酒客壽杯，主人淺笑紅玫瑰。」北宋晏幾道（一〇三〇？—一一〇六）采桑子詞：「淺笑微顰，恨隔重簾看未真。」輕顰，稍皺眉頭。南唐李煜（九三七—九七八）長相思詞：「雲一緺，玉一梭，淡淡衫兒薄薄羅，輕顰雙黛螺。」剪燈新話翠翠傳：「誓海盟山心已許，幾番淺笑輕顰。」清龔自珍湘月甲戌春泛舟西湖賦此詞：「一抹春山螺子黛，對我輕顰

姚冶。」百媚生，呈現出非常嫵媚。北宋賀鑄（一〇五二—一一二五）點絳唇詞：「見面無多，坐來百媚生餘態。」元王實甫西廂記第一本第三折：「可喜娘的臉兒百媚生，兀的不引了人魂靈。」

②一錢……城　機會難得，大伙期盼搶先一睹國色天香。一錢，猶云機會難得。餘詳釋題。爭欲看，搶先想要一見。爭，ㄓㄥ。亦作「爭」。搶先。三國演義第一三回：「樂軍見衣服滿地，爭往取之，隊伍盡失。」欲，想要。商君書定分：「為治而去法令，猶欲無饑而去食也，欲無寒而去衣也。」看，視。注視。唐王維過崔處士興宗林亭詩：「科頭箕踞長松下，白眼看他世上人。」北宋李清照（一〇八一—？）點絳唇詞：「倚門回看，卻把青梅嗅。」明陸卿子（嘉靖萬曆間人）花燭詩：「細看鏡裡徘徊影，重掛鴉黃貼翠鈿。」又作「觀賞」解。唐劉禹錫（七七二—八四二）戲贈看花詩：「紫陌紅塵拂面來，無人不道看花回。」王建醉中憶故人詩：「遇晴須看月，閒健且登樓。」傾城，參卷一、十二注①。

③便宜……客　遊湖的來客占盡了好處。便宜，ㄆㄧㄢˊ ㄧˊ。好處。唐寒山（大曆間僧）詩之二七三：「有人來罵我，分明了了知。雖然不應對，卻是得便宜。」南宋趙長卿（？—？）滿庭芳荷花詞：「算勞心勞力，得甚便宜。」又作價錢低解，引申為不值。相傳越滅吳未幾，范蠡與西施相偕入太湖而去。來湖遊憩的客人稱遊湖客。

④明月……情　玉輪皎潔、涼風宜人，每夜情趣濃烈、興致高昂。明月清風，皎潔的月亮，

宜人的涼風。戰國楚宋玉（生卒年均不詳）神女賦：「其少進也，皎若明月舒其光。」唐張若虛（中宗、玄宗間人）春江花月夜詩：「春江潮水連海平，海上明月共潮生。」杜甫四松詩：「清風為我起，灑面若微霜。」清沈復（一七六三—一八二二？）浮生六記閨房記趣：「八窗盡落，清風徐來，紈扇羅衫，剖瓜解暑。」夜夜情，每個晚上，氣氛、趣味都很高昂。情，情趣，興致。唐元稹任醉詩：「本怕酒醒渾不飲，因君相勸覺情來。」段成式（？—八六三）題谷隱蘭若詩之二：「鳥啄靈雛戀落暉，村情山趣頓忘機。」

⑤千金……成　美人微微一笑，可是不容易見到。千金一笑，本作「一笑千金」。一笑價值千金。極言美人一笑之難得。藝文類聚卷五七引東漢崔駰（？—九二）七依：「迴顧百萬，一笑千金。」南朝梁王僧孺（四六五—五二二）詠歌姬：「再顧傾城易，一笑千金難。」唐楊師道（？—六四七）闕題詩：「兩鬢百萬誰論價，一笑千金判是輕。」北宋黃庭堅（一〇四五—一一〇五）兩同心詞之二：「一笑千金，越樣情深，曾共結合歡羅帶，終願效比翼紋禽。」水滸傳第七回：「翠袖圍香，絳綃籠雪，一笑千金值。」買，求取。戰國策韓策一：「此所謂市怨而買禍者也！」南史虞寄傳：「吾豈買名求仕者乎？」在此，引申作「見及」解。

⑥聲價……輕　為什麼見了面，名譽、身價反而滑落？聲價，名譽、身價。東漢應劭（生卒年不詳，建安二年仍在世）風俗通十反聘士彭城姜肱：「吾以虛獲實，蘊藏聲價。盛明之際，尚不委質，況今政在家哉！」唐牟融（生卒年不詳，德憲兩朝時人）司馬遷墓

詩：「英雄此日誰能薦，聲價當時眾所推。」近人郭影秋（？—？）讀王漁洋詩題後詩：「王子才高一代宗，龍門聲價自稱雄。」緣何，因何。為何。東晉干寶（生卒年不詳，元帝時仍在世。）搜神記卷一六：「王粧梳，忽見玉，驚愕悲喜，問曰：『爾緣何生？』」北宋梅堯臣（一〇〇二—一〇六〇）郭之美忽過云往河北謁歐陽永叔沈子山詩：「問我此蟠桃，緣何結子遲。」見面，猶見到。會面。唐杜甫十二月一日詩之三：「春來準擬開懷久，老去親知見面稀。」周賀（？—？；唐寶曆間仍健在）與崔弇話別詩：「幾年方見面，應是鑷蒼髭。」元王實甫西廂記第三本第二折：「從今後相會少，見面難。」輕，少。引申作「滑落」解。

⑦未必……此　不一定真像這般的不值。未必，不一定。文子符言：「君子能為善，不能必得其福；不忍於為非，而未必免於禍。」唐白居易別舍弟後月夜詩：「平生共貧苦，未必日成歡。」南宋劉過（一一五四—一二〇六）水調歌頭詞：「未必古人皆是，未必今人俱錯，世事沐猴冠。」便宜，詳注③「便宜」後引申解。真，不假。猶實實在在。此，像這般。

⑧捧心……明　雙手承托著心，同樣感到一陣茫然。捧心，詳本卷、十五、釋題。也，同樣。同「亦」。南宋陸游（一一二五—一二一〇）史院晚出詩：「心知伏櫪無千里，縱有王良也合休。」覺，感到。不分明，猶茫然。分明，詳參本卷、二、注③。

明清銅錢舉例

正面

洪武（明太祖年號，1368-1398）
黃銅鑄。徑 4.04cm、邊厚 0.28cm

背面

騎牛童子吹笛圖

正面

康熙（清聖祖年號，1662-1721），稱重寶應係祝壽時所鑄。黃銅鑄。徑 5.85cm、邊厚 0.3cm

背面

寶泉，錢局名號，左右雙龍紋。

正面

乾隆（清高宗年號，1736-1795），登極開爐紀念錢。背鑄「天下太平」屬期望語也。徑 3.2cm、邊厚 0.25cm

背面

## 十七、范蠡

林朝崧

沼吳功就卸朝衫①，三徙成名更不凡②。越國黃金空鑄像③，江湖已署散人銜④。

**【析韻】**

衫、凡、銜，下平、十五咸。

**【釋題】**

范蠡，生卒年不詳。春秋楚宛（今河南南陽縣）人。字少伯。仕越為大夫，佐句踐刻苦圖強，卒滅吳。以句踐為人可與同患難，不能共安樂，去越入齊，改名鴟夷子皮。至陶（今山東定陶縣境）稱朱公，經商致富。史記越王句踐世家：「范蠡事越王句踐，既苦身戮力，與句踐深謀二十餘年，竟滅吳，報會稽之恥，……句踐以霸。……范蠡以為大名之下，難以久居；且句踐為人可與同患，難以處安，為書辭句踐……」又，卷一二九貨殖列傳：「昔者，越王句踐困於會稽之上，乃用范蠡、計然。……修之十年，國富。……遂報彊吳，觀兵中國，稱號五霸。范蠡既雪會稽之恥，乃喟然歎曰：『計然之策七，越用其五而得意；既已施於國，吾欲用之家。』乃乘扁舟，浮於江湖。變名易姓，適齊，為鴟夷子皮，之陶，為朱公。……十九年之中，三致千金，再分散與貧交疏昆弟。此所謂富好行其德者也，……。」蠡，ㄌㄧˊ。句踐，一作勾踐。鴟，一作「鵄」，或作「鵶」、「䲭」；音ㄔ。鴟夷子皮省稱鴟夷子。李太白詩古風之二：「何如鴟夷子，散髮棹扁舟？」

## 【注解】

①沼吳……衫　滅吳大功告成，及時辭官。沼吳。猶言滅吳。左傳 哀公元年：「越十年生聚，而十年教訓，二十年之外，吳其沼乎！」注：「謂吳宮室廢壞，當為汙池。」沼，ㄓㄠˇ。功就，大功告就之省詞。周禮 夏官 司勳：「王功曰勳，國功曰功。」唐 杜甫八陣圖詩：「功蓋三分國，名成八陣圖。」就，成也。詩 周頌 敬之：「日就月將，學有緝熙于光明。」孔穎達疏：「日就，謂學之使每日有成就。月將，謂至於一月則有可行。言當習之以積漸也。」卸朝衫，脫去官服。卸，ㄒㄧㄝˋ。除下。脫去。朝衫，猶云朝衣、朝服。君臣朝會時所著禮服。論語 鄉黨：「吉月，必朝服而朝。」朝，ㄔㄠˊ。史記 貨殖列傳：「……范蠡既雪會稽之恥，乃喟然而歎曰：『計然之策七，越用其五而得意。既已施於國，吾欲用之家。』乃乘扁舟，浮於江湖。」

②三徙……凡　三度移家、三致千金，慷慨解囊、贏得美名，尤其出色。三徙，指入湖（五湖）、適齊、至陶。詳前引貨殖列傳。徙，ㄒㄧˇ。說文作「辿」。遷。移。論語 述而：「聞義不能徙。」成名，范蠡治產積居，十九年三致千金，再分散與貧交疏昆弟，富而好行其德。史記 越王句踐世家：「……故范蠡三徙，成名於天下，非苟去而已，所止必成名。」更，益。不凡，非常。引申作「出色」解。

③越國……像　越王 句踐白費心機，熔金造像。空，ㄎㄨㄥ。徒然。謂事無實效。國語 越語

下：「（范蠡）乘輕舟以浮於五湖，莫知其所終極。王命金工以良金寫范蠡之狀，而朝禮之。」吳越春秋 句踐伐吳外傳：「蠡終不還矣。越王乃收其妻子，封百里之地。有敢侵之者，上天所殃。於是，越王乃使良工鑄金象范蠡之形，置之坐側，朝夕論政。」元 陳基（一三一四—一三七〇）垂虹橋詩：「伯國黃金聞鑄像，王門白玉想為標。」

④江湖……銜　四方各地已經將他列名隱士，並且給他安了個散人的頭銜。江湖，原指江河湖海；後泛稱五湖四海各地。史記 貨殖列傳：「（范蠡）乃乘扁舟浮於江湖。」已，已經。時間副詞，謂過去。署，題名。散人，閒散不為世用之人。莊子 人間世：「且也若與予也皆物也，奈何哉其相物也。而幾死之散人，又惡知散木？」唐 陸龜蒙（公元？—八八一）隱居不仕，以散人自居，常以舟載茶竈、筆牀、釣具往來各地，時人稱之為江湖散人。後人遂恆以散人泛稱隱士。

## 十八、范蠡

林資修

載得西施便掛颿①，魚簑容易換朝衫②。苧蘿本是煙波侶③，不為君王解信讒④。

【析韻】

颿、衫、讒，下平、十五咸。

【釋題】

同前首，略。

【注解】

①載得……颿　帶著西施，及時張帆行舟。載得，猶帶著。載，ㄗㄞˋ。攜帶。西施，詳本卷、十五、釋題。便，猶及時。掛颿。猶云掛帆。意謂張帆行舟。掛，本作「挂」。ㄍㄨㄚˋ。颿，ㄈㄢ。同「帆」。船帆。

②魚簑……衫　披上蓑衣，不在乎（或輕易地）取代原來的那一身官服。魚簑，漁人所著簑衣。簑，ㄙㄨㄛ。同「蓑」。用竹葉或草、棕等編成的雨披，稱簑衣。容易，不在乎。輕易地。換，替代。取代。朝衫，詳卷一、十七注①。

③苧羅……侶　她本（來）就是我在水鄉的青梅竹馬。苧羅，地名。在此用以隱指西施。煙波，霧靄蒼茫的水面。唐崔顥（？—七五四）登黃鶴樓詩：「日暮鄉關何處是？煙波江上使人愁。」在此，引申作「水鄉」解。侶，ㄌㄩˇ。同伴。西漢王褒（宣帝間人，生卒年不詳）四子講德論：「於是相與結侶，攜手俱遊。」唐韓愈利劍詩：「故人念我寡徒侶，持用贈我比知音。」

④不為……讒　不想幫助越王改正他輕信讒言的缺失。不「為」，ㄨㄟˋ。幫助。論語述而：「冉有曰：『夫子為衛君乎？』」君王，指越王勾踐。解信讒，排除相信讒言（的缺失）。解，排除。荀子臣道：「遂以解國之大患，除國之大害。」漢書杜欽傳：「成王有獨見

之明，無信讒之聽。」

## 十九、范蠡載西施遊五湖

陳濬芝

飄然穩載落花紅，少伯風流一葉中①。底事胭脂沈辱井？君王偏作可憐蟲②。

**【析韻】**

紅、中、蟲，上平、一東。

**【釋題】**

國語越語下：「反至五湖，范蠡辭于王曰：『君王勉之，臣不復入越國矣。』……遂乘輕舟以浮于五湖，莫知其所終極。」唐杜牧杜秋娘詩：「西子下姑蘇，一舸逐鴟夷。」清馮集梧注：「楊升庵集：世傳西施隨范蠡去，不見所出，只因杜牧『一舸逐鴟夷』之句而附會也。墨子曰：『西施之沉，其美也。』墨子去吳、越之世甚近，所書得其真。」修文御覽引吳越春秋逸篇云：「吳亡後，越浮西施于江，令隨鴟夷以終。此正與墨子合，蓋吳既滅，越沉西施于江；浮，沉也，反言耳。」北宋陳師道（一〇五三—一一〇一）陶朱公廟詩：「名下難居身可辱，卻將湖海換西施。」明瞿式耜（一五九〇—一六五〇）和密之七夕韻詩：「平居每笑東山屐，千載猶傳少伯舟。」餘詳蔡振豐一錢看西施、林朝崧范蠡等釋題。

**【注解】**

①飄然……中　亂世佳人西施，風流才子范蠡，成雙成對、唱隨無間，合乘扁舟，順風飄蕩。飄然，飄蕩貌。形容舟船在水中行走的狀態。南宋 陸游七月四日夜賦詩：「莫因乞巧嘲兒女，我亦飄然水上浮。」穩載，平順妥當，沒有奔波之苦地乘坐（著）。載，ㄗㄞˋ。落花紅，猶云落花。隱指西子也。南史 丘遲傳：「遲點綴映媚，似落花依草。」少伯，范蠡字。風流，有才而不拘禮法的氣派。世說新語 品藻：「（韓康伯）居然有名士風流。」晉書 王羲之傳附王獻之：「少有盛名，而高邁不羈，……風流為一時之冠。」一葉，謂小船。唐 李賀（七九〇—八一六）送沈亞之歌：「雄光寶礦獻春卿，煙底驀波乘一葉。」

②底事……蟲　張麗華辱沈景陽井，為什麼？沒想到，陳叔寶國亡建康城。他，令人惋惜，值得同情。底事，何事。唐 白居易 放言詩：「朝真暮偽何人辨，古往今來底事無。」胭脂沈辱井，用「胭脂井」典。胭脂井，原名景陽井，故址在今南京市。南朝 陳後主起臨春、結綺、望仙三閣，極盡豪奢，後主與寵妃張麗華、孔貴嬪各居其一。及隋兵南下，克臺城，三人坐視無計，遂俱投井，為隋卒牽出。胭脂，用以影射張麗華。沈，ㄔㄣˊ。亦作「沉」。沒於水中。辱井，屈辱之井。景陽井也。君王，指陳後主（陳叔寶）。可憐蟲，比喻可憐的人。樂府詩集 梁企喻歌：「男兒可憐蟲，出門懷死憂。」可憐，參卷一、九、注④。另，亡國之君，身殉社稷，誰曰不可憐？作者以「胭脂井」的典故，固表達西施與張麗華，二人際遇不同；而吳王 夫差與陳後主，則同屬「可憐蟲」也。

## 二〇、介推受焚

陳　編

**割股啖君亦壯哉①，如何甘死志難回②；酬忠我有寒杯酒③，未忍鄰家乞火來④。**

**【析韻】**

哉、回、來，上平、十灰。

**【釋題】**

左傳僖公廿四年：「介之推不言祿（史記作「推亦不言祿」），祿亦弗及（史記作「祿亦不及」）。推曰：『獻公之子九人（史記作「獻公子九人」），唯君在矣。惠懷無親，外內棄（史記作「弃」）之；天未絕晉，必將有主。主晉祀者，非君而誰？天實置（史記作「開」）之；而二三子以為己力（史記省「而」字），不亦誣乎？竊人之財猶謂之盜（史記作「猶曰盜」）；況貪天之功以為己力乎。下義（史記作「冒」）其罪，上賞其奸（史記作「姦」），上下相蒙，難與處矣！』其母曰：『盍亦求之；以死誰懟？』對曰：『尤而效之，罪又（史記作「有」）甚焉；且出怨言，不食其食（此處，史記作「祿」）。』其母曰：『亦使知之若何？』對曰：『言，身之文也。身將隱，焉（史記作「安」字）用文之；此處，史記增「文之」二字）是求顯也。』其母曰：『能如是（史記作「能如此」）乎？與女偕隱。』遂隱而死（史記作「至死不復見」）。晉侯求之不獲，以緜上為之田（「晉侯……田」史記文字較詳盡）。曰：『以志（史記作「記」）吾過，且旌善人。』」史記晉世家所載內容與上引左傳幾近相同，相異處酌加按語外，茲從略。介之推，亦作介推、介子推、介子綏。春秋晉人，渠生卒年待考。

【注解】

①割股……哉　烹煮自己腿上的肌肉，獻給國君充飢，可值得稱許啊！割股啖君，莊子盜跖：「介子推至忠也，自割其股以食（晉）文公。」割股，用刀截斷大腿上的肌肉。啖，ㄉㄢˋ。給……吃。君，晉公子重耳。後，返國即位，稱文公。亦壯哉，可值得稱許的啊！亦，可。壯，稱許。唐柳宗元（七七三—八一九）佩韋賦：「柳子讀古書，覩直道守節者即壯之。」

②如何……回　奈何心甘情願地就死；他心意已決，不容易挽回。如何，奈何。詩秦風晨風：「如何如何，忘我實多。」甘死，當事者自願赴死，不受外力左右。志難回，心意已決，不容易挽回。

③酬忠……酒　酹祭你，盡心不二、無視聞達，我擎樽斟酒灑地，虔誠悼奠。酬，ㄔㄡˊ。酹祭。盡己之心曰忠。有，事物實際存在。詩小雅魚麗：「君子有酒，旨且多。」寒杯，寒樽。猶云酒杯。暗示冷落、寂寞等情境。

④未忍……來　隔壁人家來舍求取火種，我頓生不忍之心。未忍，不忍。感情上覺得過不去。穀梁傳桓公元年：「先君不以其道終，則弟子不忍即位也。」乞火，求取火種。淮南子覽

冥訓：「乞火不若取燧，寄汲不若鑿井。」唐王維遊悟真寺詩：「買香燃綠桂，乞火踏紅蓮。」清吳偉業（一六〇九—一六七一）菫山兒詩：「父言急去牽兒衣，母言乞火為兒炊作糜。」

# 卷二

## 二一、章華臺細腰

陳朝龍

約束腰圍幾度經①，許多忍餓學娉婷②；可憐損盡如花貌③，僥倖君王眼一青④。

【析韻】

經、婷、青，下平、九青。

【釋題】

章華臺，在今湖北監利縣西北。北宋沈括夢溪筆談卷四辯證二，主此說。臺係春秋楚靈王所造。左傳昭公七年：「楚子成章華之臺，願與諸侯落之。」細腰，腰身纖細也。亦作「細要」。墨子兼愛中：「昔者楚靈王好細要，靈王之臣，皆以一飯為節，脅息然後帶，扶牆然後起。」荀子君道：「楚莊王好細腰，故朝有餓人。」韓非子二柄：「楚靈王好細腰而國中多餓人，……」按荀子所稱「莊王」諒係傳抄錯誤，附記之。

**【注解】**

①約束……經　腰圍承受多少次的纏縛。約束，纏縛。莊子駢拇：「約束不以纆索。」纆，ㄇㄛˋ。纆索，繩索。腰圍，腰的尺寸。北宋歐陽修（一〇〇七—一〇七二）行雲詩：「疊疊煙波隔夢思，離愁幾日減腰圍。」幾度經，「經幾度」的倒裝式。純為叶韻所做的處理。意謂承受了多少次。幾，ㄐㄧˇ。多少。度，量詞。次、回。經，承受。

②許多……婷　很多人寧可減少食量，克制飢腸，一心追求姿態苗條。許多，很多。此處「許多」指「許多人」言。玉臺新詠南朝梁簡文帝（五〇三—五五一）擬古詩：「念人一去許多時，眼語笑靨迎來情。」南宋楊萬里宿靈鷲禪寺詩：「流到前溪無半語，在山做得許多聲。」忍餓，減少食量，克制飢腸。學，習。此處引申作「追求」解。娉婷，詳卷一、六、注①。

③可憐……貌　可惜啊！他們全失去了原本美好的容貌。可憐，參考卷一、九、注④。損盡，失盡。如花貌，像花一般美麗的容貌。

④僥倖……青　只意外地得到靈王一時的重視。僥倖，本作「僥幸」。僥，ㄐㄧㄠˇ。同「徼」。意外獲得……。東漢王符（八五？—一六三？）潛夫論述赦：「或抱罪之家，僥倖蒙恩，故宣此言，以自悅喜。」唐韓愈病鴟詩：「僥倖非汝福，天衢汝休窺。」君王，楚靈王。

姓羋、單名圍，後改名熊虔，亦單稱虔。楚共王審之次子，康王昭之弟。弒康王子郟敖（名員）自立，在位十二年（公元前五四〇—前五二九年）。薨，諡靈。眼一青，即一青眼。一，一旦。唐白居易春雪過皇甫家詩：「唯要主人青眼待，琴詩談笑自將來。」青眼，重視也。眼，正面呈青色、其旁色白。正視則見青處，邪視則見白處。

## 二二、馮煖爲孟嘗君焚券

鄭兆璜

許多積券火中拋①，市義馮煖莫浪嘲②；恥作追逋門下客③，豪情第一報知交④。

**【析韻】**

拋、嘲、交，下平、三肴。

**【釋題】**

馮驩，原作馮諼，亦作馮煖。戰國時人，曾為孟嘗君食客，為之收債於薛（今山東滕縣東南），矯孟嘗君之命，悉焚其券，市義於民，田甲劫王事敗（周赧王廿一年、齊湣王七年、公元前二九四年），孟嘗君奔薛，民皆迎之。終賴馮驩之力，得以復其位。驩，ㄏㄨㄢ。諼，ㄒㄩㄢ。煖，ㄋㄨㄢ。孟嘗君，戰國齊公子，姓田名文。承襲父（田嬰）爵為薛公。齊湣王使渠入秦（周赧王十七年、齊湣王三年、公元前二九八年），遭囚，恃門下食客盜裘以獻，始出秦歸齊。卒，諡孟嘗君。戰國策齊策四：「齊人有馮諼者，貧乏不能自存，使人屬孟嘗君，願寄食門下。……孟嘗君笑而受之曰：『諾。』……後孟嘗君出記，問門下諸客：『誰習計會，能為文收責（債）於薛者乎？』馮諼署曰：『能。』……於是約車治裝，載券契而行，辭曰：『責收畢，以何市而反？』孟嘗君曰：『視吾家所寡有者。』驅而之薛，使吏召諸民當償者，悉來合券。券遍合，起矯命以責賜諸民，因燒其券，民稱萬歲。」史記孟嘗君列傳：「孟嘗君名文，姓田氏。文之父曰靖郭君田嬰。田嬰者，齊威王少子，而齊宣王庶弟也。……初，馮驩聞孟嘗君好客，躡屩而見之。孟嘗君曰：『先生遠辱，何以教文也？』馮驩曰：『聞君好士，以貧身歸於君。』孟嘗君置傳舍十日，……遷之幸舍，食有魚矣。……孟嘗君時相齊，封萬戶於薛，其食客三千人，邑入不足以奉客。使人出錢於薛，歲餘不入，貸錢者多不能與其息。客奉將不給，孟嘗君憂之，問左右：『何人可使收債於薛者？』傳舍長曰：『代舍客馮公……宜可令收債。』……馮驩曰：『諾。』辭行，至薛。召取孟嘗君錢者皆會。得息錢十萬；乃多釀酒、買肥羊，召諸取錢者。能與息者皆來，不能與息者亦來，皆持取錢之券書合之。齊為會，日殺牛置酒，酒酣，乃持券如前合之。能與息者與為期；貧不能與息者取其券而燒之，曰：『孟嘗君所以貸錢者，為民之無者以為本業也。所以求息者，為民無以奉客。今富給者以要期，貧窮者燔券書以捐之。諸君彊飲食，有君如此，豈可負哉？』坐者皆起再拜。孟嘗君聞馮驩燒券書，怒。而使使召驩。驩至，孟嘗君曰：『文食客三千人，故貸錢於薛，……故請先生收責之。聞先生得錢，即以多具牛酒，而燒券書，何？』馮驩曰：『然。不多具牛酒，即不能畢會，無以知其有餘不足。有餘者為要期，不足者雖守而責之十年，息愈多，急，即以逃亡自捐之。若急終無以償，上則為君好利、不愛士民。下則有離上抵負之名，非所以厲士民、彰君聲也。焚無用虛債之券，捐不可得之虛計，令薛民親君，而彰君之善聲也。君有何疑焉？』孟嘗君乃拊手而謝之。」

【注解】

①許多……　很多的債券，往火堆裏丟擲。許多，參卷二、廿一、注②。積券，留存的債契。券，ㄑㄩㄢˋ。契據。古，券恆分兩半，各執其一作為憑證。戰國策 齊策四：「使吏召諸民當償者，悉來合券。」火中，火堆裏。抛，ㄆㄠ。同「拋」。古作「抱」，玉篇始有「抛」字。投，擲。唐 李群玉（大中間人）讀賈誼傳詩：「卑濕長沙地，空抛出世才。」

②市義……嘲　不要輕率地譏笑收買人心的馮煖。市義，猶云收買人心。戰國策 齊策四：「券遍合，起矯命以責賜諸民，因燒其券，……『……君家所寡有者以義耳，竊以為君市義。』……」餘參釋題。唐 溫庭筠 開成五年……因書懷……一百韻詩：「市義虛焚券，關譏謾棄繻。」馮煖，詳釋題。莫浪嘲，不要輕率地譏笑。浪，輕率。嘲，ㄔㄠ。亦作「謿」、「啁」。譏笑。調笑。

③恥作……客　沒有面子去作催逼拖欠的食客。恥，羞愧。追逋，ㄓㄨㄟ ㄅㄨ。催逼拖欠。門下客，門客。食客。唐 李白 少年行詩：「府縣盡為門下客，王侯皆是平交人。」

④豪情……交　用最大的氣魄、情操，來答謝相知之交。豪情，氣魄大且不受拘束的情操。南朝 梁 沈約（四四一—五一三）郊居賦：「竝豪情之所侈，非儉志之所娛。」清 王錫

（康熙間人，生卒年不詳）李白詩：「誰道謫仙狂，豪情托舉觴。」報，答謝。史記淮陰侯列傳：「吾哀王孫進食，豈望報乎？」知交，相知之友。呂氏春秋節喪：「野人之無聞者，忍親戚兄弟知交以求利。」史記鄭當時（列）傳：「年少官薄，然其游知交皆其大父行，天下有名之士也。」

## 二三、絲繡平原

鄭兆璜

翩翩公子重當時①，感德偏教報買絲②。持比放翁團扇畫③，家家人盡識鬚眉④。

**【析韻】**

時、絲、眉，上平、四支。

**【釋題】**

史記平原君虞卿列傳：「平原君趙勝者，趙之諸公子也。諸子中勝最賢，喜賓客，賓客蓋至者數千人。」唐李賀（七九〇—八一六）浩歌詩：「不須浪飲丁都護，世上英雄本無主。買絲繡作平原君，有酒唯澆趙州土」。明袁宏道（一五六八—一六一〇）避俗詩：「買絲繡高士，栽松作比鄰。」清盛錦（？—一七五六）題杜文貞公南池新祠詩：「鑄同賈島應呼佛，繡比平原合買絲。」昔，恆以此典稱揚好客之賢者也。

【注解】

①翩翩……時　風采不凡的公子趙勝，受到昔人的尊敬、推崇。翩翩，本義鳥飛輕疾貌。詩小雅　四牡：「翩翩者鵻，載飛載下。」引申作風采、文辭等美好。史記　平原君傳　贊：「平原君，翩翩濁世之佳公子也。」三國　魏　曹丕（一八七—二二六）與吳質書：「元瑜書記翩翩，致足樂也。」公子，古諸侯的庶子，以別於世子，亦泛稱諸侯之子。儀禮　喪服：「公子為其母，練冠，麻，麻衣縓緣。」鄭玄注：「公子，君之庶子也。」詩　豳風　七月：「殆及公子同歸。」孔穎達疏：「諸侯之子稱公子。」在此，指趙勝。趙惠文王之弟，世稱平原君。與孟嘗（齊）、春申（楚）、信陵（魏），合稱戰國四君。重當時，受到昔人的尊敬、推崇。重，ㄓㄨㄥˋ。尊敬。尊重。北宋　范仲淹（九八九—一〇五二）送徐登山人詩：「重君愛詩書，孜孜不知老。」當時，指過去發生某件事情的時候。猶昔時。韓詩外傳卷一：「臣先殿上絕纓者也。當時宜以肝膽塗地。負日久矣，未有所致。今幸得用，於臣之義，尚可為王破吳而強楚。」唐　曹唐（咸通間暴卒）劉阮再到天台不復見仙子詩：「桃花流水依然在，不見當時勸酒人。」清　納蘭性德　采桑子詞：「近來怕說當時事，結遍蘭襟，月淺燈深，夢裏雲歸何處尋。」

②感德……報　大家感激恩德，特別買絲繡像，同申謝悃。感德，感激恩德。明　李贄（一五二七—一六〇二）與焦弱侯書：「聞有欲殺我者，得兄分剖乃止。此自感德。」清　唐甄（一六三〇—一七〇四）潛書　兩權：「感德然後畏威，畏威然後感德。」偏教，特別

使（人）……。偏，ㄆㄧㄢ。表程度之副詞，猶言特別。教，ㄐㄧㄠ。使。令。唐　金昌緒（？—？）春怨詩：「打起黃鶯兒，莫教枝上啼。」報買絲，買絲繡像以酬謝恩德。報，參本卷、廿二、注④。

③持比……畫　被拿來和畫有陸放翁像的團扇並列。持比，拿來並列，區分彼此的性狀等差別。持，ㄔˊ。執。莊子　秋水：「莊子持竿不顧。」比，並列之，且區分性狀、程度。放翁團扇畫，畫有陸放翁像的圓形扇。團扇，面呈圓狀的扇。南宋　陸游　六月二十四日夜分……記江湖之樂……詩：「吳中近事君知否？團扇家家畫放翁。」

④家家……眉　人人都一致肯定他是昂昂男子漢、大丈夫。家家，每一家。漢書　揚雄傳　解嘲：「家家自以為稷　契，人人自以為咎繇。」盡識，都（能）鑒別、識別。意謂一致肯定。鬚眉，本義鬍鬚與眉毛。韓非子　觀行：「目失鏡則無以正鬚眉，身失道則無以知迷惑。」後亦用以指男子。紅樓夢第一回：「我堂堂鬚眉，誠不若彼裙釵；我實愧則有餘，悔又無益，大無可如何之日也！」在此，從後解。

## 二四、如姬竊符救趙

蔡　振　豐

竊符救趙信陵賢①，豈是如姬擅弄權②？錦幄未醒軍已發③，邯鄲一路淨烽煙④。

**【析韻】**

賢、權、煙，下平、一先。

**【釋題】**

如姬，魏安釐王（一作安僖王）寵姬。史記信陵君列傳：「魏安釐王二十年，秦昭王已破趙長平軍，又進兵圍邯鄲。公子（按：魏公子無忌，信陵君也）姊為趙惠文王弟平原君夫人。數遺魏王及公子書，請救於魏。魏王使將軍晉鄙將十萬眾救趙。秦王使使者告魏王曰：『吾攻趙，旦暮且下；而諸侯敢救者，已拔趙，必移兵先擊之。』魏王恐，使人止晉鄙，留軍壁鄴，名為救趙，實持兩端以觀望。平原君使者冠蓋相屬於魏。……（侯生）曰：『公子喜士，名聞天下。今有難，無他端；而欲赴秦軍，譬若以肉投餒虎，何功之有哉？尚安事客？……』公子再拜，因問。侯生乃屏人間語曰：『嬴聞晉鄙之兵符，常在王臥內；而如姬最幸，出入王臥內，力能竊之。嬴聞如姬父為人所殺，如姬資之三年，自王以下，欲求報其父仇莫能得。如姬為公子泣，公子使客斬其仇頭，敬進如姬，如姬之欲為公子死，無所辭。顧未有路耳。公子誠一開口請如姬，如姬必許諾，則得虎符奪晉鄙軍，北救趙而西卻秦，此五霸之伐也。』公子從其計。如姬果盜晉鄙兵符與公子。公子行。……至鄴，矯魏王令代晉鄙。晉鄙合符，疑之，舉手視公子曰：『今吾擁十萬之眾，屯於境上，國之重位；今單車來代之，何如哉？』欲無聽。朱亥袖四十斤鐵椎，椎殺晉鄙。公子遂將晉鄙軍，勒兵下令軍中曰：『父子俱在軍中，父歸；兄弟俱在軍中，兄歸；獨子無兄弟，歸養。』得選兵八萬人，進兵擊秦軍，秦軍解去，遂救邯鄲存趙。」史記所載竊符救趙發生於魏安釐王二十年（合公元前二五七年、甲辰、周赧王五十八年、秦昭王五十年）；唯資治通鑑 晉鄙出師救趙、信陵奪兵救趙繫年於周赧王五十七年、魏安釐王十九年，二者相差一年，特誌之。

**【注解】**

①竊符……賢　盜取符信，解救趙國，信陵君果然才德兩全。竊符，盜取符信。竊，ㄑㄧㄝˋ。盜取。墨子 非攻上：「今有一人，入人園圃，竊其桃李。」符，ㄈㄨˊ。古，朝廷用以傳達指令、調兵遣將之憑證。以竹、木或金、玉等為之。上書文字，剖而為二，各存其一，用時相合以為徵信，故亦稱符信。救趙，周赧王五十八年、甲辰（公元前二五七年）秦昭王破長平，進而圍邯鄲，趙危在旦夕。餘詳釋題。信陵，信陵君。魏安釐王異母弟，名無忌，封信陵君。禮賢下士，有食客三千，詳史記 信陵君列傳（卷七七）。賢，德才兼備。書 大禹謨：「野無遺賢，萬邦咸寧。」

②豈是……權　難道是如姬獨斷、玩弄權勢？豈是，難道是。如姬，詳本首釋題。擅弄權，獨斷、玩弄權勢。

③錦幄……發　安釐王在錦帳裡安穩地酣睡中；魏師已經啟程。錦幄，錦製篷帳。用以隱指魏安釐王言。用彩色經緯絲織出各種圖案花紋之絲織品，統稱錦。素地者曰素錦，朱地者曰朱錦；未用地者曰織成。幄，ㄨㄛˋ。篷帳。帷幕皆以布為之，四合象宮室，曰幄。未醒，猶睡夢中。軍已發，魏師已經啟程。軍，指魏師。發，啟程。

④邯鄲……煙　邯鄲的沿途，不再有絲毫的敵訊了。邯鄲，ㄏㄢˊ ㄉㄢ。戰國趙都。今屬河北省。邯，山名。鄲，盡也。謂邯山至此而盡，故名。一路，沿途。唐劉長卿尋南溪常山道人隱居詩：「一路經行處，莓苔看履痕。」南宋戴復古（一一六七—？，卒於理宗年間）山村詩：「題詩未了下山去，一路吟聲雜水聲。」淨烽煙，沒有絲毫的敵軍再犯等警訊。淨，ㄐㄧㄥˋ。古作「瀞」。南齊蕭子良（五六〇—五九四）淨住子淨行法門開物歸信門卷二：「六塵愛染，永滅不起。十惡重障，淨盡無餘。業累既除，表裏俱淨。」烽煙，參卷一、四、注④。

## 二五、齊人乞餘

蔡振豐

**侈言富貴與論交①，饜足如斯適取嘲②。我羨東方歸有餘③，恩須一臠出天庖④。**

**【析韻】**

交、嘲、庖，下平、三肴。

**【釋題】**

求人遺以剩菜、剩飯等果腹之，曰乞餘。孟子離婁下：「齊人有一妻一妾而處室者，其良人出，則必饜酒肉而後反。其妻問所與飲食者，則盡富貴也。其妻告其妾曰：『良人出，則必饜酒肉而後反，問其與飲食者，盡富貴也。而未嘗有顯者來。吾將瞯良人之所之也。』

蚤起，施從良人之所之。徧國中無與立談者。卒之東郭墦閒之祭者，乞其餘。不足，又顧而之他。此其為饜足之道也。其妻歸，告其妾曰：『良人者，所仰望而終身也，今若此！』與其妾訕其良人，而相泣於中庭。而良人未之知也，施施從外來，驕其妻妾。……」

**【注解】**

①侈言……交　誇張地訴說，他和有錢、有地位的人結為朋友。侈言，誇張地說。文選西晉左思（生卒年不詳，約卒於惠帝光熙元年，公元三〇六年前後）三都賦序：「侈言無驗，雖麗非經。」侈，ㄔˇ。富貴，財物豐饒，勢位顯要。論語學而：「貧而無諂，富而無驕。」疏：「多財曰富。」貴，位尊也。易繫辭上：「卑高以陳，貴賤位矣。」與論交，親附並和他們結為朋友。與，親附。國語齊語：「桓公知天下諸侯多與己也，故又大施忠焉。」論交，結交。唐高適（七〇二—七六五）送前衛縣李寀少府詩：「怨別自驚千里外，論交卻憶十年時。」北宋陳師道（一〇五三—一一〇一）贈魯直詩：「相逢不用蚤，論交宜晚歲。」清龔自珍哭鄭八丈詩：「論交三世久，問字兩兒趨。」

②饜足……嘲　這般地吃飽、滿足，恰好招來恥笑。饜足如斯，如此饜足。饜足，ㄧㄢˋ ㄗㄨˊ。飽且滿足。適，恰好。正好。商君書畫策：「由此觀之，神農非高於黃帝也，然其名尊者，適於時也。」呂氏春秋首時：「其貌適吾所甚惡也。」取嘲，招來（別人的）恥笑。取，招致。晏子春秋內雜下十：「王笑曰：『聖人非所與熙也，寡人反取病焉。』」嘲，詳卷二、廿二、注②。

③我羨……餘　我欣賞東方朔把剩下的肉帶回家送給小老婆。我羨，我欣賞。羨，ㄒㄧㄢˋ。慕。文選東漢張衡（七八—一三九）思玄賦：「羨上都之赫戲兮，何迷固而不忘。」東方歸有餘，典出東方朔斫肉。史記滑稽列傳附東方朔：「時詔賜之飯於前，飯已盡，懷其餘肉持去。」漢書東方朔傳：「久之，伏日詔賜從官肉。大官丞日晏不來，朔獨拔劍割肉，謂其同官曰：『伏日當蚤歸，請受賜。』即懷肉去。大官奏之。朔入，上曰：『昨賜肉，不待詔，以劍割肉而去之，何也？』朔免冠謝。上曰：『先生起自責也。』朔再拜曰：『朔來！朔來！受賜不待詔，何無禮也！拔劍割肉，壹何壯也！割之不多，又何廉也！歸遺細君，又何仁也！』上笑曰：『使先生自責，乃反自譽！』復賜酒一石、肉百斤，歸遺細君。」東方朔（公元前一五四—前九三年）平原厭次（今山東陽信縣東南）人。字曼倩。官至大中大夫，所作八言、七言詩，多詼諧滑稽，後人傳其異聞甚多，方士且附會之為神。（參附圖）

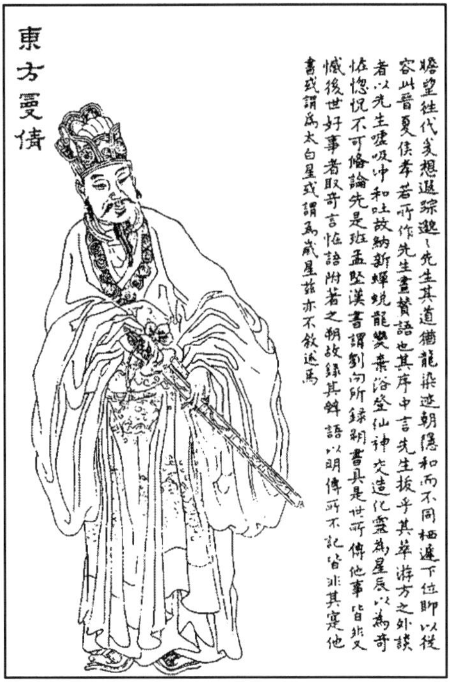


東方朔畫像

④恩頒……庖　恩賜的那一大塊

肉，可來自天家的廚房呢！恩頒，猶云恩賜。上級或長輩贈與曰賜。一臠，一大塊肉。肉切成方塊，曰臠。臠，讀作ㄌㄨㄢˊ，ㄌㄩㄢˊ。餘參考注③。出，本義由內而外。在此，引申作「來自」解。天庖，天家的廚房，即御膳房。天家，帝王之家。庖，ㄆㄠˊ。廚房。

## 二六、齊婦蚤起

陳朝龍

**瞯夫久已蓄微嫌①，蚤起梳粧對鏡匳②。不盡將疑將信意③，曉風吹恨上眉尖④。**

**【析韻】**

嫌、匳、尖，下平、十四鹽。

**【釋題】**

蚤，ㄗㄠˇ。通「早」。國語越語下：「孰使我蚤朝而晏罷者，非吳乎？」餘參本卷、二五，茲從略。

**【注解】**

①瞯夫……嫌　窺視丈夫，內心已存在些許質疑。瞯夫，窺視丈夫。瞯，ㄐㄧㄢˋ。亦作「瞷」。窺視。孟子離婁下：「王使人瞯夫子，果有以異於人乎？」夫，女子之配偶。俗稱丈夫。蓄微嫌，心存一點質疑。蓄，ㄒㄩˋ。積聚。微，細小。嫌，ㄒㄧㄢˊ。疑惑。

②蚤起……匳　清晨起床，面朝鏡匣梳頭、打扮。蚤起，清晨起床。蚤，詳釋題。對，朝向。

向。鏡匳，鏡匣。匳，ㄌㄧㄢˊ。亦作「籢」、「奩」。貯藏東西的器具，大者稱箱、小者稱匣（ㄒㄧㄚˊ）。

③不盡……意　半信半疑，不敢冒然確定的念頭，不停地打轉。不盡，不竭，不止。將疑將信意，半信半疑，未敢遽斷的念頭。唐　李華（七一五？—七七四？）弔古戰場文：「其存其歿，家莫聞知，人或有言，將信將疑。」

④曉風……尖　拂曉的涼風，將她的一股怨氣，吹拂到了眉頭。曉風，清晨的涼風。唐　韓琮（？—？）露詩：「幾處花枝抱離恨，曉風殘月正潸然。」北宋　柳永（九八〇？—一〇五三）雨霖鈴詞：「多情自古傷離別，更那堪，冷落清秋節。今宵酒醒何處？楊柳岸，曉風殘月。」恨上眉尖，怨氣呈現在眉頭。恨，怨。荀子　堯問：「處官久者士妒之，祿厚者，民怨之，位尊者，君恨之。」上，引申作「呈現」、「出現」等解。眉尖，眉頭。指雙眉的附近。北宋　張先（九九〇—一〇七八）江城子詞：「夜厭厭，下重簾，曲屏斜燭，心事入眉尖。」元　王實甫西廂記第一本第二折：「聽說罷心懷悒怏，把一天愁都撮在眉尖上。」清　納蘭性德清平樂詞：「新恨暗隨新月長，不辨眉尖心上。」

## 二七、於陵偕隱

陳濬芝

**絜妻遯跡願非虛①，好向於陵共卜居②。一笑生鵝他日饋③，同心曾否賦歸與④？**

【析韻】

虛、居、與，上平、六魚。

【釋題】

於陵偕隱，謂夫妻連袂，深居於陵。於陵，戰國齊設於陵邑（西漢置縣、屬濟南郡，南朝宋改名武強縣，隋開皇十八年改長山縣）在今山東鄒平縣境。陳仲子，本名子終，生卒年待考。戰國齊人。以兄食祿萬鍾為不義，適楚，居於陵，號於陵仲子。楚王屬意為相，不就，與妻逃去，為人灌園。（晉皇甫謐高士傳）。孟子滕文公下：「匡章曰：『陳仲子豈不誠廉士哉！居於陵，三日不食，耳無聞、目無見也。井上有李，螬食實者過半矣，匍匐往，將食之，三咽，然後耳有聞、目有見。』孟子曰：『於齊國之士，吾必以仲子為巨擘焉。雖然，仲子惡能廉？充仲子之操，則蚓而後可者也。夫蚓，上食槁壤，下飲黃泉。仲子所居之室，伯夷之所築與？抑亦盜跖之所築與？所食之粟，伯夷之所樹與？抑亦盜跖之所樹與？是未可知也。』曰：『是何傷哉！彼身織屨，妻辟纑，以易之也。』曰：『仲子，齊之世家也。兄戴，蓋祿萬鍾。以兄之祿為不義之祿而不食也。以兄之室為不義之室而不居也。辟兄離母，處於於陵。他日歸，則有饋其兄生鵝者，已頻顣曰：『惡用是鶂鶂者為哉？』他日，其母殺是鵝也，與之食之。其兄自外至，曰：『是鶂鶂之肉也。』出而哇之。以母則不食，以妻則食之。以兄之室則弗居，以於陵則居之。是尚為能充其類也乎？若仲子者，蚓而後充其操者也。』」西漢劉向列女傳賢明楚於陵妻傳：「楚於陵子終之妻也。楚王聞於陵子終賢，欲以為相，使使者持金百鎰往聘迎之。於陵子終曰：『僕有箕箒之妾，請入與計之。』即入，謂其妻曰：『楚王欲以我為相，遣使者持金來。今日為相，明日結駟連騎，食方丈于前，甘不過一肉。可乎？』妻曰：『夫子織屨以為食，非與物無治也。左琴右書，樂亦在其中矣。夫結駟連騎，所安不過容膝。食方丈于前，甘不過一肉。今以容膝之安、一肉之味，而懷楚國之憂，其可樂乎？亂世多害，妾恐先生之不保命也。』于是子終出謝使者而不許也。遂相與逃而為人灌園。」一作於陵子仲（戰國策 齊策）、一作於陵中子（漢書）。

**【注解】**

①絜妻……虛　帶者愛妻隱居，這個期盼一點不假。絜妻，帶著妻子。絜，ㄒㄧㄝˊ。通「挈」。帶領。清 紀昀閱微草堂筆記 姑妄聽之四：「不一載，其一兄二妹，亦絜家來。」妻，男子之配偶。易 繫辭下：「入于其宮，不見其妻。」詩 衛風 碩人：「齊侯之子，衛侯之妻。」妻子，妻。子為助詞。詩 小雅 常棣：「妻子好合，為鼓瑟琴。」遯跡，猶隱居；隱迹。遯，ㄉㄨㄣˋ。本作「遁」，又作「逯」。跡，本作「迹」。晉書 文苑傳 李充：「政異微辭，拔本塞源，遁迹永日，尋響窮年，刻意離性而失其常然。」南朝宋 鮑照（四一四—四六六）秋夜詩之二：「遁迹避紛喧，貨農棲寂寞。」唐 許渾（七九一？—？，文、宣間人）泛溪詩：「遯迹驅雞吏，冥心失馬翁。」願，內心的期盼。非虛，不假。

②好向……居　彼此贊同到於陵一起擇地長住。好向，贊同至……。好，ㄏㄠˇ。同意；贊許。向，ㄒㄧㄤˋ。至。亦作「鄉」、「嚮」。於陵，地名。詳釋題。共卜居，一起選擇定居。共，

同。卜居，本義謂以占卜選擇居所，後泛指擇地定居。南齊 蕭子良 行宅詩：「訪宇北山阿，卜居西野外。」

③一笑……饋　他笑著說：『將來有一天老鵝孵出小鵝，一定回贈。』生鵝他日饋，孟子 滕文公下：「他日歸，則有饋其兄生鵝者。」他日，後來。將來有一天。左傳 僖公廿三年：「公子懼，降服而囚。他日，公享之。」餘詳參本首釋題。

④同心……與　情投意合，你們可曾齊聲唸著：「回去吧！回去吧！」嗎？同心，情投意合。古詩十九首 涉江采芙蓉：「同心而離居，憂傷以終老。」唐 李德裕（七八七—八四九）鴛鴦篇：「君不見昔時同心人，化作鴛鴦鳥。」清 李漁 巧團圓 剖私：「怎奈侶伴雖多，同心卻少。」曾否，可曾。賦歸與，（齊聲）唸著：「回去吧！回去吧！」賦，誦。戰國楚 宋玉 招魂：「人有所極，同心賦些。」歸與，猶今語「回去吧」！歸，返回。與，通「歟」表感嘆。論語 公冶長：「子在陳曰：『歸與，歸與！』」

## 二八、易水送荊卿

陳朝龍

慷慨頻將匕首磨①，荊卿臨別壯如何②！秦廷一去無消息③，公憤千秋付逝波④。

**【析韻】**

磨、何、波，下平、五歌。

**【釋題】**

易水，古燕南水名，發源於今易縣。荊卿即荊軻，又稱慶卿（？—公元前二二七年）戰國衛人，為燕太子丹客。受命至秦刺秦王，詐獻樊於期首級與燕督亢地圖。既見，軻以匕首刺秦王，不果，遇害。詳史記卷八六刺客列傳—荊軻。戰國策燕策三：「太子及賓客知其事者，皆白衣冠以送之。至易水上，既祖，取道。高漸離擊築（史記作「筑」），荊軻和而歌，為變徵之聲，士皆垂淚涕泣。又前而為歌曰：『風蕭蕭兮易水寒，壯士一去兮不復還。』復為慷慨（史記作「忼慨」）羽聲，士皆瞋目，發（史記作「髮」）盡上指冠。於是，荊軻遂就車而去，終已不顧。」（史記省「遂」字）。前引「知其事」，指荊軻受燕太子丹之重托，赴秦行刺也。北宋楊億（九七四—一〇二〇）淚詩之二：「寒風易水已成悲，亡國何人見黍離。」南宋汪元量（一二四一—一三一七，宋元間人）讀文山詩稿詩：「燕荊歌易水，蘇李泣河梁。」又，辛棄疾（一一四〇—一二〇七）賀新郎別茂嘉十二弟詞：「易水蕭蕭西風冷，滿座衣冠似雪，正壯士悲歌未徹。」

**【注解】**

①慷慨……磨　意氣風發、情緒激昂，不停地磨利短劍。慷慨，ㄎㄤ ㄎㄞˇ。亦作「忼慨」。謂意氣風發，情緒激昂。楚辭宋玉九辯：「憎慍惀之脩美兮，好夫人之慷慨。」西漢司馬相如（前一七九—前一一八）長門賦：「貫歷覽其中操兮，意慷慨而自卬。」頻將，一而再地把……。頻，屢次。列子黃帝：「汝何去來之頻。」將，介詞。把。玉臺新詠古樂府

上山採靡蕪：「將縑來比素，新人不如故。」匕首，短劍。頭象匕（ㄅㄧˇ），故名。戰國策 燕策三：「於是太子預求天下之利匕首。」史記 刺客列傳：「曹沫執匕首劫齊桓公。」磨，治。刀、劍等就石，不時滴水其上，緊壓於石面前後持續磋動。

②荊卿……何　荊卿啊！將分手遠別的時候，是怎麼地豪邁！荊卿，詳釋題。臨別，將要分別。孔叢子 儒服：「子高遊趙，平原君客有鄒文 季節者，與子高相友善……臨別，文節流涕交頤，子高徒抗手而已。」壯如何，（是）怎麼地豪邁！壯，ㄓㄨㄤˋ。豪邁。漢書 樊噲傳：「噲等見上流涕曰：『始陛下與臣等起豐 沛，定天下，何其壯也！今天下已定，又何憊也！』」如何，怎麼。北宋 蘇軾 贈包安靜先生詩之二：「建茶三十斤，不審味如何。」

③秦廷……息　一旦去到咸陽，卻沒有傳回任何音訊。秦廷，指秦都咸陽。廷，ㄊㄧㄥˊ。帝王布施政令，接見臣工的處所。消息，音訊。後漢書 董祀妻傳 悲憤詩：「有客從外來，聞之常歡喜。迎問其消息，輒復非鄉里。」

④公憤……波　千餘年來，大家共同的憤怒，都交給消失了的光陰。公憤，大家共同的憤怒。南宋 陳亮（一一四三—一一九四）上孝宗皇帝第三書：「二聖北狩之痛，蓋國家之大恥，而天下之公憤也。」千秋，參卷一、三、注④。付，參卷一、三、注④。逝波，流去的光陰。北宋 蘇舜欽（一〇〇八—一〇四八）遊洛中內詩：「洛陽宮殿鬱嵯峨，千古榮華逐逝波。」南宋 李光（一〇七八—一一五九）新年雜興詩之五：「世事悠悠委逝波，六年歸夢寄南柯。」

## 二九、荊卿刺秦王

蔡振豐

臺築黃金欵將才①，刺秦自負氣如雷②。祖龍不死英雄手③，博浪沙頭一樣哀④。

**【析韻】**

才、雷、哀，上平、十灰。

**【釋題】**

史記刺客列傳荊軻：「（秦王）乃朝服設九賓，見燕使者咸陽宮。荊軻奉樊於期頭函，而秦舞陽奉地圖匣，以次進。至陛，秦舞陽色變振恐，群臣怪之。荊軻顧笑舞陽，前謝曰：『北蕃蠻夷之鄙人，未嘗見天子，故振慴，願大王少假借之，使得畢使於前。』秦王謂軻曰：『取舞陽所持地圖。』軻既取圖奏之，秦王發圖，圖窮而匕首見，因左手把秦王之袖，而右手持匕首揕之。未至身，秦王驚，自引而起，袖絕，拔劍，劍長操其室，時惶急。劍堅，故不可立拔。荊軻逐秦王，秦王環柱而走，群臣皆愕。卒起不意，盡失其度。……方急時，不及召下兵，以故荊軻乃逐秦王，而卒惶急，無以擊軻，而以手共搏之。是時，侍醫夏無且以其所奉藥囊提荊軻也。秦王方環柱走，卒惶急，不知所為，左右乃曰：『王負劍。』負劍，遂拔以擊荊軻，斷其左股，荊軻廢，乃引其匕首以擿秦王，不中，中銅柱。秦王復擊軻，軻被八創。軻自知事不就，倚柱而笑，箕倨以罵曰：『事所以不成者，以欲生劫之，必得約契以報太子也。』於是，左右既前殺軻。」時，歲次甲戌，秦王政廿年、燕王喜廿八年，公元前二二七年也。

## 【注解】

①臺築……才　營構黃金臺，好好接待將帥之才。臺築黃金，指燕築黃金臺言。大清一統志卷四七：「燕昭王於易水東南築黃金臺，延天下士。後人慕其好賢之名，亦築臺於此。為燕京八景之一，曰金臺夕照。」黃金臺又稱金臺、燕臺。故址在今河北省易縣東南。欵，ㄎㄨㄢˇ。「款」之俗體字。款，說文作「歀」、「款」。本義，止。留止。引申作「接待」、「招待」解。南宋戴復古（一一六七—？）汪見可約遊青原詩：「一茶可款從僧話，數局爭先對客棋。」將才，亦作「將材」。將帥之才。亦指有才具的人。明李贄續藏書勛封名臣：「余所見俞大猷、戚繼光，所聞有周尚文、郭琥皆具將材。」老殘遊記第七回：「因為我二十幾歲的時候，看天下將來一定有大亂，所以極力留心將才，談兵的朋友頗多。」

②刺秦……雷　暗殺秦王，你仗著氣慨懾人、聲勢如雷。刺秦，暗殺秦王政。自負，猶言自恃。史記高祖本紀：「後人告高祖，高祖乃心獨喜，自負。」氣如雷，氣慨像懾人神魄的響雷。氣，指氣派聲勢言，即外顯的言行舉止。

③祖龍……手　他，卻沒有喪命在你這位英雄的手上。祖龍，秦王政。餘參卷一、三、注④。不死英雄手，並沒有斃命於英雄荊軻之手。英雄，識見、才能或作為非凡的人。東漢班彪（三—五四）王命論：「英雄陳刀，群策畢舉，此高祖之大略所以成帝業也。」後漢

書 袁紹傳：「若收豪傑以聚徒眾，英雄因之而起，則山東非公之有也。」

④博浪……哀 博浪沙的前方，也同樣令人悲傷、惋惜。博浪沙頭，博浪沙的前方。張良使力士狙擊秦始皇於此。史記 留侯世家：「良嘗……得力士，為鐵椎，重百二十斤。秦皇帝東游，良與客狙擊秦皇帝博浪沙中，誤中副車。」故址在今河南 原陽縣東南。浪，漢書 地理志及張良傳作「狼」。頭，猶言端。東晉 劉琨（二七〇—三一八）扶風歌：「繫馬長松下，廢鞍高岳頭。」一樣，同樣。哀，悲傷、惋惜。

## 三〇、秦始皇焚書

蔡振豐

**廣搜書史積秦庭①，喪盡斯文付丙丁②。天報江山亡馬上③，漢高 楚項不通經④。**

**【析韻】**

庭、丁、經，下平、九青。

**【釋題】**

秦始皇（公元前二五九—前二一〇年）。嬴姓，名政。年十三，莊襄王薨，即位。初，國事決於太后與丞相呂不韋。九年，殺長信侯 嫪毐，遷太后於雍，廢呂不韋，自親政。二十六年，王賁滅齊，全國統一，稱皇帝，自為始皇帝。廢封建、置卅六郡；收天下兵器，聚之咸陽；統一度量衡，車同軌，書同文；築長城，治馳道。採丞相李斯議，焚書坑儒，偶語詩書者棄市，是古非今者族誅，令民以吏為師。信方士說，求神仙，數巡幸，大修宮室，以供遊觀，崩於沙丘。史記 秦始皇本紀：「丞相李斯曰：『……臣請史官非秦記皆燒之。非博士官所職，天下敢有詩、書、百家語者，悉詣守、尉雜燒之。有敢偶語詩、書者棄市。以古非今者族。吏見知不舉者與同罪。令下三十日不燒，黥為城旦。所不去者，醫藥卜筮種樹之書。若欲有學法令，以吏為師。』制曰：『可。』又，「（侯生、盧生）於是乃亡去。始皇聞亡，乃大怒。……於是使御史悉案問諸生，諸生傳相告引，乃自除。犯禁者四百六十餘人，皆阬之咸陽，使天下知之，以懲後。」西漢 孔安國（？—？，武帝時人）尚書 序：「及秦始皇，滅先代典籍，焚書坑儒，天下學士，逃難解散。」

**【注解】**

①廣搜……庭　全面傾力地尋找彙聚典籍，集中咸陽。廣搜，傾力於各地尋找彙集。廣，大。謂範圍大。搜，ㄙㄡ。尋找彙集。書史，典籍。指經史諸子等書籍言。南朝 梁 江淹 顏特進侍宴詩：「揆日粲書史，相都麗聞見。」積秦庭，積，聚。詩 周頌 載芟：「載穫濟濟，有實其積，萬億及秭。」庭，通「廷」。秦庭參卷二、廿八、注③。

②喪盡……丁　禮、樂、詩、書……竟全部縱火焚燬。喪盡斯文，人為有心的破壞銷毀各種典籍。喪，ㄙㄤ。失去。南朝 梁 江淹恨賦：「別豔姬與美女，喪金輿及玉乘。」盡，竭。引申作「全部」解。斯文，原概指禮樂教化、典章制度言。論語 子罕：「天之將喪斯文也，後死者不得與於斯文也。」在此，係指禮 樂 詩 書等典籍言。丙丁，火的代稱。南宋 李

光 與胡邦衡書：「近又緣虛驚，取平生朋友書問，悉付丙丁。」

③天報……上　上蒼報應：暴秦終亡在鐵蹄、干戈之下。天報，上天報應。古時有天人感應之說，將自然或社會現象附會人事，強調人主有德，天降祥瑞；人主失德，天降災異。江山。山川。河山。山河。引申作「國土」、「國家」解。三國 魏 鍾會（二二五—二六四）檄蜀文：「（太祖）拯其將墜，造我區夏，……然江山之外，異政殊俗。率土齊民，未蒙王化。」亡馬上，滅絕於馬背之上。意謂改朝換代，一以武力決定之。史記 酈生陸賈列傳 陸賈：「高帝罵之曰：『迺公馬上而得之，安事詩 書！』陸生曰：『居，馬上得之，寧可以馬上治之乎？』」

④漢高……經　劉邦也罷、項羽也好，他們根本不懂經義。漢高，漢高祖 劉邦（公元前二五六—前一九五年）。楚項，楚霸王 項羽，本名籍（公元前二三二—前二〇二年）。不通經，不懂得經籍的義理。通，懂。透徹地瞭解。易 繫辭上：「曲成萬物而不遺，通乎晝夜之道而知。」史記 屈原賈生列傳：「賈生年少，頗通諸子百家之書。」經，泛指詩 書 易 禮 樂 春秋等典籍言。

## 三一、秦始皇焚書　陳朝龍

盡把遺編付丙丁①，嬴秦肆毒到群經②。偽書天下知多少③，轉恨當時火不靈④。

【析韻】

丁、經、靈，下平、九青。

【釋題】

詳前首，略。

【注解】

①盡把……丁　一把火，把遠古所有遺世的著作，全部燒燬。盡把，猶云悉將。遺編，遺留後世的著作。舊唐書章懷太子傳：「往聖遺編，咸窺壺奧。」唐柳宗元弔屈原文：「託遺編而嘆喟兮，渙余涕之盈眶。」付丙丁，詳參本卷、卅、注②。

②嬴秦……經　暴秦啊！你任意迫害，竟延及群經。嬴秦，秦的祖先，姓嬴。故以之代稱秦皇、秦廷。肆毒，任意地殘殺、迫害。東晉劉琨遺石勒書：「劉聰父子，戎狄凡才，乘釁肆毒，寇虐人神。」宋史富弼傳：「小人不勝，則交結搆扇，千岐萬轍，必勝而後已。迨其得志，遂肆毒善良，求天下不亂，不可得也。」到，至。猶延及。群經，泛稱經籍。一般係指儒家經典而言。南史儒林傳沈峻：「凡賢聖所講之書，必以周官立義；則周官一書，實為群經源本。」清黃遵憲人境廬詩草自序：「其取材也，自群經三史，逮于周秦諸子之書。」

③偽書……少　普天之下，託古作假的書籍，誰明白有多少？偽書，託古作假的書籍。東漢王充論衡對作：「俗傳蔽惑，偽書放流。」前清姚際恆（一六四七—約一七一五）撰有

古今偽書考。僞，ㄨㄟˋ。一作「偽」。天下，舊說地在天之下，故稱大地為天下。古籍中以家、國、天下連稱，指積家成國，積國成天下。天下，概指全中國也。書 大禹謨：「奄有四海，為天下君。」知多少，不明白（不清楚）有多少。

④轉恨……靈　反倒埋怨那個時候火並不應驗。轉，反倒。表性態。詩 小雅 谷風：「將恐將懼，維予與女。將安將樂，女轉棄予。」唐 韓愈與崔羣書：「僕無以自全活者，從一官於此，轉困窮甚，思自放於伊 潁之上，當亦終得之。」恨，猶埋怨。另參卷二，廿六、注④。不「靈」，應驗。老殘遊記第四回：「你老不信，試試我的話，看靈不靈。」又，第一六回：「人瑞一面烘火，一面取過信來，從頭至尾讀了一遍，說：『很切實的，我想總該靈罷！』」

## 三二、博浪椎

陳濬芝

博浪沙頭戒備嚴①，副車誤中恨應銜②。刺秦我憶荊卿士③，易水悲風淚滿衫④。

【析韻】

嚴、銜、衫，下平、十五咸。

【釋題】

史記 秦始皇本紀：「二十九年（榮按：指統一後第四年、歲次癸未、公元前二一八年。）

始皇東游，至陽武博浪沙中，為盜所驚，求弗得。乃令天下大索十日。」又，留侯世家：「（張）良年少，未宦事韓，韓破。（榮按：秦王政十七年，辛未，公元前二三〇年，秦王遣內史勝滅韓。）……悉以家財求客刺秦王，為韓報仇。以大父父五世相韓故。……得力士，為鐵椎，重百二十斤。秦皇帝東游，良與客狙擊秦皇帝博浪沙中，誤中副車。秦皇帝大怒，大索天下，求賊甚急，為張良故也。良乃更名姓，亡匿下邳。」博狼沙，地名。在今河南原陽縣東南，秦故城陽武之南。「狼」，留侯世家作「浪」。椎，ㄔㄨㄟˊ。捶擊之具。以鐵鑄成曰鐵錐，簡稱錘，音ㄔㄨㄟˊ。急就篇卷三：「鐵錘檛杖梲柲杸。」注：「鐵錘，以鐵為錘，若今之稱。錘亦可以擊人，故從兵器之列。張良所用擊秦副車，即此物也。」

**【注解】**

①博浪……嚴　博浪沙的前方，警戒周密，防備無疏。博浪沙頭，參卷二、廿九、注④。戒備嚴，警戒防備周密且無疏漏。國語晉語三：「內謀外度，考省不倦，日考而習，戒備畢矣。」明張居正（一五二五—一五八二）請諭戒邊臣疏：「臣看得北虜連年欵塞，目前雖若安寧，然虜情叵測，戒備宜謹。」唐張讀（八三四或八三五—？）宣室志卷四：「其所向，雖關鍵甚嚴，輒不相礙。」

②副車……銜　相錯目標，擊中副車，那股怨氣，理當蘊積胸臆。副車，皇帝的侍從車輛。車，ㄐㄩ。史記索隱引漢官儀云：「天子屬車三十六乘，屬車即副車。」誤中，繫著錯誤的目標。中，ㄓㄨㄥˋ。著。繫著目標。恨，參本卷、廿六、注④。應「銜」，ㄒㄧㄢˊ。蘊積

於內心。

③刺秦……士　說到謀刺秦王，使我記起荊卿這一位勇士。刺秦，詳卷二、廿九、注②。我「憶」，記起。荊卿，詳卷二、廿八、釋題。

④易水……衫　易水之濱，寒風淒厲，引人興悲，潸潸淚水，沾徧衣襟。易水，亦參卷二、廿八、釋題。悲風，淒厲的寒風。古詩十九首　去者日以疏：「白楊多悲風，蕭蕭愁殺人。」西晉 陸機 苦寒行：「陰雲興巖側，悲風鳴樹端。」南宋 張孝祥（一一三二—一一六九）浣溪沙荊州約馬舉先登城樓觀塞詞：「萬里中原烽火北，一尊濁酒戍樓東，酒闌揮淚向悲風。」清 陳夢雷（一六五一—一七四一）西郊雜詠之九：「灌木動悲風，殘雲迷孤嶼。」淚，云淚水滿盈。古，通稱衣曰衫。今閩南、台灣等地猶用之。舊唐書 車服志：「士人以枲苧襴衫為上服。」唐 韓愈 酬司門盧四兄雲夫院長望秋作詩：「自知短淺無所補，從事久此穿朝衫。」南

博浪沙

宋鄧林（？—？，理宗時人，寶祐四年，公元一二五六年登進士）桂樹詩：「客衫猶恨吳棉薄，不道邊人盡鐵衣。」本句此處，指衣襟言。

## 三三、博浪椎

鄭肇基

副車誤中恨難平①，匿跡人間變姓名②。太息祖龍偏不死③，千秋一例惜荊卿④。

**【析韻】**

平、名、卿，下平、八庚。

**【釋題】**

同前首，略。

**【注解】**

①副車……平　相錯目標，擊中副車，那股怨氣不容易平息。副車誤中，參前首注②。恨，參本卷、廿六、注④。平，猶平息。指心情從亢奮恢復安寧言。詩小雅伐木：「神之聽之，終和且平。」

②匿跡……名　隱藏民間、不露形迹，改姓易名。匿跡，本作「匿迹」。隱藏起來，不露形迹。申子大體：「故善為主者，倚於愚，立於不盈，設於不敢，藏於無事，竄端匿迹，示天下無為。」南史隱逸傳上惠明：「藏名匿迹，人莫之知。」匿，ㄋㄧˋ。人間，亦作「人

閒」。指民間。後漢書 王昌傳：「普天率土，知朕隱在人間。」南史 齊高帝紀：「（宋）明帝嫌帝（蕭道成）非人臣相，而人間流言，帝當為天子，明帝愈以為疑。」變姓名，改姓易名。

③太息……死　唉！行刺的結局，秦始皇偏偏毫髮無傷，好端端地活著。太息，出聲長歎。楚辭 屈原 離騷：「長太息以掩涕兮，哀民生之多艱。」祖龍，參卷一、三、注④。偏，表意外，同「偏偏」。唐 劉方平（？—？，天寶前後人）夜月詩：「今夜偏知春氣暖，蟲聲新透綠窗紗。」紅樓夢第三九回：「眾人又拉平兒坐，平兒不肯，李紈瞅著他笑道：『偏要你坐！』因拉他身旁坐下。」不死，沒有死掉。

④千秋……卿　千餘年來，大家始終同情勇士荊軻。千秋，參卷一、三、注④。一例，同等，沒有例外。猶言始終。惜，憐。南朝 宋 鮑照 貧賤愁苦行：「貧年忘日時，黯顏就人惜。」荊卿，荊軻。詳本卷、廿八、釋題。

## 三四、漂母飯信

陳濬芝

**不為施恩不責償①，獨憐國士正悽涼②。分明巨眼歸巾幗③，笑煞千金太較量④。**

**【析韻】**

償、涼、量，下平、七陽。

【釋題】

漂，ㄆㄧㄠˋ。用水沖洗。漂母，水邊洗滌衣物之老媪也。以食予人果腹曰飯。信，韓信（公元前？—前一九六年）秦末淮陰人。初從項羽，後歸劉邦，與蕭何、張良史稱漢初三傑。史記淮陰侯列傳：「淮陰侯韓信者，淮陰人也。始為布衣時，貧無行，……又不能治生商賈，常從人寄食飲。……信釣於城下，有一母見信飢，飯信，竟漂數十日。信喜，謂漂母曰：『吾必有以重報母。』母怒曰：『大丈夫不能自食，吾哀王孫而進食，豈望報乎？』……漢五年（榮按：時歲次己亥，公元前二〇二年）正月徙齊王信為楚王，都下邳。信至國，召所從食漂母，賜千金。」唐崔國輔（？—？，開元、天寶間人）漂母岸詩：「秦時有漂母，於此飯王孫。」清趙執信（一六六二—一七四四）淮陰詠古詩：「可憐一飯尚千金，百戰功成乃爾報。」

【注解】

①不為……償　不是為著給別人德惠，也不期待別人償還。施恩，給人以德惠。左傳昭公六年：「民知有辟則不忌於上。」孔穎達疏：「民知在上不敢越法以罪己，又不能曲法以施恩，則權柄移於法，故民皆不畏上。」三國魏曹植（一九二—二三二）通親親表：「誠可謂恕己治人，推惠施恩者矣。」責償，要求對方將昔日所取財物償還。南宋費袞（？—？，紹熙間仍在世）梁谿漫志江陰士人強記：「一夕民家火作，凡所有之物并文書皆燼焉，物主競來索，數倍責償。」

②獨憐……淒涼　只是可憐才能出眾的人，正飽嘗冷落、受盡寂寞。獨憐，只是可憐。國士，國中才能出眾者。戰國策 趙策一：「知伯以國士遇臣，臣故國士報之。」淒涼，寂寞冷落。唐 元稹 酬樂天書懷見寄詩：「仍云得詩夜，夢我魂淒涼。」清 昭槤（？—？，嘉、道間人）嘯亭雜錄 三姓門生：「紀曉嵐參政時作詩讖之云：『……赫奕門楣新吏部，淒涼池館舊中堂。』」

③分明……巾幗　事實是：具非常鑒別力的人，就屬這位女性了。巨眼，具非常鑒別識見者。清 江藩（一七六一—一八三一）漢學師承記卷二江艮庭先生：「其辨泰誓曰：『……自東晉偽古文出，則有太誓三篇，世無具巨眼人，遂翕然信奉，以為孔壁古文巡歸。』」歸，屬。荀子 王制：「雖王公士大夫之子孫也，不能屬於禮義，則歸之庶人。」巾幗，本義為婦女的頭巾與髮飾；後因用以代稱婦女。清 沈起鳳（一七四一—？）諧鐸卷七巾幗幕賓：「如僕者，亦豈鬚眉而巾幗者哉？」

④笑煞……量　「要送給我千金，太計較了吧？」笑壞人啊！笑煞，笑壞了。煞，ㄕㄚˋ。極。甚。很。千金，指韓信功成名就後，賜漂母千金的佳話。餘詳釋題。太較量，太計較。較量，猶云計較。（榮按：與首句相呼應也。）北宋 蘇軾 與范元長書之八：「況其平生自有以表見於無窮者，豈必區區較量頃刻之壽否耶？」

## 三五、鴻門宴

林榮初

引滿咸陽皆不發①，鴻門鬬智決興亡②。龍泉舞罷高皇逸③，留與烏江刎楚王④。

**【析韻】**

亡、王，下平、七陽。發，入、六月；逸、入、四質，古通職、緝轉物韻，略通物、月。

**【釋題】**

鴻門，在今陝西臨潼東。楚漢相爭，項羽駐軍並會宴劉邦於此，又稱項王營。史記項羽本紀：「當是時，項羽兵四十萬，在新豐鴻門。沛公兵十萬，在霸上。」宴，一ㄢˋ。以酒肉款待賓客。公元前二〇六年，劉邦先破秦都咸陽，留守函谷關。項羽聞之大怒，將兵四十萬駐紮新豐鴻門，屬意一舉殲滅漢軍，經項伯居間調解，劉邦親至鴻門會見項羽。羽留飲。酒宴間，范增命項莊舞劍，謀藉機刺殺劉邦，項伯見狀亦拔劍起舞，以身掩護劉邦。後，樊噲聞訊執盾持劍闖入，劉邦始得乘隙脫險歸營。前引書項羽本紀：「沛公旦日從百餘騎，來見項王。至鴻門，謝曰：『臣與將軍戮力而攻秦，將軍戰河北，臣戰河南；然不自意能先入關破秦，得復見將軍於此。今者，有小人之言，令將軍與臣有郤。』項王曰：『此沛公左司馬曹無傷言之。不然，籍何以至此。』項王即日因留沛公與飲。……范增起，出召項莊謂曰：『……壽畢，請以劍舞，因擊沛公於坐，殺之。……』……項莊拔劍起舞，項伯亦拔劍起舞，常以身翼蔽沛公，莊不得擊。……噲即帶劍擁盾入軍門，……。」齊東野語 詩用史論引宋 元間錢選（榮按：選字舜舉，號玉潭，生卒年待考。）詩：「項羽天資自不仁，那堪亞父作謀臣，鴻門若遂樽前計，又一商君又一秦。」

**【注解】**

①引滿……發　在咸陽，漢軍已做好準備、待機行事，卻不張揚。咸陽，秦都。在今陝西 長安縣西渭城故城。孟子 盡心上：「大匠不為拙工廢繩墨，羿不為拙射變其彀率。君子引而不發，躍如也。」餘參考釋題。

②鴻門……亡　鴻門阪、智謀爭勝、一決雌雄。鴻門，在今陝西 臨潼縣東。亦稱鴻門阪。為項羽駐兵並與劉邦會宴處，又名項王營。鬭智，以智謀爭勝。史記 項羽本紀：「漢王笑謝曰：『吾寧鬭智，不能鬭力。』」南宋 吳禮之（？—？，建炎、紹興間人）瑞鶴仙 秋思詞：「誰編故紙，論古今、英雄鬭智。」鬭，ㄉㄡˋ。本作「鬥」。決興亡，較量勝負、決定興盛或滅亡。決，ㄐㄩㄝˊ。較量；決定勝負。禮記 王制：「凡執技、論力、適四方、嬴股肱、決射御……不貳事，不移官。」唐 高邁（？—？，中宗初年人）濟河焚舟賦：「冀柔榆之未晚，得雌雄之一決。」

③龍泉……逸　楚寶龍泉舞罷，劉邦趁機逃遁。龍泉，劍名。西晉 太康地記載：西平縣（今屬河南省。縣西呂墟，地勢平坦，故名。）有龍泉水，可以砥礪刀劍，特堅利，故有堅白之論，是以龍泉之劍為楚寶。舞罷，舞畢。舞，舞劍也。配合音樂節奏，揮舞利劍曰舞劍。

言項莊舞楚寶龍泉劍。高皇，指漢高祖劉邦，按：時仍未稱帝，稱漢王。逸，逃跑。北史齊紀上高祖神武帝：「見一赤兔，每搏輒逸，遂至迥澤。」

④留與……王　等待在烏江，項羽持劍自刎。留與，ㄌㄧㄡˊ ㄩˇ。等待在……。留，等待。等候。莊子山木：「蹇裳躩步，執彈而留之。」成玄英疏：「留，伺候也。」楚辭九歌湘君：「君不行兮夷猶，蹇誰留兮中洲。」王逸注：「留，待也。」北宋晏殊（九九一—一○五五）蝶戀花詞：「草際露垂蟲響徧，珠簾不下留燕歸。」與，在。吳越春秋闔閭內傳：「將渡江於中流，要離力微，坐與上風。」烏江，在安徽和縣東北四十里，今名烏江浦。史記項羽本紀：「於是，項王乃欲東渡烏江。烏江亭長檥船待。」刎，ㄨㄣˇ。割。用刀自殺曰自刎。漢書蘇武傳：「伏劍自刎。」楚王，西楚霸王項羽。史記項羽本紀：「……項王乃曰：『吾聞漢購我頭千金、邑萬戶，吾為若德。』乃自刎而死。」

## 三六、鴻門舞劍

蔡振豐

計設鴻門舞劍間①，項王未免弄機關②。何如馬上提三尺③，四百河山取等閒④。

**【析韻】**

間、關、閒，上平、十五刪。

**【釋題】**

詳前首，略。

**【注解】**

①計設……間　謀略、將在鴻門舞劍的餘興節目裡呈現。計，謀略。漢書 高帝紀下、七年：「用陳平祕計得出。」設，安排。韓非子 難勢：「勢必於自然，則無為言於勢矣，吾所謂勢者，言人之所設也。」鴻門、舞劍，分別參卷二、卅五、注②、③。間，本作「閒」。讀ㄐㄧㄢ。裏曰閒，指一體之內。莊子 人間世：「上徵武士，則支離攘臂而游其閒……。」史記 留侯世家：「人生一世閒，如白駒過隙，何至自苦如此乎？」

②項王……關　項羽不免施展權謀機詐。項王，參卷二、卅五、釋題與注④。未免，不免。弄機關，施展權謀機詐。弄，玩。唐 李白長干行：「郎騎竹馬來，繞牀弄青梅。」玩弄，屬同義副詞，有「施展」、「運用」、「使用」等義。機關，權謀機詐。北宋 黃庭堅牧童詩：「多少長安名利客，機關用盡不如君。」

③何如……尺　不如在馬背上使劍殺敵。何如，不如。北宋 蘇軾 諫買浙燈狀：「如知其無用，何以更索？惡其厚費，何如勿買！」馬上，馬背上。多指征戰武功。史記 酈生陸賈列傳：「陸生時時前說詩 書。高帝罵之曰：『迺公居馬上而得之，安事詩 書？』陸生曰：『居馬上得之，寧可以馬上治之乎？』」提三尺，懸持長劍。提，懸持。拎起。莊子 列禦寇：「列子提屨，跣而走。」東晉 陶潛 遊斜川詩：「提壺接賓侶，引滿更獻酬。」三

尺，即三尺劍。劍長約三尺，故名。漢書 高帝紀下：「吾以布衣提三尺取天下。」

④四百……閒　四百州錦繡山河，平白地被取得了啊！四百河山，猶言天下。北宋時天下有州三百餘，後以其成數「四百州」指中國全土。南宋 汪元量 湖州歌之六：「夕陽一片寒鴉外，目斷東西四百州。」清 黃遵憲 再述詩：「羽檄飛馳四百州，先防狼角後髦頭。」近人柳亞子（一八八七—一九五八）放歌：「沉沉四百州，尸冢遙相望。」河山，河流與山脈。後用以泛指國家疆土。南朝 宋 鮑照 擬青青陵上柏詩：「渭濱富皇居，鱗館匝河山。」取等閒，平白地被得到（啊）！取，得到。楚辭 屈原 天問：「女岐無合，夫焉取九子？」等閒，本作「等閑」。平白地。唐 劉禹錫 竹枝詞之七：「長恨人心不如水，等閒平地起風波。」

## 三七、背水陣

蔡振豐

後踞洪濤敵在前①，軍中一鼓士爭先②。臨流戰亦拚孤注③，縱得功成也可憐④。

**【析韻】**

前、先、憐，下平、一先。

**【釋題】**

陣，亦即陣法。謂作戰時部旅行列之戰鬬隊形；本作「陳」。背水列陣，示無路可退，藉以激勵將士死中求生之決心。尉繚子　天官：「背水陣為絕紀（地），向阪陣為廢軍。」史記　淮陰侯列傳：「漢二年，出關。……信與張耳以兵數萬，欲東下井陘擊趙，……信乃使萬人先行，出背水陣，趙軍望見而大笑。平旦，信建大將之旗鼓，鼓行出井陘口，趙開壁擊之。大戰良久，於是，信、張耳詳（佯）棄鼓旗，走水上軍，……趙果空壁爭漢鼓旗，逐韓信、張耳。韓信、張耳已入水上軍，軍皆殊死戰，不可敗。信所出奇兵二千騎，共候趙空壁逐利，則馳入趙壁，皆拔趙旗、立漢赤幟二千，趙軍已不勝，……欲還歸壁，壁皆漢赤幟而大驚……。兵遂亂、遁走，趙將雖斬之，不能禁也。於是漢兵夾擊，大破虜趙軍，斬成安君，泜水上，禽趙王歇……。」詳，ㄧㄤˊ。假作。通「佯」。水上，猶言水邊。泜水，即槐河。源於今河北　贊皇縣西南，東流入滏陽河。泜，ㄔˊ。

**【注解】**

①後踞……前　背後緊靠騰湧的流水，前方面對來勢洶洶的趙軍。踞，ㄐㄩˋ，憑依。史記　留侯世家：「漢王下馬踞鞍而問曰：『吾欲捐關以東等棄之，誰可與共功者？』」洪濤，指綿蔓水洶湧澎湃的波流。洪濤，大波浪。在此，引申作水流騰湧解。讀史方輿紀要　直隸　真定府　井陘縣：「綿蔓水在縣南門外，源亦出平定州，即甘淘河之支流也。東流入縣界，經城南至縣東二十里洪口橋入甘淘河。一名阜漿水，又曰回星水。孔穎達曰：『韓信出背水陣，蓋在縣綿蔓水上。』」「敵」在前，指趙軍。

②軍中……先　戰鼓一響，漢兵爭先衝鋒。軍中，指漢軍的行伍當中。一鼓士爭先，擂第一

通鼓時，兵卒各個搶先向前衝。古作戰，擊鼓進軍，鳴金收兵。擂第一通鼓時，士氣最盛。左傳莊公十年：「夫戰，勇氣也。一鼓作氣，再而衰，三而竭。」

③臨流……注　靠近水流的那一戰、也是不顧一切，傾其所部、豁了出去。臨，靠近。唐岑參（七一五—七七〇）滻水東店送唐子歸嵩陽詩：「野店臨官路，重城壓御堤。」紅樓夢第五二回：「紫鵑倒坐在暖閣裏，臨窗戶做針線。」流，指水流言。拚孤注，不顧一切，傾其所部，豁了出去。孤注，傾其所有，以為賭注。張邦基（字子賢，宋高郵人生卒年與事蹟均不詳）墨莊漫錄卷七：「博者以勝彩累注數者，至垂敗者，唯有畸零不累注數，謂之孤注。」

④縱得……憐　即使得勝立功，仍然值得同情。縱得，猶即使。功成，立功。老子：「生而不有，為而不恃，功成不居。」唐白居易與崇文詔：「威力無暴，功成不居。」明李贄史綱評要周紀赧王：「功成弗居，賢將所難。」可憐，參考卷一、九注④。

## 三八、歌風臺

蔡振豐

拔劍高歌調寡雙①，臺前父老氣齊降②。贏他楚帳秋風起③，一曲虞兮恨滿腔④。

**【析韻】**

雙、降、腔，上平、三江。

【釋題】

歌風臺，故址在今江蘇沛縣東泗水西岸。相傳係漢高祖劉邦（公元前二五六—前一九五）作大風歌處。後人為築歌風臺。臺上原有亭，亭中有篆文石碑二。東碑傳乃東漢曹喜（？—？）或蔡邕（一三二—一九二）所書。西碑為元大德間摹刻者。明唐順之（一五〇七—一五六〇）歌風臺詩：「我來擬上歌風臺，豈意臺空只平地。琉璃古井亦崩塌，斷碑無字苔蘚翳。」史記高祖本紀：「十二年十月，……高祖還歸過沛，留。置酒沛宮，悉召故人父老子弟縱酒。發沛中兒得百二十人，教之歌。酒酣，高祖擊筑自為歌詩曰：『大風起兮雲飛揚，威加海內兮歸故鄉，安得猛士兮守四方？』……」

【注解】

①拔劍……雙　抽出利劍，放聲吟唱。音律奇特，罕有其匹。拔劍高歌，抽出利劍，放聲吟唱。調，ㄉㄧㄠˋ。音律。晉書樂曆志：「魏武始獲杜夔，使定樂器聲調。」唐杜審言（六四五？—七〇八？）和早春游望詩：「忽聞歌古調，歸思欲沾巾。」北宋王禹偁（九五四—一〇〇一）黃岡竹樓記：「宜鼓琴，琴調和暢。」「寡二少雙」省詞作「寡雙」。少，ㄕㄠˇ。漢書吾丘壽王傳：「子在朕前之時，知略輻湊，以為天下少雙，海內寡二。」後以「寡二少雙」指罕有其匹，獨一無二。紅樓夢第九七回：「更兼他那容貌才情，真是寡二少雙，惟有青女、素娥可以仿佛一二。」北魏酈道元（？—五二七）水經注㶟水：「（如渾水）又南逕永寧七級浮圖西，其制甚妙，工在寡雙。」

②臺前……降　臺榭前端，年長鄉親，個個神情歡悅。臺前，指歌風臺的前端。父老，對年老者的敬稱。餘詳釋題所引史記高祖本紀。氣齊降，神情都很歡悅。氣，指精神狀態言。莊子庚桑楚：「欲靜則平氣。」齊，全。都。降，ㄒㄧㄤˊ。歡悅。通「夅」。詩召南草蟲：「亦既見止，亦既覯止，我心則降。」

③贏他……起　入秋以後，勝過楚軍帳幕裏充滿蕭條淒涼、衰竭不振的氛圍。榮按：公元前二〇三年秋八月，楚漢在廣武相持已數月，項羽自知少助、食盡。韓信又進兵擊之，被迫與劉邦言和，以鴻溝為界，西屬漢、東屬楚。唐李商隱淚詩：「人去紫臺秋入塞，兵殘楚帳夜聞歌。」贏，勝過。他，指對方言。楚帳，楚軍的帳幕。秋風起，表時間。餘參前按語。

④一曲……腔　一首垓下歌，慷慨、悲憤，數不清的怨氣。一曲虞兮，指垓下歌言。公元前二〇二年十二月，項羽至垓下（今安徽靈壁縣東南），兵少食盡，韓信等以大軍乘勝追擊，羽敗入壁，漢與諸侯兵圍之數重。項羽夜聞漢軍四面皆楚歌，乃大驚曰：「漢皆以得楚乎？是何楚人之多也！」起飲帳中。有美人名虞，常幸從；駿馬名騅，常騎之。於是，項羽乃悲歌慷慨，自為詩曰：「力拔山兮氣蓋世，時不利兮騅不逝！騅不逝兮可奈何，虞兮虞兮奈若何！」歌數闋，美人和之。羽泣數行下，左右皆泣，莫能仰視。當夜，羽乘烏騅，率八百餘騎，潰圍南行。終退至烏江浦，自刎而死。恨，參本卷、二六、注④。滿腔，充滿胸腔。充滿心中。猶今語「一肚子」。二刻拍案驚奇卷一三：「直叫小膽驚欲死，任

是英雄也汗流。只為滿腔怨抑事，一宵鬼話報心仇。」清楊朗溪（？—？）贈袁君詩：「滿腔熱血酬知己，恨我相逢今已遲。」

## 三九、張良借箸

吳逢清

**六國將分可奈何①，席前借箸不為苛②。漢家四百年天下③，全仗先生指畫多④。**

**【析韻】**

何、苛、多，下平、五歌。

**【釋題】**

張良（公元前？—前一八九年）字子房。祖父開地相韓昭侯、宣惠王、襄哀王，父平相釐王、悼惠王，史稱「五世相韓」。秦滅韓，良結納刺客，椎擊秦始皇於博狼（浪）沙，未遂，逃匿下邳。陳勝、吳廣揭竿起義，劉邦乘機起兵，良為謀士，佐漢滅秦、楚，因功封留侯。暫時使用他人之物。或將己物暫供他人使用，均稱借。箸，ㄓㄨˋ。同「筯」。飯具也。俗稱「筷（子）」。史記留侯世家：「漢三年（榮按：時歲次丁酉、公元前二〇四年）項羽急圍漢王滎陽，漢王恐憂，與酈食其謀橈楚權。食其曰：『昔湯伐桀，封其後於杞。武王伐紂，封其後於宋。今秦失德棄義，侵伐諸侯社稷，滅六國之後，使無立錐之地。陛下誠能復立六國後世，畢已受印，此其君臣百姓，必皆戴陛下之德，莫不鄉風慕義，願為臣妾。

德義已行，陛下南鄉稱霸，楚必斂衽而朝。』漢王曰：『善！趣刻印，先生因行佩之矣。』食其未行，張良從外來謁。漢王方食；曰：『子房前，客有為我計橈楚權者。』具以酈生語告於子房。曰：『何如？』良曰：『誰為陛下畫此計者？陛下事去矣！』漢王曰：『何哉？』張良對曰：『臣請藉前箸為大王籌之。』曰：『昔者湯伐桀，而封其後於杞者，度能制桀之死命也。今陛下能制項籍之死命乎？曰：未能也；其不可一也。武王伐紂，封其後於宋者，度能得紂之頭也。今陛下能得項籍之頭乎？曰：未能也；其不可二也。武王入殷，表商容之閭，釋箕子之拘，封比干之墓。今陛下能封聖人之墓、表賢者之閭、式智者之門乎？曰未能也；其不可三也。發鉅橋之粟，散鹿臺之錢，以賜貧窮。今陛下能散府庫以賜貧窮乎？曰未能也；其不可四也。殷事已畢，偃革為軒，倒置干戈，覆以虎皮，以示天下不復用兵。今陛下能偃武行文，不復用兵乎？曰：未能也；其不可五也。休馬華山之陽，示以無所為。今陛下能休馬無所用乎？曰：未能也；其不可六也。放牛桃林之陰，以示不復輸積。今陛下能放牛不復輸積乎？曰：未能也；其不可七也。且天下游士，離其親戚，棄墳墓、去故舊，從陛下游者，徒欲日夜望咫尺之地。今復六國，立韓、魏、燕、趙、齊、楚之後，天下游士各歸事其主、從其親戚、反其故舊墳墓，陛下與誰取天下乎？其不可八也。且夫楚唯無彊，六國立者，復橈而從之，陛下焉得而臣之。誠用客之謀，陛下事去矣。』漢王輟食吐哺，罵曰：『豎儒幾敗而公事。』……」藉，ㄐㄧㄝˋ。借。「藉前箸為大王籌之」意謂「求借所食之箸用指畫也。」（張晏集解）漢書 張良傳作「臣請借前箸以籌之。」唐 韓愈越江陵途中寄贈王二十補闕詩：「茲道誠可尚，誰能借前籌？」元 薩都剌 彭城雜詠詩：「夜深一片城頭月，曾照張良案上籌。」

**【注解】**

①六國……何　天下，就要分裂成六國，該怎麼辦才好？六國，韓、趙、魏、齊、楚、燕。分別為秦所滅。將分，表未來式。就要分裂。可，應該。東漢 蔡邕 陳政事七要：「先帝舊典，未嘗有此，可皆斷絕，以覈真偽」。奈何，怎麼辦。楚辭 屈原 九歌 大司命：「羌愈思兮愁人，愁人兮奈何？」餘詳釋題。

②席前……苛　在座位的前端，借用筷子指畫，不算騷擾。席前，坐次的前端。古人鋪席於地以為座。以莞蒲織成，供坐臥鋪墊之用者，曰席。借箸，亦作「借筯」。借漢王劉邦正在吃飯所使用的筷子，來指畫當時天下的形勢。漢書 張陳王周傳張良：「良曰：『臣請借前箸以籌之。……』」箸，詳釋題。不為苛。不算（是）騷擾。不為，不算。不是。南朝 宋 顏延之（三八四—四五六）陶徵士誄：「夫璿玉致美，不為池隍之寶；桂椒信芳，而非圓林之實。」為，ㄨㄟˊ。苛，ㄎㄜ。騷擾。國語 晉語一：「以皋落狄之朝夕苛我

張良（公元前？-前 189）

邊鄙，使無日以牧田野。」

③漢家……下　兩漢享國四百多年。西漢（公元前二〇六年—公元七年）、東漢（公元廿五—二二〇年）合計四〇九年。天下，謂擁有天下，即享國。另參本卷、卅一、注③。

④全仗……多　幾乎都靠著您指點規劃的啊！仗，ㄓㄤˋ。依靠。史記 春申君列傳：「王若負人徒之眾，仗兵革之彊，……臣恐其有後患也。」先生，對人的敬稱。在此，用以稱張良。指畫，指點規畫。禮記 玉藻：「凡有指畫於君前，用笏。」

## 四〇、留侯辟穀

王松

辭官致意謝同羣①，辟穀應非事聳聞②。血食許多功狗斬③，先生心事合浮雲④。

**【析韻】**

辟、聞、雲，上平、十二文。

**【釋題】**

留侯，詳張良借箸釋題，在此從略。辟穀，ㄅㄧˋ ㄍㄨˇ。不食五穀。昔道家修煉術也。辟穀時，仍食藥物，且須兼做導引等工夫。史記 留侯世家：「留侯乃稱曰：『家世相韓，及韓滅，不愛萬金之資，為韓報讎彊秦，天下振動。今以三寸舌為帝者師，封萬戶、位列侯，此布衣之極，於良足矣。願棄人間事，欲從赤松子游耳。』乃學辟穀，道引輕身。」南史 隱

逸傳 陶弘景：「弘景善辟穀導引之法，自隱處四十許年，年逾八十而有壯容。」南宋 陳鵠（？—一二二四）耆舊續聞卷七：「偶遇真人，授丹砂，辟穀有年，身輕於羽。」清 納蘭性德 擬古詩之卅四：「飲酒雖達生，辟穀乃長年。」

## 【注解】

①辭官……羣　卸除公職，並向同朝友朋問候、申謝。辭官，辭去官職。新唐書 隱逸傳 武攸緒：「后革命，封安平郡王，從封中岳，固辭官，願隱居。」柳琴戲（按又稱拉魂腔）狀元打更第一四場：「先讓你回去，我過個三年五載，辭官回家，同你過半輩安生日子。」致意，問候。漢書 朱博傳：「二千石新到，輒遣吏存問致意。」晉書 簡文帝紀：「致意尊公，家國之事，遂至於此。」同羣，猶同伴。唐 李商隱 失猿詩：「莫遣碧江通箭道，不教腸斷憶同羣。」

②辟穀……聞　不食五穀，該不是一件震駭視聽的事罷！辟穀，參釋題。應非事聳聞，應該不是一件震駭視聽的事情吧！聳聞，聳動聽聞。北宋 歐陽修 會老堂致語：「里閭拭目，覺陋巷以生光，風義聳聞，為一時之盛事。」

③血食……斬　當年，為逐鹿中原，屠牲取血、奠祭天地、齊立盟誓。如今，天下一統，不好同甘，彭越、英布、韓信……，記名「功狗」，紛紛遇害。血食，屠牲取血，用以祭祀。左傳 莊公六年：「若不從三臣，抑社稷實不血食，而君焉取餘。」史記 蕭相國世家：「漢五年，既殺項羽定天下，論功行封，羣臣爭功。……高祖以蕭何功最盛，封為酇侯，所食

邑多。功臣皆曰：『臣等身被堅執銳，多者百餘戰，少者數十合，攻城略地，大小各有差。今蕭何未嘗有汗馬之勞，徒持文墨議論，不戰，顧反居臣等上，何也？』高帝曰：『夫獵，追殺獸兔者，狗也；而發蹤指示獸處者，人也。今諸君徒能得走獸耳，功狗也；至如蕭何，發蹤指示，功人也。……』」

④先生……雲　您的理念、您的期許，非常符合「人生如清晨的露珠、富貴像飄浮的雲朵。」先生，詳卷二、卅九、注④。心事，內心所思慮的各種人生理念與期許。南齊謝朓（四六四—四九九）新亭渚別范零陵詩：「心事俱已矣，江上徒離憂。」論語述而：「不義而富且貴，於我如浮雲。」合，符合。浮雲，本義謂浮動在空中的雲。楚辭九辯：「塊獨守此無澤兮，仰浮雲而永歎。」古詩十九首西北有高樓：「西北有高樓，上與浮雲齊。」周書蕭大圜傳：「嗟乎！人生若浮雲朝露。」

## 四一、留侯辟穀

劉廷璧

富貴如何辟穀聞①？留侯心事獨超羣②。絕糧我亦羞梁武③，作佛空教物議紛④。

**【析韻】**

聞、羣、紛，上平、十二文。

**【釋題】**

同前首，略。

**【注解】**

①富貴……聞　既有錢財、又有名位，為什麼會以不食五穀而著稱呢？富貴，參卷二、廿五、注①。如何辟穀聞，為什麼會以不食五穀著稱呢？如何。為什麼。唐 韓愈 宿龍宮灘詩：「如何連曉語，一半是思鄉？」北宋 歐陽修荷葉詩：「如何江上思，偏動越人悲？」辟穀，詳卷二、四〇、釋題。聞，ㄨㄣˋ。著稱。唐 李白 贈孟浩然詩：「吾愛孟夫子，風流天下聞。」

②留侯……羣　留侯！您的人生理念、自我期許，何等出類拔萃！留侯，詳本卷、卅九、釋題。心事，參卷二、四〇、注④。獨超羣，特別出類拔萃。獨，特別。北宋 王安石（一〇二一—一〇八六）收鹽詩：「海中諸島古不毛，島夷為生今獨勞。」清 顧炎武 贈林處士古度詩：「受命松柏獨，不改青青姿。」超羣，超出眾人之上，意謂出類拔萃。淮南子 繆稱訓：「同師而超羣者，必其樂之者也。」唐 張喬（？—？，咸通間人）送龐百篇之任青陽縣尉詩：「都堂公試日，詞翰獨超羣。」

③絕糧……武　「斷糧」這件事，我也認為梁武帝過分迷信宗教，是一種恥辱。絕糧，斷糧。缺糧。論語 衛靈公：「子在陳絕糧，從者病，莫能興。」亦，即使……。也……。羞，ㄒㄧㄡ。以為恥辱。孟子 公孫丑上：「柳下惠不羞汙君，不卑小官。」梁武，梁武帝的省詞。蕭衍（四六四—五四九年）字叔達，小字練兒。南朝 蘭陵人。南齊時，官雍州刺史，鎮守

襄陽。兄懿官豫州刺史，為齊王所殺。衍遂起兵入建康，廢齊王，奉南康王蕭寶融為帝，自為大司馬，專朝政。次年，廢殺寶融，稱帝，改國號曰梁。太清二年（五四八）正月納東魏降將侯景；詎八月，侯景叛梁。次年，侯陷臺城，衍餓死其中。子綱立，追尊為武皇帝。衍長於文學，下筆成文，兼通樂律、書法，原集已佚。渠迷信佛教，三度捨身同泰寺，寺院遍國境內。

④作佛……紛　造佛像、立寺菴，闡發般若經部諸法皆空諸教義，國人的議論可是不少啊！作，造。建造。作佛係指造佛像、立寺菴言。空教（ㄐㄧㄠˋ），佛教語。謂以闡發般若經部諸法皆空為宗旨之教義。物議，眾人的議論。宋書　蔡興宗傳：「及興宗被徙，論者並云由師伯……師伯又欲止息物議，由此停行。」北宋　孔平仲（？—一一〇四）續世說　方正：「子一知異不為物議所歸，未嘗造門，其高潔如此。」紛，盛多貌。眾多貌。楚辭　離騷：「紛吾既有此內美兮，又重之以脩能。」唐　杜甫　白水崔少府十九翁高齋三十韻：「猛將紛填委，廟謨蓄長策。」元　周伯琦（一二九八—一三六九）天馬行應制作：「我朝幅員古無比，朔方鐵騎紛如螘。」清　秋瑾（一八七五—一九〇七）寄徐伯蓀詩：「蒼生紛痛哭，吾道例窮愁。」

# 卷三

## 四二、人彘

蔡振豐

千秋人彘作奇談①，一死心難地下甘②。廁上已同烹狗慘③，胭脂有虎太眈眈④。

【析韻】

談、甘、眈，下平、十三覃。

【釋題】

史記 呂后本紀：「呂后最怨戚夫人及其子趙王。乃令永巷囚戚夫人。……太后遂斷戚夫人手足、去眼煇耳，飲瘖藥。使居廁中，命曰：人彘。居數日，迺召孝惠帝觀人彘。孝惠見問，知其戚夫人，迺大哭，因病。歲餘不能起。」戚夫人，劉邦為漢王時，納之於定陶，稱戚姬。邦登大寶後，冊封渠為夫人，寵幸不衰，生子如意；高祖愛屋及烏，屢欲廢太子，改立如意。煇，ㄒㄩㄣ。熏灼。瘖，ㄧㄣ。啞。廁，ㄘㄜˋ。亦作「厠」。豬圈。漢書 燕刺王劉旦傳：「廁中豕羣出……」注：「廁，養豕圂也。」人彘，漢書作「人豕」。清 趙翼（一七二七—一八一四）土城懷古詩之二：「不聞宮掖悲人彘，肯使兵塵喪帝羓。」

## 【注解】

①千秋……談　千餘年來，「人彘」算是令人叵測的話題。千秋，參卷一、三、注④。人彘，詳本首釋題。作奇談，算是令人叵測的話題、議論。作，算是。清 李漁 奈何天 計左：「就作才思極高，不過像鄒小姐罷了；就作容貌極美，不過像何小姐罷了。」奇談，亦作「奇譚」。出乎意外（或令人叵測）的話題、議論。明 袁宏道 答江進之別詩：「密意臭蘭旃，奇談飛金屑。」

②一死……甘　一旦往生，在陰間，內心仍不能（夠）釋懷。一，一旦。作副詞用。禮記 文王世子：「是故古之人，一舉事而眾皆知其德之備也。」死，生命結束。難，不能（夠）。左傳襄公十年：「眾怒難犯，專欲難成。」地下，指陰間。呂氏春秋 直諫：「夫差將死，曰：『死者如有知也，吾何面以見子胥於地下！』」唐 杜甫 懷舊詩：「地下蘇司業，情親獨有君。」聊齋志異 太醫：「生不能揚名顯親，何以見老母地下乎！」甘，恬適。引申作「釋懷」解。北宋 孔平仲 山居雜詩：「寢甘無復夢，行健不須竹。」

③厠上……慘　豬圈裏生活，已經和燃薪煮狗的狠毒，沒有兩樣。厠上，豬圈（ㄐㄩㄢˋ）裏。厠，ㄘㄜˋ。又作「厠」。豬圈。漢書 燕刺王劉旦傳：「厠中豕羣出，壞大官竈。」顏師古注：「厠，養豕圂也。」上，表一定的處所或範圍。孟子 梁惠王上：「王坐於堂上，有牽牛而過於堂下者，王見之曰：『牛何之？』」已同，已經和……一般（或一樣）。烹狗，

燃薪煮狗。烹，ㄆㄥ。煮。左傳昭公二十年：「水火醯醢鹽梅，以烹魚肉，燀（ㄔㄢ）之以薪。」淮南子 說山訓：「以火煙為氣，殺豚烹狗。」北宋 蘇軾 立春日病中邀安國詩：「東方烹狗陽初動，南陌爭牛臥作團。」慘，狠毒。荀子 議兵：「楚人鮫革犀兕以為甲，鞈如金石，宛鉅鐵釶，慘如蠭蠆。」

④胭脂……耽 悍婦就在那兒瞪目逼視著呢！胭脂有虎，即胭脂虎。意謂悍婦。指呂后。北宋 陶穀（九〇三—九七〇）清異錄 胭脂虎：「朱氏女沉慘狡妬，嫁陸慎言為妻。慎言宰尉氏，政不在己，吏民語曰胭脂虎。」聊齋志異 江城：「（生）醉態益狂，榻上胭脂虎，亦並忘之。」有，助詞，無義。耽耽，亦作「眈眈」，ㄉㄢ ㄉㄢ。瞪目逼視。亦形容貪婪地注視。易 頤：「虎視耽耽，其欲逐逐。」北宋 蘇軾 見長蘆天禪師詩之一：「瑟瑟寒松露骨，耽耽病虎垂頭。」清 黃宗羲（一六一〇—一六九五）機山錢公神道碑銘：「逆黨恨甚，割臂而盟，耽耽思以奇計中之。」

## 四三、朱虛侯行酒

陳朝龍

法律嚴明肅六曹①，酒中有令妙操刀②。尚防非種能滋蔓③，前
席應煩借箸勞④。

**【析韻】**

曹、刀、勞，下平、四豪。

**【釋題】**

史記齊悼惠王世家：「哀王（榮按：悼惠王劉肥子襄。）三年，其弟章入宿衛於漢，呂太后封為朱虛侯，以呂祿（按：呂次兄釋之之子，初封胡陵侯、改封續康侯。）女妻之。……章朱虛侯年二十，有氣力，忿劉氏不得職，嘗入侍高后燕飲。高后令朱虛侯劉章為酒吏。章自請曰：『臣，將種也。請得以軍法行酒。』高后曰：『可。』酒酣，章進飲歌舞。已而曰：『請為太后言耕田歌。』高后兒子畜之，笑曰：『顧而父知田耳；若生而為王子，安知田乎？』章曰：『臣知之。』太后曰：『試為我言田。』章曰：『深耕穊種，立苗欲疏；非其種者，鉏而去之。』呂后默然。頃之，諸呂有一人醉，亡酒。章追，拔劍斬之而還。報曰：『有亡酒一人，臣謹行法斬之。』太后左右皆大驚，業已許其軍法，無以罪也，因罷。自是之後，諸呂憚朱虛侯。雖大臣皆依朱虛侯，劉氏為益彊。」燕飲，宴飲。酒吏，上古宴飲時，主持酒政者。兒子畜之，視渠若兒。顧，反過來。而父，爾父。汝父。指齊悼惠王劉肥。穊，ㄐㄧˋ。稠密。立苗，猶云插秧。亡酒，避酒且遁之也。唐李白朱虛侯贊：「朱虛來歸，會酌高堂，雄劍奮擊，太后震惶。」金元好問（一一九〇—一二五七）蛟龍引：「割城恨不逢相如，佐酒恨不逢朱虛。」

**【注解】**

①法律……曹　律令嚴格明確、整飭官衙。法律，古多指刑法或各種律令。管子七臣七主：「夫法者，所以興功懼暴也；律者，所以定分止爭也；令者，所以令人知事也；法律政令

者，吏民規矩繩墨也。」嚴明，嚴格而明確。陳書 徐儉傳：「尋起為和戎將軍，累遷尋陽內史，為政嚴明，盜賊靜息。」元 李文蔚（？—？，至元間人）圯橋進履第三折：「號令嚴明領大軍，紛紛殺氣靄征雲。」肅六曹，整飭官衙。肅，ㄙㄨˋ。整飭。北宋 范仲淹 推委臣下論：「肅朝廷之儀，觸縉紳之邪，此御史府之職也。」六曹，東漢尚書分三公曹、吏曹、二千石曹、民曹、客曹；三公曹二人，故稱六曹。後客曹又分南主客曹、北主客曹，仍稱六曹。（後漢書卷二六百官志三）。按：西漢（成帝）置尚書四人，分四曹。在此，六曹係用以借指官衙言。

②酒中……刀　行令飲酒，擅長施令，掌控全局。酒中有令，行令飲酒、互別高下。古飲酒時，恆推一人為令官，飲者聽其號令，違則有罰。自唐以來，盛行於士大夫間，而漸普及於眾庶。行令飲酒，亦曰酒令。東漢 賈逵（三〇—一〇一）撰有酒令，後漢書 賈逵傳：「（逵）嘗作詩、頌、誄、書、連珠、酒令凡九篇。」惜已不傳。前清 俞敦培遺有酒令叢鈔四卷。妙操刀，善於任事。妙，善。莊子 寓言：「九年而大妙。」操刀，喻任事。唐 李白 贈從孫義興宰銘詩：「落筆生綺繡，操刀振風雷。」

③尚防……蔓　還須時時戒備異姓者，興禍長患。防，戒備。易 小過：「弗過防之，從或戕之，凶。」非種，史記 齊悼惠王世家：「深耕穊種，立苗欲疏；非其種者，鉏而去之。」原指植物之異株、劣種。在此，隱指諸呂，非劉姓者言。能，可。可以。左傳 僖公九年：「且人之欲善，誰不如我？我欲無貳，而能謂人已乎？」史記 酷吏列傳：「天子曰：『非

此母不能生此子。』」滋蔓，滋長蔓延。恒指禍患滋長擴大。左傳隱公元年：「不如早為之所，無使滋蔓；蔓，難圖也。」亦作「滋曼」。

④前席……勞　為了穩固天家，理當向前移坐，用心代出主張。前席，移坐而前。史記商君列傳：「衛鞅復見孝公，公與語，不自知厀之前於席也。」賈生列傳：「上因感鬼神事，而問鬼神之本，賈生因具道所以然之狀，至半夜，文帝前席。」應煩，該煩。煩，勞。左傳僖公三十年：「敢以煩執事。」借箸勞，借箸，詳卷二、卅九、注②。勞，用力辛勤。易兌：「說以先民，民忘其勞。」

## 四四、長門買賦

蔡振豐

**不忍藏嬌憶昔年①，長門買賦費金千②。樓東也有斷腸句③，自出心裁更可憐④。**

【析韻】

年、千、憐，下平、一先。

【釋題】

漢書外戚傳上：「孝武陳皇后，長公主嫖女也。曾祖父陳嬰……午尚長公主，生女。初，武帝得立為太子，長主有力，取主女為妃。及帝即位，立為皇后，擅寵嬌貴，十餘年而無子，聞衛子夫得幸，幾死者數焉。上愈怒，后又挾婦人媚道，頗覺。……使有司賜皇后策曰：『皇后失序，惑於巫祝，不可以承天命，其上璽綬，罷退居長門宮。』」昭明文選 司馬相如 長門賦 序：「孝武皇帝陳皇后，時得幸頗妒，別在長門宮，愁悶悲思。聞蜀郡 成都 司馬相如，天下工為文，奉黃金百金，為相如、文君取酒，因於解悲愁之辭，而相如為文以悟主上，陳皇后復得親幸。」唐 虞世南（五五八—六三八）怨歌行詩：「掖庭羞改畫，長門不惜金。」李白 擬恨賦：「若天陳后失寵，長門掩扉。日冷金殿，霜凄錦衣。」杜牧月詩：「唯應獨伴陳皇后，照見長門望幸心。」張祜（一作「祐」），宣宗 大和間人，生卒年不詳。）讀池州杜員外杜秋詩：「可知不是長門閉，也得相如第一詞。」清 龔鼎孳（一六一五—一六七三）大酺和秋岳春憶詞：「菱花憐我，蕭索長卿非故。倩誰百金買賦？」前引外戚傳所稱「長主」、「主」均為長公主一詞之省稱也，附誌之。

## 【注解】

①不忍……年　回想往年，受青睞、金石盟，如膠似漆、寵幸愈恆，內心始終無法釋懷。不忍，感情上覺得過不去。史記 項羽本紀：「吾騎此馬五歲，所當無敵，嘗一日行千里，不忍殺之。」藏嬌，舊題東漢 班固（三二—九二）漢武故事：「膠東王數歲，公主抱置膝上，問曰：『兒欲得婦否？』……指其女：『阿嬌好否？』笑對曰：『好！若得阿嬌作婦，當作金屋貯之。』長主大悅，乃苦要上，遂成婚焉。」膠東王名徹。後，即位為（武）帝，立嬌為后。憶昔年，回想往年。憶，追思過去，謂回想。昔年，往年。從前。謂過去了的歲月。唐 孟浩然（六八九—七四〇）與黃侍御北津泛舟詩：「豈伊今日幸，曾是昔

年遊。」南宋賀鑄（一〇五二—一一二五）減字浣溪沙詞之一：「記得西樓凝醉眼，昔年風物似如今。只無人與共登臨。」清趙翼甌北詩話詩人佳句：「鶯花不管興亡事，妝點春光似昔年。」

②長門……千　花費不貲，倩人捉刀，買得了長門賦。長門，漢宮名。唐杜牧長安夜月詩：「獨有長門裏，蛾眉對曉晴。」南宋辛棄疾（一一四〇—一二〇七）摸魚兒淳熙己亥同官王正之置酒小山亭為賦詞：「長門事，準擬佳期又誤。蛾眉曾有人妒。千金縱買相如賦，脈脈此情誰訴。」買，價購。賦，文體名，詳附錄。金千，指黃金百斤。長門賦序：「奉黃金百斤，……。」

③樓東……句　樓的東廂，同樣有悲痛欲絕的纏綿詩句。樓東，指長門宮東廂。也，同樣。表性態。南宋陸游史院晚出詩：「心知伏櫪無千里，縱有王良也合休。」有，存在。斷腸句，表達極思念、甚悲痛的詩（文）句。西漢司馬相如長門賦：「白鶴噭以哀號兮，孤雌跱於枯楊。日黃昏而望絕兮，悵獨託於空堂。懸明月以自照兮，徂清夜於洞房。援雅琴以變調兮，奏愁思之不可長。」

④自出……憐　自己想方設法奉金買賦，益發令人同情。自出心裁，出於自己心中的籌劃或設計。指奉金買賦。可憐，參卷一、九、注④。

附錄（資料來源：昭明文選）

## 長門賦 并序

司馬長卿

孝武皇帝陳皇后，時得幸，頗妒，別在長門宮，愁悶悲思，聞蜀郡成都司馬相如天下工為文，奉黃金百斤，為相如文君取酒，因于解悲愁之辭，而相如為文以悟主上，陳皇后復得親幸。

其辭曰：

夫何一佳人兮，步逍遙以自虞。魂踰佚而不反兮，形枯槁而獨居。言我朝往而暮來兮，飲食樂而忘人。心慊移而不省故兮，交得意而相親。伊予志之慢愚兮，懷貞愨之懽心。願賜問而自進兮，得尚君之玉音。奉虛言而望誠兮，期城南之離宮。修薄具而自設兮，君曾不肯乎幸臨。廓獨潛而專精兮，天漂漂而疾風。登蘭臺而遙望兮，神怳怳而外淫。浮雲鬱而四塞兮，天窈窈而晝陰。雷殷殷而響起兮，聲象君之車音。飄風迴而起閨兮，舉帷幄之襜襜。桂樹交而相紛兮，芳酷烈之誾誾。孔雀集而相存兮，玄猿嘯而長吟。翡翠脅翼而來萃兮，鸞鳳翔而北南。心憑噫而不舒兮，邪氣壯而攻中。下蘭臺而周覽兮，步從容於深宮。正殿塊以造天兮，鬱並起而穹崇。間徙倚於東廂兮，觀夫靡靡而無窮。擠玉戶以撼金鋪兮，聲噌吰而似鐘音。刻木蘭以為榱兮，飾文杏以為梁。羅丰茸之遊樹兮，離樓梧而相撐。施瑰木之欂櫨兮，委參差以槺梁。時彷彿以物類兮，象積石之將將。五色炫以相曜兮，爛耀耀而成光。緻錯石之瓴甓兮，象瑇瑁之文章。張羅綺之幔帷兮，垂楚組之連綱。撫柱楣以從容兮，覽曲臺之央央。白鶴噭以哀號兮，孤雌跱於枯楊。日黃昏而望絕兮，悵獨託於空堂。懸明月以自照兮，徂清夜於洞房。援雅琴以變調兮，奏愁思之不可長。案流徵以卻轉兮，聲幼妙而復揚。貫歷覽其中操兮，意慷慨而自卬。左右悲而垂淚兮，涕流離而從橫。舒息悒而增欷兮，蹝履起而彷徨。揄長袂以自翳兮，數昔日之諐殃。無面目之可顯兮，遂頹思而就床。摶芬若以為枕兮，席荃蘭而茝香。忽寢寐而夢想兮，魄若君之在旁。惕寤覺而無見兮，魂迋迋若有亡。眾雞鳴而愁予兮，起視月之精光。觀眾星之行列兮，畢昴出於東方。望中庭之藹藹兮，若季秋之降霜。夜曼曼其若歲兮，懷鬱鬱其不可再更。澹偃蹇而待曙兮，荒亭亭而復明。妾人竊自悲兮，究年歲而不敢忘。

## 四五、長門買賦

陳濬芝

千金竟許買鴻篇①，能得君王一顧憐②。悽絕樓東空自賦③，明珠無復望團圓④。

【析韻】

篇、憐、圓，下平、一先。

【釋題】

詳本卷、四四。

【注解】

①千金……篇　耗費黃金百斤，價購傑作，終於如願。千金，指黃金百斤言。千金，意謂高價。三國魏曹植名都篇：「寶劍直千金，被服光且鮮。」另，參前首釋題及注②。竟許，終於如願。買，以錢易物。鴻篇，傑作。明張居正答廉憲王鳳洲書：「家君在時，曾以祠碑，瀆求名筆，荷蒙不棄，貺以鴻篇。」

②能得……憐　期待受到君王的重視、垂愛。能得，能夠獲得。能，能夠。可以。此處隱含期待性言。君王，漢武帝劉徹。另詳卷三、四六、釋題。一顧憐，受（君王）引舉且生愛惜、不忍之心。一顧，本義一看。在此，作「受人引舉……」解。南朝齊謝脁（四六四－四九九）和王主簿怨情：「生平一顧重，宿昔千金賤。」南史蕭子顯傳：「一顧之

恩，非望而至。」憐，喜愛。同情。

③悽絕……賦　閣樓東廂、孤零零地喃喃吟誦，何等悲傷。悽絕，極淒涼、甚傷心。清 劉昜（生卒年待考）關山月詩：「孤戍蒼茫色，寒笳斷續聲，征夫一長望，悽絕故園情。」樓東，參前首注③。空自賦，只有獨個兒吟誦。空，只，僅。唐 李白江上吟詩：「屈平詞賦懸日月，楚王臺榭空山丘。」杜甫 塞蘆子詩：「邊兵盡東征，城內空荊杞。」賦，吟誦。左傳 文公十三年：「鄭伯與公宴于棐，子家賦鴻雁。」漢書 藝文志：「傳曰：『不歌而誦謂之賦，登高能賦可以為大夫。』」

④明珠……圓　阿嬌啊！妳不要一再期盼重新相聚。明珠，隱指皇后陳嬌。無復，不再。不會再次。呂氏春秋 義賞：「詐偽之道，雖今偷可，然後無復。」陳奇猷校釋：「此文意謂詐偽之道，雖今可以苟且得利，後將不可復得利也。」唐 韓愈 落葉送陳羽詩：「落葉不更息，斷蓬無復歸。」清 李漁 閒情偶寄 詞曲 下格局：「聖嘆之評西廂，可謂晰毛辨髮，窮幽極微，無復有遺議於其間矣。」望，冀。期盼。期待。孟子 梁惠王上：「民望之，若大旱之望雲霓也。」西漢 李陵 答蘇武書：「昔人有言，雖忠不烈，視死如歸，陵誠能安，而主豈復能眷眷乎？……願足下勿復望陵，嗟乎子卿，夫復何言？」團圓，親屬團聚，多指夫妻而言。杜甫又示兩兒詩：「團圓思弟妹，行坐白頭吟。」清 洪昇（一六四五—一七〇四）長生殿 補恨：「團圓等待中秋節，管教你情償意愜。」紅樓夢第五四回：「蓉兒！和你媳婦坐在一處，倒也團圓了。」

## 四六、漢武帝重見李夫人

陳朝龍

蓬萊宮闕喚真真①，曾是昭陽夢裏人②。不信精誠致魂魄③，隔生猶戀漢宮春④。

【析韻】

真、人、春，上平、十一真。

【釋題】

漢武帝（公元前一五六—前八七年）劉徹，漢景帝子。承文景之治，對內厲行政經改革，對外積極用兵，開疆闢土。尊儒術、倡仁義、建太學，罷黜百家，置五經博士，造西漢之盛世，在位五十四年。李夫人，李延年妹。妙麗善舞，得幸於武帝。早卒，帝乃圖其形，懸諸甘泉宮，思念不已。方士少翁言能致其神；夜張燈燭、設帷帳、陳酒肉，迎帝坐帳中遙望，見一妙齡女子如李夫人貌，幄坐而步。不得就視，帝更加相思悲感，口占：「是耶？非邪？立而望之，偏何姍姍其來遲！」又作賦以傷悼夫人。清 汪應銓（？—？，康 雍間人）霧中花詩：「名花籠霧認難真，道是還非夢裏身。彷彿漢家宮殿冷，隔帷遙見李夫人。」

【注解】

①蓬萊……真　蓬萊宮召請仙女真真。蓬萊宮闕，即蓬萊宮。指仙人所居之宮。蓬萊，ㄆㄥˊㄌㄞˊ。唐 白居易 長恨歌：「昭陽殿裏恩愛絕，蓬萊宮中日月長。」古代帝王所居宮門雙

闕，故稱宮殿為宮闕。史記 高祖本紀：「蕭丞相營作未央宮，立東闕、北闕，……高祖還，見宮闕甚壯。」喚，ㄏㄨㄢˋ。召請。魏書 皇后傳 孝文幽皇后馮氏：「高祖乃喚彭城、北海二王，令入坐。」真真，仙女名。唐 杜荀鶴（八四六—九〇七）松窗雜記：「（唐）進士趙顏於畫工處得一軟障，圖一婦人甚麗。顏謂畫工曰：『如可令生，某願納為妻。』畫工曰：『余神畫也。此亦有名曰真真。呼其名百日，晝夜不歇，必應。應則以百家彩灰酒灌之，必活。』顏如言呼之，果應。急依言灌酒，果活。步下言笑如常，終歲生一兒。二歲，友人曰：『此妖也。余有神劍可斬之。』因遺顏以劍。劍及室，真真曰：『妾南嶽地仙也。今疑妾，不可住。』言訖，攜子上軟障，嘔出酒；覩其障，惟添一孩，仍是舊圖焉。」南宋 范成大（一一二六—一一九三）去年多雪苦寒梅花至元夕猶未開詩：「花定有情堪索笑，自憐無術喚真真。」剪燈新話 渭塘奇遇記：「真真醉綵灰。」

②曾是……人　她，從前是後宮夢寐以求的人啊！曾，ㄘㄥˊ。表過去。曾是，曾經是。昔日是。從前是。昭陽夢裏人，後宮夢寐以求的人。昭陽，西漢 長安後宮殿名；後世文人恒以之代稱皇后所居之所。餘，參考注①所引詩句。

③不信……魄　難道生者的真誠，可通亡者的魂靈？不信，猶難道。水滸傳第六回：「胡說！這等一個大去處？不信沒齋糧？」精誠，真誠。莊子 漁父：「真者，精誠之至也，不精不誠，不能動人。」後漢書 廣陵思王荊傳：「精誠所加，金石為開。」唐 楊炯（六五〇—六九三？）和劉長史答十九兄詩：「精誠動天地，忠義感明神。」致，ㄓˋ。通「至」。到

達。魂魄，ㄏㄨㄣˊ ㄆㄛˋ。個體的精靈。古人以為精神一旦離形體而存在者曰魂；依形體而存在者曰魄。左傳 昭公二十五年：「心之精爽，是謂魂魄，魂魄去之，何以能久？」楚辭 屈原 九歌 國殤：「身既死兮神以靈，子魂魄兮為鬼雄。」

④隔生……春　分離的世代，依然念念不忘大漢宮苑那春季的景色。隔生，猶云隔世。唐 元稹 悼僧如展詩：「重吟前日他生句，豈料踰旬便隔生。」南宋 范成大續長恨歌：「莫道故情無覓處，領巾猶有隔生香。」猶戀，還（或仍然）想念不忘。漢宮春，春季大漢宮苑的景色。

## 四七、買臣妻求去

辛邦彥

負薪力學困英雄①，求去糟糠怨命窮②。他日車前收覆水③，晚年富貴一場空④。

**【析韻】**

雄、窮、空，上平、一東。

**【釋題】**

漢書 嚴朱吾……傳：「朱買臣字翁子，吳人也。家貧，好讀書，不治產業，常艾薪樵，賣以給食，擔束薪，行且誦書。其妻亦負載相隨，數止買臣毋歌嘔道中。買臣愈益疾歌，妻羞之，求去。買臣笑曰：『我年五十當富貴，今已四十餘矣。女苦日久，待我富貴報女功。』

妻恚怒曰：『如公等，終餓死溝中耳，何等富貴？』買臣不能留，即聽去。……後數歲，買臣隨上計吏為卒，將重車至長安，……會邑子嚴助貴幸，薦買臣。召見，說春秋，言楚詞，帝甚說之，拜買臣為中大夫，與嚴助俱侍中。……上拜買臣會稽太守。……車百餘乘。入吳界，見其故妻、妻夫治道。買臣駐車，呼令後車載其夫妻，到太守舍，置園中，給食之。居一月，妻自經死，……。」朱買臣（公元前？—前一一五年）。吳（今屬江蘇）人。艾，ㄧˋ。割，通「刈」，後引申為斫（ㄓㄨㄛˊ）。「女」苦日久，「女」通「汝」。恚，ㄏㄨㄟˋ。怨恨。上計吏，戰國、秦、漢時，上京呈報年度地方人口、錢、糧、盜賊、獄訟等實況之差吏。載物之車曰重車。亦單稱「重」。邑子，同鄉也。治道，整理街道。自經，上弔自殺。

**【注解】**

①負薪……雄　身背柴火，不忘苦讀；才具不凡的人，遭逢逆境。負薪，背著柴火。負，ㄈㄨˋ。以背載物。詩 大雅 生民：「恆之糜芑，是任是負。以歸肇祀。」薪，ㄒㄧㄣ。柴火，作燃料的木材。詩 齊風 南山：「析薪如之何，匪斧不克。」禮記 曲禮下：「問庶人之子，長曰：『能負薪矣』。幼曰：『未能負薪』。」力學，努力學習；盡力求學。唐 楊炯臥讀書架賦：「儒有傳經在乎致遠，力學在乎請益。」困英雄，使（這位）才具不凡的人（仍）處於逆境之中。困，使處於逆境險地。英雄，參卷二、廿九、注③。

②求去……窮　請求分手的妻子，心恨命運困厄不順。求去糟糠，要求離異的妻子。求，ㄑㄧㄡˊ。要求。詩 周頌 臣工：「嗟嗟保介，維莫之春，亦又何求？」去，離開。詩 大雅 生

民：「鳥乃去矣，后稷呱矣。」」求去，意謂提出離婚，希望分手。糟糠，ㄗㄠ ㄎㄤ。本義酒滓、穀皮，喻粗劣的食物。後漢書 宋弘傳：「弘曰：『臣聞貧賤之知不可忌，糟糠之妻不下堂。』」謂貧賤時，與共食糟糠。後因以糟糠為妻之代稱。北宋 孫光憲（？—九六八）北夢瑣言卷五：「近代李頻 黃匪躬皆嶺表人，頻即遺其糟糠，別婚士族。」怨命窮。恨天命運數困厄不順。怨，恨。荀子 堯問：「祿厚者民怨之，位尊者君恨之。」命，命運。易乾：「乾道變化，各正性命。」孔穎達疏：「命者，人所稟受若貴賤夭壽之屬是也。」朱熹 本義：「物所受為性，天所賦為命。」窮，困厄。論語 衛靈公：「君子亦有窮乎？」孟子 盡心上：「窮不失義，達不離道。」

③他日……水　未來有一天，恐怕將後悔莫及。他日，參卷二、廿七、注③。車前，詳釋題。收覆水，取回已倒出去的水。收，取。漢書 宣帝紀：「租稅勿收。」覆水，已倒出去的水。恆用以喻事已成定局。北宋 蘇軾 祭柳子玉文：「會合之難，如次組繡，翻然失去，覆水何救。」在此，指離異分手。

④晚年……空　年邁時的富貴，竟一無所有。晚年，年老之時。梁書 夏侯亶傳：「晚年頗好音樂。」唐 包佶（？—七九二）發襄陽後卻寄公安人詩：「晚年多疾病，中路有風塵。」警世通言 老門生三世報恩：「人道他晚年一第，又居冷局，替他氣悶，他欣然自如。」富貴，參卷二、廿五、注①。一場空，希望（或期盼）全部一無所有。元 紀君祥（？—？，元初人）趙氏孤兒第二折：「須二十年報仇的主人公，恁時節才稱心胸，我遲疾死後一場

空。」場，ㄔㄤ。空。ㄎㄨㄥ。

## 四八、京兆畫眉

陳濬芝

之一

走馬歸來意若何①？璇閨韻事寫雙蛾②。入時眉樣君知否③？新月斜明柳倒拖④。

之二

不須對鏡畫雙蛾⑤，夫壻風流趣最多⑥。掃卻遠山舊眉樣⑦，一枝斑管妙如何⑧！

【析韻】

何、蛾、拖，下平、五歌。（之一）

蛾、多、何，下平、五歌。（之二）

【釋題】

漢書卷七六：「（張）敞為京兆，朝廷每有大議，引古今，處便宜，公卿皆服，天子數從之。然敞無威儀，時罷朝會，過走馬章臺街，使御吏驅，自以便面拊馬。又為婦畫眉，長安中傳張京兆眉憮。有司以奏敞。上問之，對曰：『臣聞閨房之內，夫婦之私，有過於畫眉者。』上愛其能，弗備責也。」張敞，西漢河東平陽（今山西臨汾西南）人。生卒年待考。字子高。初為大僕丞。宣帝時，任太中大夫，得罪大將軍霍光，出為函谷關都尉。後任京兆尹。因與楊惲善，遭罷職。旋又起用，官至冀州刺史。直言敢諫，所至皆有治績。確嘗為妻畫眉，故時長安有張京兆眉憮之說，後來成為夫妻恩愛之典故也。北周庾信（五一三—五八一）和宇文京兆游田詩：「懸知畫眉能，走馬向章臺。」隋薛道衡（五四〇—六〇九）豫章行詩：「空憶當時角枕處，無復前日畫眉人。」清陳維崧（一六二五—一六八二）得桐城方爾止先生書詩：「家伎新傳張敞眉，游童暗認王泯扇。」

**【注解】**

①走馬……何　匆匆忙忙，騎馬回家，到底有甚麼意圖?走馬，馳馬，喻疾驅。北宋蘇軾十二月十四日夜微雪明日早往南谿小酌至晚詩：「南谿得雪真無價，走馬來看未及消。」歸來，回到家。意若何，甚麼意圖。意，意圖。楚辭屈原卜居：「用君之心，行君之意。」若何，怎麼樣。晏子春秋問上十七：「景公問晏子曰：『賢君之治國若何？』」唐司空曙（?—七九〇?）閑居寄苗發詩：「漸向浮生老，前期竟若何?」

②璇閨……蛾　原來為著閨房畫眉的雅事。璇閨，本謂用玉石砌成之閨門。狀其建築華美。在此，作「閨房」解。韻事，風雅之事。儒林外史第卅回：「花酒陶情之餘，復多韻事。」清李漁閒情偶寄聲容文藝：「聽其自製自歌，則是名士佳人，合而為一，千古來韻事韻人，未有出於此者。」寫雙蛾，畫雙眉。寫，描摹。雙蛾，詳卷一、十五注①。

③入時……否　（剛）進入房間的時候，雙眉的模樣，你可清楚？入時，剛進到房間的時候。眉樣，雙眉的樣子。君知否，你清楚嗎？君，指張敞。

④新月……拖　就像傾側在高空的皎潔彎月，也像兩片對稱且下垂的纖細柳葉。新月，農曆每月上旬的彎月。南朝陳江總（五一九—五九四）秋日登廣州城南樓詩：「野火初煙細，新月半輪空。」斜明，傾側、亮眼。北宋林逋（九六八—一〇二八）雜興詩之三：「梯斜晚樹收紅柿，筒直寒流得白魚。」易繫辭下：「日往則月來，月往則日來。日月相推，而明生焉。」柳，柳葉。倒拖，呈相反方向對稱且下垂。清平山堂話本風月相思：「蟬鬢拖雲，娥媚（眉）掃月，天生麗質難描。」

⑤不須……眉　沒有必要，自個兒面朝鏡匣描摹那一雙眉毛。不須，不用。不必要。後漢書逸民傳周黨：「臣聞堯不須許由、巢父，而建號天下……。」唐張志和（七四三？—？）漁父歌：「青篛笠綠簑衣，斜風細雨不須歸。」對，面朝。畫，描摹。雙蛾，並參本首注②及卷一、十五注①。

⑥夫壻……多　老公灑脫放逸，風情萬千。風流，灑脫放逸。唐牟融（生卒籍里均不詳，貞元、開成間健在）送友人詩：「衣冠重文物，詩酒足風流。」趣，風致；韻味。晉書王獻之傳：「獻之骨力遠不及乃父，而頗有媚趣。」

⑦掃卻……樣　畫妥那秀麗的雙眉，形象煥然一新。掃，畫。寫。楊家將第四十七回：「秋水盈盈橫兩盼，春山淡淡掃眉峯。」卻，表完成。唐杜甫一百五日夜對月詩：「斫卻月

中桂，清光應更多。」遠山，形容女子秀麗的雙眉。唐 崔仲容（？—？）贈歌妓詩：「皓齒乍兮寒玉細，黛眉輕蹙遠山微。」南宋 范成大 次韻陳季陵寺丞求歙石眉子硯詩：「寶玩何曾捄枵腹，但愛文君遠山蹙。」

⑧一枝……何　那枝筆，變化何等靈巧多端。斑管，毛筆。元 白仁甫（一二二六—一三〇七）陽春曲 題情：「輕拈斑管書心事，細摺銀箋寫恨詞。」亦作「班管」（朝野新聲 太平樂府卷四）。妙如何，是怎樣地變化多端且靈巧啊！妙，變化靈巧、多端。老子：「故常無欲以觀其妙。」如何，怎樣。詩 小雅 庭燎：「夜如何其？夜未央。」

## 四九、班婕妤辭輦

陳錫金

**辭輦殷勤動紫宸①，卻恩深處即全身②。已知妾命同團扇③，不敢春風望幸新④。**

**【析韻】**

宸、身、新，上平、十一真。

**【釋題】**

漢書 外戚傳下：「孝成 班倢伃，帝初即位選入後宮。始為少使，蛾而大幸，為倢伃，居增成舍，再就館。有男，數月失之。成帝游於後庭，嘗欲與倢伃同輦載，倢伃辭曰：『觀古圖畫，賢聖之君皆有名臣在側，三代末王乃有嬖女，今欲同輦，得無近似之乎？』上善其言而止。太后聞之，喜曰：『古有樊姬，今有班倢伃。』班倢伃，生卒年待考。西漢雁門郡樓煩（清屬代州府，故城在今山西神池、五寨二縣境）人。父班況；渠乃班彪之姑。成帝時，選入宮為婕妤。後為趙飛燕所譖，退處東宮，作賦自傷。成帝崩後，充奉園陵。婕妤，ㄐㄧㄝˊㄩˊ，本作「倢伃」；原係女官名。始設於漢武帝，魏、晉迄明多沿設之。少使，漢女官名。掌供使，秩四百石，爵比公乘。輦，ㄋㄧㄢˇ。車，以人輓行。漢以後，專指天子車乘。嬖女，為君王寵幸之女。嬖，ㄅㄧˋ。樊姬，春秋楚莊王夫人。渠諫止莊王狩獵，並激楚相虞丘子使進孫叔敖。莊王以敖為令尹，三年而霸。詳劉向列女傳。西晉潘岳（二四七—三〇〇）西征賦：「壯當熊之忠勇，深辭輦之明智。」清洪昇長生殿：「須仿，馮嫟當熊，班姬辭輦，永持彤管侍君旁。」

## 【注解】

①辭輦……宸　反復婉謝共乘，感動了天子。辭輦，推辭謝絕同乘一輛座車。辭，ㄘˊ。辭謝。輦，天子的車乘。殷勤，反復。北史拓跋澄傳：「澄亦盡心匡輔，事有不便於人者，必於諫諍殷勤不已，內外咸敬憚之。」動紫宸，感動了帝王。動，感動。孟子離婁上：「至誠而不動者，未之有也；不誠，未有能動者也。」紫宸，本宮殿名，天子之所居。借指帝王。晉書后妃傳序：「若乃作配皇極，齊體紫宸，象玉牀之連後星，喻金波之合羲璧。」

②卻恩……身　不接受這項德惠，為的是保全性命。卻恩，婉拒（帝王）所施的德惠。卻，拒絕。孟子萬章下：「卻之卻之為不恭，何哉？」深處，周密的地步。深，周密。漢書司

馬相如傳 諭巴蜀檄：「計深慮遠，急國家之難。」處，ㄔㄨˋ。場所。引申作「地步」解。即全身，就是保全生命（之道）。即，ㄐㄧˊ。就是。左傳 襄公八年：「民死亡者，非其父兄，即其子弟。」全身，保全生命。詩 王風 君子陽陽 序：「君子遭亂，相招為祿仕，全身遠害而已。」

③已知……扇　已經知道自己的生命和團扇一樣脆弱。妾，ㄑㄧㄝˋ。舊時女子自稱的謙詞。楚 宋玉（頃襄王時人）高唐賦：「妾，巫山之女也。」團扇，圓扇，亦稱宮扇。唐 王昌齡（六九八—七五七）長信愁詩：「奉帚平明秋殿開，且將團扇共徘徊。」

④不敢……新　沒有勇氣期待：在溫和可親的境況下，皇帝會再度寵幸。不敢，表示缺乏勇氣。春風，喻溫和可親的境況。南宋 朱熹（一一三〇—一二〇〇）近思錄卷十四：「侯師聖云：『朱公掞見明道於汝，歸謂人曰：光庭在春風中坐了一箇月。』」望幸，希望皇帝親臨；期待贏得帝王的寵幸。唐 杜牧 阿房宮賦：「縵立遠視而望幸焉，有不見者三十六年。」新，與「舊」相對。在此，作再度，重新等解。

## 五〇、班婕妤團扇歌

鄭兆璜

齋居長信淚頻含①，團扇歌殘為畏讒②。別有難圓心裏事③，秋風怕聽燕呢喃④。

【析韻】

含，上平、十三覃；讒、喃，上平、十五咸。「覃」、「咸」，古，均通「刪」。

【釋題】

漢書外戚傳下：「其後，趙飛燕姐弟亦從微賤興，逾越禮制，寖盛於前，班婕妤及許皇后皆失寵，稀復進見。鴻嘉三年，趙飛燕譖告許皇后、班婕妤挾媚道，祝詛後宮，詈及主上。許皇后坐廢，考問班婕妤。婕妤對曰：『妾聞死生有命，富貴在天，修正尚未蒙福，為邪欲以何望？使鬼神有知，不受不臣之愬；如其無知，愬之何益，故不為也。』上善其對，憐憫之，賜黃金百斤。趙氏姐弟驕妒，婕妤恐久見危，求共養太后長信宮，上許焉。」昭明文選班婕妤（前四三—前一？）怨歌行：「新裂齊紈素，皎潔如霜雪，裁為合歡扇，團團似明月。出入君懷袖，動搖微風發，常恐秋節至，涼風奪炎熱，棄捐篋笥中，恩情中道絕。」譖告，誣告。譖，ㄗㄣˋ。誣陷。媚道，以巫祝之術騙取人之歡心。詈，ㄌㄧˋ。罵。考，通「拷」。修正，善良正派。愬，ㄙㄨˋ。誹謗。共，ㄍㄨㄥ。通「供」。唐崔道融（？—？，晚唐、五代初人）班婕妤詩：「自題秋扇後，不敢怨春風。」北宋劉筠（九七一—一〇三一）代意詩：「明月自新班女扇，行雲無奈楚王風。」

【注解】

①齋居……含　齋戒別居長信宮，雙眼總是積著淚水。齋居，齋戒別居。明史左懋第傳：「三月，大風霾。帝布袍齋居，禱之不止。」清鈕琇（？—？，康、乾間人）觚賸續編芙

蓉閣：「時世宗齋居西宮，建設醮壇，勑大臣製青祠一聯，懸于壇門。」長信，漢宮名。三輔黃圖卷三：「長信宮，漢太后長居之。……后宮在西，秋之象也，秋主信，故宮殿皆以長信、長秋為名。」餘參釋題。淚頻含，雙目經常蘊積著淚水。頻，屢次。引申作「經常」解。含，容納。易 坤：「含萬物而化光。」淮南子 本經訓：「夫至大，天地弗能含也；至微，神明弗能領也。」唐 杜甫 絕句之三：「窗含西嶺千秋雪，門泊東吳萬里船。」本句此處，引申作「（蘊）積」解。

②團扇……讒　生恐惡言中傷，怨歌行也就殘存下來。團扇歌，即班婕妤所作古樂府詩怨歌行，詳釋題。殘，ㄘㄢˊ。殘存。南宋 楊萬里 晴望詩：「枸杞一叢渾落盡，只殘紅乳似櫻桃。」為，ㄨㄟˋ。由於。孟子 萬章下：「仕非為貧也，而有時乎為貧。」畏讒，怕別人以言辭惡意詆毀、中傷。讒，ㄔㄢˊ。說別人的壞話。

③別有……事　另外有不易完滿的內心事。別有，參卷一、五、注③。難圓，不容易完滿。圓，完滿。吳越僧（佚名，八九五—九八二間在世）石橋設齋會進詩之六：「願滿事圓歸去路，便風相送片帆輕。」心裏事，猶云內心事。

④秋風……喃　連秋風都害怕聽到燕子鳴啼。秋風，秋季的風。西漢 武帝（前一五六—前八七）秋風辭：「秋風起兮白雲飛，草木黃落兮雁南歸。」三國 魏 曹丕（一八七—二二六）燕歌行之一：「秋風蕭瑟天氣涼，草木搖落露為霜。」燕，屬候鳥。秋冬遷南方，春始北返。呢喃，ㄋㄧˊ ㄋㄢˊ。燕鳴聲。唐 劉兼（？—？）春燕詩：「多時窗外語呢喃，只

要佳人捲繡簾。」

班姬團扇圖（明唐寅）

全用比興只結句收出正意便深全川比意每十字轉一意字字緊句句圓詞意兼美此後世宮調之祖舍一怨字正以不露爲佳

◎怨歌行（五言歌錄曰怨歌行古辭然言古者有此曲而班婕妤擬之）

班婕妤（婕妤帝初即位選入後宮始爲少使蛾而大幸爲婕妤居增成舍後趙飛燕寵盛婕妤失寵希復進見成帝崩婕妤充園陵薨）

新裂齊紈素，皎絜如霜雪，（漢書曰齊三服官李斐曰紈素爲冬服沈子曰紈素出齊荀悅曰齊國獻紈素絹天子爲三官服也）裁爲合歡扇，團團似明月。（古詩曰文綵雙鴛鴦裁爲合歡被）出入君懷袖，動搖微風發，（蒼頡篇曰懷抱也此謂蒙恩幸之時也）常恐秋節至，涼風奪炎熱，（古長歌行曰常恐秋節至焜黃華葉衰炎熱氣也）棄捐篋笥中，恩情中道絕。

## 五一、班婕妤團扇歌

陳濬芝

團圓裁就為傷讒①，長信宮中恨暗銜②。舞扇有人飛上掌③，春風飄拂入歌衫④。

【析韻】

讒、銜、衫，上平、十五咸。

【釋題】

同前首，略。

【注解】

①團圓……讒　剪成圓圓的扇面，就生怕別人詆毀。團圓，圓貌。指圓形扇面言。唐元稹高荷詩：「颭閃碧雲扇，團圓青玉疊。」裁就，剪成。裁，剪裁。就，成。成功。完成。詩周頌敬之：「日就月將，學有緝熙于光明。」孔穎達疏：「日就，謂學之使每日有成就。月將，謂至於一月則有可行。言當習之以積漸也。」為傷讒，由於擔心受人詆毀。為，因為。由於。另參卷三、五〇注②。傷，憂思。詩周南卷耳：「我姑酌彼兕觥，維以不永傷。」讒，參卷三、五〇注②。

②長信……銜　在長信宮裏，不公開地懷著幽怨。長信宮，參卷三、五〇注①。恨暗銜，不公開地心懷幽怨。恨，參考卷二、廿六注④。暗，不公開。天雨花第六回：「巡撫暗裏從

頭看，新內嗟圩暗忖論。」銜，ㄒㄧㄢˊ。心中懷著。南朝梁江淹丹砂可學賦：「吞悲欣於得失，銜哀樂於春秋。」

③舞扇……掌　舞扇取悅，已經不算什麼；另有身輕如燕的新寵，擅長掌上之舞呢！舞扇，持扇舞蹈。飛上掌，趙飛燕掌上舞，餘參本卷五四、釋題。

④春風……衫　載歌載舞當中，和風正徐徐地吹入她的短袖單衣。春風，猶言和風。飄拂入，猶言吹入，飄，ㄆㄧㄠ。亦作「飃」。吹。三國魏曹植侍太子坐詩：「寒冰辟炎景，涼風飄我身。」由外而內曰入。歌衫，歌舞時穿著在身的短袖單衣。

## 五二、班婕妤團扇歌　　蔡振豐

持齋長信恐遭讒①，紈扇詩成恨暗銜②；不盡團圓明月感③，秋風有淚透羅衫④。

【析韻】

讒、銜、衫，上平、十五咸。

【釋題】

詳鄭兆璜班婕妤團扇歌釋題，在此從略。

【注解】

①持齋……讒　持守戒律，禁腥茹素，生怕受人詆毀。持齋，佛教徒持守戒律且素食。佛教

原以過正午不食曰齋；後來，多指不殺生而素食。梁書　劉杳傳：「自居母憂，便長斷腥羶，持齋蔬食。」長信，參卷三、五〇注①。遭，ㄗㄠ。遇。禮記　曲禮上：「遭先生於道，趨而進，正立拱手。」餘參考卷三、五〇注②。

②紈扇……銜　團扇詩作好了，她內心依然藏著幽恨。紈扇，細絹製成的團扇。南朝　梁　江淹　班婕妤扇詩：「紈扇如團月，出自機中素。」成，就。謂畢其事完其功。詩　周南　樛木：「樂只君子，福履綏之。」又，大雅　靈臺：「庶民攻之，不日成之。」恨暗銜，參卷三、五一注②。

③不盡……感　自忖：渾圓皎潔的玉盤，千里嬋娟。不盡，無盡。團圓明月，月又圓又亮。班婕妤　怨歌行：「裁為合歡扇，團團似明月，出入君懷袖，動搖微風發，……」

④秋風……衫　秋風蕭瑟，草木發黃，呈現一片淒涼，好似涔涔珠淚溼透細軟的單衣。秋風，參考卷三、五〇注④。透，穿過。羅衫，細軟的絲織單衣。唐　韋應物　白沙亭逢吳叟歌：「龍池宮裏上皇時，羅衫寶帶香風吹。」章孝標（？—？，元和、大和間人）柘枝詩：「柘枝初出鼓聲招，花鈿羅衫聳細腰。」溫庭筠　黃曇子歌：「羅衫裏回風，點粉金鸝卵」

## 五三、馮婕妤當熊

鄭兆璜

竟爾當前護至尊①，為防猛獸肆狂奔②。羽林不少如熊羆③，轉遜蛾眉解報恩④。

**【析韻】**

尊、奔、恩，上平、十三元。

**【釋題】**

漢書 外戚傳下：「建昭中，上幸虎圈鬪獸，後宮皆坐。熊佚出圈，攀檻欲上殿。左右貴人傅昭儀等皆驚走，馮倢伃直前當熊而立，左右格殺熊。上問：『人情驚懼，何故前當熊？』倢伃對曰：『猛獸得人而止，妾恐熊至御坐，故以身當之。』元帝嗟嘆，以此倍敬重焉。傅昭儀等皆慙。」資治通鑑引漢書，文字幾全同，僅「佚」作「逸」、省略「以此」一詞相異耳。續列女傳亦載，茲從略。馮倢伃（公元前？—前六年）漢 上黨（今山西 長治人）。父奉世善兵，曾出使西域，莎車殺漢使，渠與嚴昌發諸國兵萬五千人擊之，斬其國王，大宛等國尤敬重之。兄野王，治行高，倢伃為平帝祖母，哀帝在位期間，遭傅太后誣以祝詛上及太后，含冤飲藥自殺。西晉 潘岳 西征賦：「壯當熊之忠勇，深辭輦之明智。」隋 楊廣（五八九—六一七）水調詩：「乍可當熊任生死，誰能伴鳳上雲霄？」明 李東陽（一四四七—一五一六）馮婕妤詩：「圈門晝開熊不守，婕妤當前眾嬪走。」當，攔阻。韓非子 內儲說上：「夫日兼燭天下，一物不能當也。」

**【注解】**

①竟爾……尊　竟然在前面保護著天子。竟爾，竟然。當前，在前面。後漢書 光武帝紀上：「（帝）親勒六軍，大陳戎馬，大司馬吳漢精卒當前，中軍次之。」護至尊，保護著帝王。

護，ㄏㄨˋ。保護。南宋何薳（生卒年不詳，建炎間仍健在）春渚紀聞古斗樣鐵護研：「慨惜之餘，仍取以漆固而鐵護其外，中固無傷也。」兒女英雄傳緣起首回：「所以才不辭蜀道艱難，護著貴妃遠避。」至尊，最尊貴的地位，多作為帝王的尊稱。漢書禮樂志：「舞人無樂者，將至至尊之前不敢以樂也。」唐李白贈宣城趙太守悅詩：「赤縣揚雷聲，強項聞至尊。」在此，至尊用以指漢元帝（公元前七六—前卅三年），劉奭。宣帝子。任貢禹、薛廣德、韋賢、匡衡等為相，重用儒生。建昭三年（公元前卅四年）西域副都護陳湯等襲匈奴郅支單于。竟寧元年（公元前卅三年）匈奴呼韓邪單于入朝，帝以後宮王嬙與之為婦。帝多材藝，而優柔寡斷，宦官弘恭、石顯等與朝事，開後來宦官、外戚迭相為政之局。

②為防……奔　由於戒備，凶殘的野獸、縱恣疾奔。為，參本卷、五〇、注②，防，參本卷、四三、注③。猛獸，凶殘的野獸。指熊。肆狂奔，縱恣且迅疾奔跑。左傳昭公十二年：「昔（周）穆王欲肆其心，周行天下。」明李東陽祭朱文鳴文：「城東之居，地僻且孤，狂奔疾馳，僕隸怨呼。」

③羽林……羆　擁有那麼多勇壯、強勁的禁衛師旅。羽林，皇帝衛軍的名稱。西漢武帝太初元年（公元前一〇四年）置建章營騎，掌宿衛侍從。後改名羽林騎。宣帝命中郎將騎都尉監羽林，率郎百人，稱羽林郎。後歷代設有羽林監。不少，形容人數多。如熊羆。像熊和羆。熊（ㄒㄩㄥˊ）、羆（ㄆㄧˊ）均屬猛獸。喻勇士或雄師勁旅。書牧誓：「尚桓桓，如虎

如貔，如熊如羆。」又，康王之誥：「則亦有熊羆之士，不二心之臣，保乂王家。」

④轉遜……恩　反不如一位美女，懂得回饋德惠。轉遜，反而不如。轉，反而。反倒。詩小雅谷風：「將恐將懼，維予與女。將安將樂，女轉棄予。」高亨注：「到了安樂時，你反而拋棄了我。」遜，ㄒㄩㄣˋ。不如。例：稍「遜」一籌。蛾眉，蠶蛾觸鬚，彎曲細長，如人眉，故以喻女子長而美之眉毛。詩衛風碩人：「齒如瓠犀，螓首蛾眉，巧笑倩兮，美目盼兮。」亦借為美人之代稱。此處從後解。唐高適（七〇七？—七六五）塞下曲：「蕩子從軍事征戰，蛾眉嬋娟守空閨。」解報恩，懂得回饋德惠。

## 五四、趙飛燕掌上舞

蔡振豐

**漢宮春鬧綺筵開①，舞袖翩翩看幾回②。上掌莫將珠比價③，新歌赤鳳為誰來④？**

**【析韻】**

開、回、來，上平、十灰。

**【釋題】**

太平御覽卷五七四引漢書云：「趙飛燕體輕，能掌上舞。」唐李冗（又作「元」、「亢」、「冘」，宣、懿二朝間人）獨異志：「漢成帝趙飛燕身輕，能為掌上舞。」南史羊侃傳：「（羊侃）性豪侈，善音律，自造采蓮、棹歌兩曲，甚有新致。……儛人張淨琬（榮按：一作「婉」）腰圍一尺六寸，時人咸推能掌上儛。」梁書 羊侃傳亦載之，茲從略。趙飛燕（公元前？—前一年）。漢成帝宮人，成陽侯 趙臨之女。初學歌舞，以體輕號曰飛燕。先為婕妤，許后廢，立為后，與其妹昭儀專寵十餘年。哀帝立，尊為皇太后。平帝即位，廢為庶人，自殺。漢書有傳。掌上舞，一作「掌上儛」、又作「掌中舞」（梁書 羊侃傳）。舞者體態輕盈，手指靈巧，能於掌上舞蹈。唐 李白陽春歌詩：「飛燕皇后輕身舞，紫宮夫人絕世歌。」李商隱 擬意詩：「上掌真何有？傾城豈自由？」武平（？—七四一？）妾薄命詩：「正悅掌中舞，寧哀團扇詩。」

**【注解】**

①漢宮……開　春天的漢宮，文武百官畢至，皇族、妃嬪咸集，人頭攢動，正在張羅豪華盛筵。春，一年的首季；表時間。鬧，ㄋㄠˋ。簇集；攢聚。北宋 陳師道 南鄉子 咏棣棠菊詞：「亂蕊壓枝繁，堆積金錢鬧作團。」劉一止（一〇七九—一一六〇）臨江仙 和王元渤韻詞：「最愛杯中浮蟻鬧，鵝兒破殼嬌黃。」綺宴，亦作「綺燕」。華美豐盛的筵宴。南宋 張孝祥（一一三二—一一七〇）點絳唇 餞劉恭父詞：「綺燕高張，玉潭月麗玻璃滿。」開，張羅。唐 李白 春夜宴從弟桃花園序：「開瓊筵以坐花，飛羽觴而醉月。」

②舞袖……回　揮動衣袖、舞姿輕柔、曼妙，仔細端詳多少次？舞袖，隨著樂曲的節奏、韻律，揮動著衣袖。翩翩，ㄆㄧㄢ ㄆㄧㄢ。姿態輕柔、生動。餘參考卷二、廿三注①。看幾回，仔細端詳了多少次。幾，ㄐㄧˇ。未確定之數。猶言多少；若干。

③上掌……價　既然看重了「掌」，就不要和「珠」評量價值。上，通「尚」。看重。新唐書 杜中立傳：「民間脩昏姻，不許官品而上閥閱。」掌，手心。論語 八佾：「其如示諸斯乎，指其掌。」珠，蛤蚌殼內由分泌物結成的有光澤小圓球。比價，評量價值。

④新歌……來　新曲子——赤鳳，為那個人而至呢？新歌，甫完成的歌曲。赤鳳，曲名。赤鳳皇來的省詞。東晉 干寶 搜神記卷二：「十月十五日，共入靈女廟，以豚黍樂神，吹笛擊筑，歌上靈之曲。既而相與連臂，踏地為節，歌赤鳳皇來，乃巫俗也。」舊題（東）漢 伶玄 趙飛燕外傳：「十月五日，宮中故事，上靈安廟，是日吹塤擊鼓歌，連臂踏地，歌赤鳳來曲。后（趙飛燕）謂昭儀曰：『赤鳳為誰來？』昭儀曰：『赤鳳自為姊來，寧為他人乎？』后怒，以杯抵昭儀裙。」榮按：昭儀，趙后嫡妹。漢成帝時，有宮奴燕赤鳳，為后趙飛燕之情夫，兼通昭儀。唐 李商隱 可嘆詩：「梁家宅裏秦宮入，趙后樓中赤鳳來。」來，至。詩 小雅 杕杜：「匪載匪來，憂心孔疚。」易 繫辭下：「日往則月來，月往則日來，日月相推則明生焉。」論語 學而：「有朋自遠方來，不亦樂乎？」

## 五五、趙飛燕掌上舞

蔡 汝 修

身輕如燕怕風來①，掌上留仙舞幾回②？輸與臨春盤膝擁③，同心判事美人才④。

**【析韻】**

來、回、才，上平、十灰。

**【釋題】**

同前首，略。

**【注解】**

①身輕……來　身材苗條輕盈，像燕子般，就擔心風吹過來。身輕如燕，體重輕的像燕鳥一般。輕，與「重」相對。形容瘦小。漢書 外戚傳第六七下：「孝成 趙皇后，本長安宮人。……及壯，屬陽阿主家，學歌舞，號曰飛燕。」顏師古曰：「以其體輕故也。」另詳前首釋題。怕風來，擔心風吹過來。

②掌上……回　她，生縐的裙襬，擺動了多少次？掌上，代稱趙飛燕。飛燕能掌上舞，故稱。餘詳前首釋題。留仙，裙襬生縐。飛燕外傳：「（成）帝於太液池作千人舟，號合宮之舟。后歌舞歸風、送遠之曲，侍郎馮無方吹笙以倚后歌。中流歌酣，風大起，后揚袖曰：『仙乎！仙乎！去故而就新，寧忘懷乎？』帝令無方持后裙，風止，裙為之縐。他日宮姝或襞裙為縐，號留仙裙。」榮按：歸風、送遠乃西漢二曲名。西京雜記卷五：「趙后有寶琴，曰鳳凰，皆以金玉隱起為龍鳳螭鸞、古賢列女之象。亦善為歸風、送遠之操。」舞，ㄨˇ。韻律性的肢體活動。動詞，作「舞動」、「擺動」、「揮動」等解。詩 小雅 賓之初筵：「籥舞笙鼓，樂既和奏。」唐 白居易霓裳羽衣舞歌：「千歌萬舞不可數，就中最愛霓裳舞。」

北宋晏幾道（一〇三八—一一一〇）鷓鴣天詞：「舞低楊柳樓心月，歌盡桃花扇底風。」南宋葉夢得（一〇七七—一一四八）賀新郎詞：「吹盡殘花無人見，惟垂楊自舞。」幾回，參前首注②。

④輸與……擁　贏不了臨春閣御榻上，陳後主盤腿緊抱美人張麗華。輸與，敗給了……。輸，ㄕㄨ。負。失敗。同「贏」相對。世說新語　任誕：「桓宣武少家貧，戲大輸，債主敦求甚切。」唐　杜甫　遣懷詩：「百萬攻一城，獻捷不云輸。」與，ㄩˇ。給予。周禮　春官　大卜：「以邦事作龜之八命：一曰征，二曰象，三曰與。」鄭玄注引鄭司農曰：「與謂予人物也。」左傳　僖公二十三年：「（重耳）乞食於野人，野人與之塊。」臨春盤膝擁。臨春閣榻上，（陳後主）盤腿而坐，且緊抱著張貴妃。臨春，閣名。南朝　陳後主時營建。陳書　皇后傳張貴妃：「至德二年，乃於光照殿前起臨春、結綺、望仙三閣。閣高數十丈，並數十間，其窗牖、壁帶、懸楣、欄檻之類，並以沈檀香木為之。又飾以金玉，間以珠翠，外施珠簾，內有寶牀、寶帳，其服玩之屬，瑰奇珍麗，近古所未有。」盤膝，兩膝向內彎曲。小腿盤插，置之臀前。擁，ㄩㄥˇ。抱。南史　后妃列傳下：「……（陳）後主依隱囊，置張貴妃於膝上共決之。……」

④同心……才　一同齊心決斷政務，張貴妃可真能幹呢！同心判事，齊心決斷政務。餘詳前注。美人才。美人真是能幹！美人指張麗華（陳後主寵妃）。③、④另詳卷五、八五。

## 五六、嚴子陵釣臺

陳濬芝

一領羊裘一釣絲①，富春千載姓名垂②。此臺合為先生有③，不管河山更屬誰④。

**【析韻】**

絲、垂、誰，上平、四支。

**【釋題】**

嚴光（生卒年不詳），一名遵，字子陵。漢 會稽 餘姚（今浙江 餘姚縣）人。少曾與劉秀（光武帝）同游學，有高名。秀稱帝，光變姓埋名隱遁之。秀遣人覓訪，徵召到京，授諫議大夫，不受，退隱於富春山。後人稱渠居遊之地為嚴陵山、嚴陵瀨、嚴陵釣壇……。（後漢書 逸民傳）唐 李白獨酌清溪江石上寄權昭夷詩：「永愿作此石，長垂嚴陵釣。」白居易秋池獨泛詩：「嚴子垂釣日，蘇門長嘯時。」盧象（？—？，開元、天寶間人）家叔征君東溪草堂詩之二：「水深嚴子釣，松掛巢父衣。」

**【注解】**

①一領……絲　一件羊皮大衣，一套釣具。一領羊裘，一件羊皮做成的大衣。領，量詞。今語謂「件」。裘，ㄑㄧㄡˊ。用毛皮製成的禦寒衣服。詩 豳風 七月：「一之日于貉，取彼狐狸，為公子裘。」一釣絲，猶云一套釣具。釣絲，釣竿上的垂線。唐 杜甫 重過何氏詩之

三：「翡翠鳴衣桁，蜻蜓立釣絲。」嚴光少有高名，與劉秀同游學，後劉秀即帝位，光變名隱身，披羊裘釣澤中。後人因以「羊裘」指隱者或隱居生活。南宋陸游寓嘆詩：「人怪羊裘忘富貴，我從牛僧得賢豪。」元薩都剌釣雪圖詩：「人間富貴草頭露，桐江何處覓羊裘。」

②富春……垂　千餘年來，想到富春，就連想到您。富春，水名。浙江在富陽、桐廬縣境內稱富春江，屬著名風景區。千載，千年。形容歲月長久。古詩十九首之十三：「潛寐黃泉下，千載永不寤。」東晉陶潛飲酒詩之四：「託身已得所，千載不相違。」載，ㄗㄞˇ。年、歲的別稱。書堯典：「朕在位七十載。」爾雅釋天：「載，歲也。夏曰歲，商曰祀，周曰年，唐虞曰載。」姓名垂，姓名留傳下來。垂，ㄔㄨㄟˊ。留傳。書微子之命：「功加於時，德垂後裔。」

③此臺……有　這個釣壇，該是您的。此臺，這個釣壇。指嚴陵釣壇。另參釋題。合為先生有。應該是先生所有。先生，指嚴光。

嚴陵瀨（東漢嚴子陵隱居垂釣處）

④不管……屬　不關版圖屬何人！不管，不關。不涉及。紅樓夢第二八回：「寶玉便問丫頭們：『這是誰叫他裁的？』黛玉……便說道：『憑他誰叫我裁，也不管二爺的事！』」河山，即江山。餘參卷二、卅、注③，又同卷、卅六、注④。更屬誰。歸屬何人。更，ㄍㄥ。易換。替代。左傳　襄公二十八年：「公膳日雙雞，饔人竊更之以鶩。」

## 五七、班超投筆

陳朝龍

### 之一

萬里侯封博有餘①，憤然投筆壯何如②！功成重試生花筆③，下馬洋洋露布書④。

### 之二

筆下千軍掃有餘⑤，幡然拋卻意何如⑥！悔教著述名山富，紙上談兵付子虛⑦。

【析韻】

餘、如、書、虛，上平、六魚。

【釋題】

班超（公元卅二—一〇二年，榮按：一作卅三—一〇三年，併誌）東漢　扶風　安陵。（故城在今陝西咸陽市東）人。字仲升。彪少子，固弟。父卒，家貧，為官傭鈔書養母。久勞苦，「嘗輟業投筆嘆曰：『大丈夫無它志略，猶當效傅介子、張騫立功異域，以取封侯，安能久事筆硯閒乎！』」（後漢書班梁列傳、東觀漢記班超）。明帝永平十六年（癸酉、公元七三年）從竇固擊北匈奴，旋奉命率吏士卅六人出使西域，至鄯善，服于闐，通疏勒，降莎車，走龜茲，斬焉耆王廣，於是西域五十餘國悉納貢內屬，詔簡西域都護，封定遠侯。超在西域達卅一年，曾遣甘英使大秦（羅馬帝國）至條支西海（今波斯灣）而還。妹昭以超年老，上書乞歸，永元十四年（公元一〇二年）安返洛陽，旋病卒。後漢書有傳。傅介子（？—前六二年）西漢北地（今甘肅東南、寧夏南部一帶）人。昭帝元鳳中，使大宛，計斬樓蘭王，歸封義陽侯。張騫（公元前？—前一一四年）西漢漢中成固（今陝西城固縣）人。建元二年（公元前一三八年）以郎應募出使月支，經匈奴，遇拘十餘年，逃返長安。以校尉從大將軍衛青擊匈奴，功封博望侯。元鼎二年（公元前一一五年）以中郎將出使烏孫，遣副使使大宛、康居、月支、大夏，烏孫報謝，西北諸國始通於漢，中原鐵器、絲織品等得以傳入西域，而西域音樂、葡萄等亦由是輸入中原。漢書有傳。唐元稹紀懷贈李六望曹詩：「班筆行看擲，黃陂莫漫登。」清黃遵憲過安南西貢有感詩：「班超投筆氣如山，萬里封侯出玉關。」

**【注解】**

①萬里……餘　期盼受封萬里侯，賭得可真大呢！萬里封侯，賞賜萬里侯的爵位。萬里侯，

古代因立功邊遠地區所勅封的爵位。侯，僅次於「公」的一種爵位。後漢書 班超傳：「生燕頷虎頸，飛而食肉，此萬里侯相也。」唐 王勃（六四八—六七五）春思賦：「都護新封萬里侯，將軍稍定三邊地。」封，帝王賜臣工以爵位或食邑。書 蔡仲之命：「肆予命爾侯于東土，往即乃封，敬哉！」博有餘，賭得可真大呢！博，賭。清 紀昀 閱微草堂筆記 如是我聞三：「胥魁有善博者，取人財猶探物於囊，猶不持兵而劫奪也。」有餘，超越足夠的程度。引申作「真大」解。

②憤然……如　氣沖沖地扔掉手上的毛筆，這種雄心大志，怎麼樣？憤然，生氣、煩悶的樣子。投筆，擲筆。扔筆。意謂將筆棄之於地。餘詳釋題。壯何如，這種雄心大志，怎麼樣？壯，ㄓㄨㄤˋ。大。詩 小雅 采芑：「方叔元老，克壯其猶。」在此，作「雄心大志」解。何如，怎麼樣。左傳 襄公二七年：「子木問於趙孟曰：『范武子之德何如？』」新唐書 哥舒翰傳：「祿山見翰責曰：『汝常易我，今何如？』」。

③功成……筆　（等）立下汗馬大功以後，再來一展不凡的抄錄才華。功成，詳卷二、卌七、注④。重試，再嘗試。引申作「再展現」解。生花筆，五代 王仁裕（八八〇—九五六）開元天寶遺事卷下夢筆頭生花：「李太白少時，夢所用之筆頭上生花，後天才瞻逸，名聞天下。」因以喻傑出的寫作才能。在此，宜作「傑出的抄錄才能」解。

④下馬……書　從馬背上躍下，萬般得意地亮著冊封書狀。下馬，從馬背上下來。洋洋，得意喜樂的樣子。北宋 范仲淹 岳陽樓記：「把酒臨風，其喜洋洋者矣！」露布書，展現欽

賜爵位的公文書。露布書即露布，古公文書之一種，因不封緘，故稱露布。（明 張存紳（？—？）雅俗稽言卷十二）

⑤筆下……餘 仗著禿筆服眾，這種才具算不了什麼！下，降服。戰國策 齊策六：「將軍攻狄，不能下也。」以刀喻筆，蓋謂作書如作戰。千軍，原指軍隊人數眾多；在此作「眾庶」解。掃，攻掠。有餘，有剩餘，引申作「容易」、「不礙」等解。意謂算不了什麼。

⑥皤然……如 一下子丟棄不要，這種氣魄，怎麼樣？皤然拋卻，突然丟棄不要。指投筆言。皤然，遽然。猶今語「突然」或「一下子」。孟子 萬章上：「湯三使往聘之，既而皤然改曰……。」皤，ㄈㄢ。拋卻，亦作「拋却」、「拋卻」、「拋却」。丟棄。唐 李復言（七七五—八三三）續玄怪錄楊敬真：「守真詩曰：『共作雲山侶，俱辭世累塵。靜思前日事，拋卻幾年身。』」南唐 馮延巳（九〇二—九六〇）鵲踏枝詞之五：「叵耐為人情太薄，幾度思量，真擬渾拋卻。」意，意志。期望。在此，引申作「氣魄」解。西漢 賈誼（前二〇一—前一六九）過秦論：「有席卷天下，包舉宇內，囊括四海之意，并吞八荒之心。」何如，參注②。

⑦悔教……付子虛 著作本是豐厚不朽的志業，不料竟成空談，一切都不真實，令人懊惱忿恨。悔，恨。事後自恨失宜。淮南子 泛論：「悔不殺湯於夏臺。」教，ㄐㄧㄠ。能。表性態。北宋 晏幾道虞美人詞：「羅衣著破前香在，舊意誰教改？」唐 王昌齡（六九〇？—七五六？）閨怨詩：「忽見陌頭楊柳色，悔教夫婿覓封侯。」著述，著作。用文字表達知

識、思想、感情等的作品。三國魏曹植與楊德祖書：「世人之著述，不能無病。」名山，可以傳之不朽的藏書場所。史記太史公自序：「以拾遺補藝，成一家之言……藏之名山，副在京師，俟後世聖人君子。」富，豐厚。聊齋志異仙人島：「桓因謂曰：『王郎天才，宿構必富，可使鄙人得聞教乎？』」紙上談兵，亦作紙上譚兵。戰國趙名將趙奢之子趙括，少學兵法，善于談兵，以為天下無敵。嘗與其父言兵事，父雖不能難倒他，但不以為然。後，括代廉頗為將，長平一役為秦將白起所敗，活坑趙卒達四十萬。藺相如嘗曰：「括徒能讀其父書傳，不知合變也。」（詳史記廉頗藺相如列傳）。後因謂空談理論不切實際為「紙上談兵」。清魏源（一七九四—一八五七）聖武記卷一三：「今日動笑紙上譚兵，不知紙上之功，即有深淺，有一二分之見，有六七分之見，有十分之見。」付，交給。北宋朱服（一〇三八？—一〇九八？）漁家傲東陽郡齋作詞：「戀樹溼花飛不起，愁無際，和春付與東流水。」子虛，不真實或虛構。漢書司馬相如傳上：「相如以『子虛』，虛言也，為楚稱；『烏有先生』者，烏有此事也，為齊難；『亡是公』者，亡是人也，欲明天子之義。」

## 五八、班超投筆

陳濬芝

漢代功名信不虛①，憤然壯志有誰如②？封侯我道終須筆③，萬里奇勳竹帛書④。

**【析韻】**

虛、如、書，上平、六魚。

**【釋題】**

同前首，略。

**【注解】**

①漢代……虛　為東漢立功勳、樹聲名，的確不假。漢代，指東漢（公元二五—二二〇年）言。功名，功績和聲名。莊子 山木：「削迹捐勢，不為功名。」荀子 彊國：「上下一心，三軍同力，是以百事成而功名大也。」信不虛，的確不是假的。信，的確。書 金縢：「信，噫，公命我勿敢言。」左傳昭公元年：「子皙信美矣。」虛，ㄒㄩ。假。史記 魏公子傳 論：「名冠諸侯，不虛耳。」

②憒然……如　那種奮發宏大的心願，有誰比得上。憒然，奮發貌。淮南子 人間訓：「孔子讀易至損、益，未嘗不憒然而歎。」北宋 王禹偁 鹽池八十韻：「天實惠我，使之補亡……遊覽之際，憒然成章。」壯志，宏大的志願（志向）。同「壯心」。三國 魏 曹植 與吳季重書：「左顧右眄，謂若無人，豈非吾子壯志哉？」唐 孟浩然 送莫氏甥兼諸昆弟從韓司馬入西軍詩：「壯志吞鴻鵠，遙心伴鶺鴒。」如，ㄖㄨˊ。及。比得上。管子 小匡：「臣之所不如管夷吾者五……」

③封侯……筆　我說，受封為侯這件事，到底該記載下來。封侯，敕封為侯（爵）。封，參

卷三、五七、注①。古，帝制時代，爵位分五等，公、侯、伯、子、男是也。我「道」，說。終須筆，到底應當記載下來。終，到底。究竟。墨子 天志中：「欲以此求賞譽，終不可得。」須，ㄒㄩ。應當。三國 魏 應璩（一九〇—二五二）與滿公琰書：「適有事務，須自經營，不獲侍坐，良增邑邑。」唐 杜甫 聞官軍收河南河北詩：「白日放歌須縱酒，青春作伴好還鄉。」筆，記載。書寫。史記 孔子世家：「至於為春秋，筆則筆，削則削，子夏之徒不能贊一辭。」

④萬里……書　萬里外，卓然的勳蹟，已經寫在史乘上了。萬里，形容路程不近；在此，指邊陲之地。餘參前首注①。奇勳，亦作「奇勛」。卓越的功勳。唐 李白 送張秀才從軍詩：「當令千古後，麟閣著奇勳。」南宋 陸游 離堆伏龍祠觀孫太古畫英惠王像詩：「奇勳偉績曠世無，仁人志士臨風慟。」竹帛書，（已經）寫在史乘上了。竹，竹簡。帛，白絹。古，初無紙，用竹、帛等書寫文字。墨子 明鬼：「古者聖王必以鬼神為其務，鬼神厚矣，又恐後世子孫不能知也，故書之竹帛傳遺後世子孫。」後用竹帛為書冊、史乘。在此，指後者言。漢書 蘇建傳附蘇武：「今足下還歸，揚名於匈奴，功顯於漢室，雖古竹帛所載，丹青所畫，何以過子卿！」按：武字子卿。西晉 陸機 長歌行：「但恨功名薄，竹帛無所宣。」

## 五九、孟光擎臼石 限虛如魚韻

施天鈞

齊眉舉案譽非虛①，擎石誰能力比如②。此即糟糠安命婦③，不曾彈鋏嘆無魚④。

【析韻】

虛、如、魚，上平、六魚。

【釋題】

後漢書逸民列傳第七十三：「……同縣孟氏有女，狀肥醜而黑，力舉石臼，擇對不嫁，至年三十。父母問其故。女曰：『欲得賢如梁伯鸞者。』鴻聞而娉之。女求作布衣、麻屨，織作筐緝績之具。及嫁，始以裝飾入門。七日而鴻不答。妻乃跪牀下請曰：『竊聞夫子高義，簡斥數婦，妾亦偃蹇數夫矣。今而見擇，敢不請罪。』鴻曰：『吾欲裘褐之人，可與俱隱深山者爾。今乃衣綺縞，傅粉墨，豈鴻所願哉？』妻曰：『以觀夫子之志耳。妾自有隱者之服。』乃更為椎髻，著布衣，操作而前。鴻大喜曰：『此真梁鴻妻也。能奉我矣！』字之曰德曜，〔名〕孟光。」梁鴻（生卒年不詳）東漢扶風平陵（今陝西興平縣東南）人。字伯鸞。家貧好學，不求仕進。娶同縣孟氏女。夫婦同入霸陵山中，耕織為業。鴻因事過京師，作五噫歌。後避禍去吳，為人舂米，既歸來。孟光為之備食，舉案齊眉。擎，ㄑㄧㄥˊ。舉。向上托。

臼，ㄐㄧㄡˋ。舂米器。以石製之，稱石臼。

**【注解】**

①齊眉……虛　夫妻相敬有禮，這美好的名聲，一點不假。齊眉舉案，「舉案齊眉」的倒裝句式，作者為合平仄所做的處理。後漢書 梁鴻傳：「遂至吳，依大家皐伯通，居廡下，為人賃舂。每歸，妻為具食，不敢於鴻前仰視，舉案齊眉。」案，即椀、盌。或謂指盛食品的托盤。急就篇：「橢杅盤案桮問盌。」注：「無足曰盤，有足曰案，所以陳舉食也。」舊時謂夫妻相敬有禮，恆以舉案齊眉形容之。譽非虛，（這種）美好的名聲並不假。譽，ㄩˋ。美好的名聲。詩 周頌 振鷺：「庶幾夙夜，以永終譽。」孟子 告子上：「令聞廣譽施於身，所以不願人之文繡也。」虛，詳卷三、五八、注①。

②擎石……如　說道雙手舉起石臼，那個人的力道比得過你呢？擎石，詳釋題。誰能力比如，那個人的力道比得過你呢？比如，猶云比及。如，及也。

③此即……婦　這就是安於命運的賢妻良婦。糟糠，詳卷三、四七、注②。安命婦，安於命運的婦人。對環境或事物，不刻意挑剔且感到滿足、恬適，曰安。左傳 文公

舉案齊眉圖（左孟光右梁鴻）

十一年：「郕大子朱儒自安於夫鍾。」命，參考卷三、四七、注②。婦，女子已嫁者。詩衛風氓：「三歲為婦，靡室勞矣。」

④不曾……魚　飲食起居，從來沒有另外的希求。典出戰國策齊策四：「居有頃，（諼）倚柱彈其劍，歌曰：『長鋏歸來乎！食無魚。』」諼，馮諼。史記作馮驩。鋏，ㄐㄧㄚˊ。原指劍把。在此，作「劍」解。

## 六〇、劉寵選錢　林鵬霄

**臨歧曲已唱驪駒①，太守清廉世所無②。笑煞宦途貪墨輩③，一錢如命較錙銖④。**

【析韻】

駒、無、銖，上平、七虞。

【釋題】

後漢書循吏傳劉寵：「拜會稽太守，山民愿朴，乃有白首不入市井者，頗為官吏所擾。寵簡除煩苛，禁察非法，郡中大化。徵為將作大匠。山陰縣有五六老叟，尨眉皓髮，自若邪山谷間出，人齎百錢以送寵。寵勞之曰：『父老何自苦？』對曰：『山谷鄙生，未嘗識郡朝，它守時，吏發求民間，至夜不絕，或狗吠竟夕，民不得安。自明府下車以來，狗不夜吠，民不見吏。年老遭值聖明，今聞當見棄去，故自奉送。』寵曰：『吾政何能及公言邪？』勤苦父老，為人選一大錢受之。」又，三國志 吳書 劉繇傳 裴松之注引晉 司馬彪續漢書云：「（劉寵）後辟大將軍府，稍遷會稽太守，正身率下，郡中大治。徵入為將作大匠。山陰縣民去治數十里，有若邪中在山谷間，五六老翁年皆七八十，聞寵遷，相率共送寵，人賚百錢。寵見，勞來曰：『父老何乃自苦遠來？』皆對曰：『山谷鄙老，生未嘗至郡縣。他時吏發求不去，民間或夜不絕狗吠，竟夕民不得安。自明府下車以來，狗不夜吠，吏稀至民間。年老遭值聖化，今聞當見棄去，故戮力來送。』寵謝之，為選受一大錢。」劉寵（生卒年不詳）東漢 牟平（今山東 牟平縣）人。字祖榮。以明經舉孝廉，出任會稽太守，有廉名。延熹四年，代黃瓊為司空，遷司徒太尉。愿朴，ㄩㄢˋ ㄆㄨˊ。善良樸實。將作大匠，官名。掌宮室、宗廟、路寢、陵園等土木營建。尨（ㄇㄤˊ）眉皓髮，蒼眉白髮。指老人。明府，對太守之尊稱。漢 魏以來對太守尹牧，皆稱府君或明府君，省稱明府。下車，猶言到任。元 張可久（？—？，至正間年八十餘，時仍在世）柳營曲 自會稽遷三衢：「拜辭了劉寵錢，笑上了子猷船。」明 高啟（一三三六—一三七四）野老行送陳大尹詩：「雞鳴相送拜道邊，願公受取一大錢。」

## 【注解】

①臨岐……駒　已經唱驪駒之曲，就要分道揚鑣。臨歧曲，離別曲。臨歧，分道惜別。唐 高適別韋參軍詩：「丈夫不作兒女別，臨歧涕淚沾衣巾。」驪駒，ㄌㄧˊ ㄐㄩ。逸詩篇名。告別之歌。漢書 王式傳：「（江公）心嫉式，謂歌吹諸生曰：『歌驪駒。』式曰：『聞之於師，客歌驪駒，主人歌客毋庸歸。』」注：「文穎曰：『其辭云：驪駒在門，僕夫俱存；驪駒

在路，僕夫整駕也。』」北宋 文同（一〇一八—一〇七九）寄題密州蘇學士快哉亭……詩：
「主人自醒客已醉，門外落日驪駒催。」

②太守……無 劉太守！您的清白、廉潔，是人世間還不曾見的。太守，秦置郡守，掌一郡政務，秩二千石。漢景帝時更名太守。詳漢書 百官公卿表上。清廉，清白廉潔。韓非子 姦劫弒臣：「我不以清廉方正奉法，乃以貪污之心枉法以取私利，是猶上高陵之顛，墮峻谿之下以求生，必不幾矣。」世，人世。世界。楚辭 屈原 九章 懷沙：「舉世混濁，而我獨清。」世界猶云世間；人間。唐 岑參 登慈恩寺塔詩：「登臨出世界，磴道盤虛空。」所無，尚無。還沒有。所，尚。還。高適 同羣公宿開善寺贈陳十六所居詩：「知君悟此道，所未披袈裟。」柳宗元 韋道安詩：「揭來事儒術，十載所能逞。」

③笑煞……輩 笑壞了官場上貪財好賄的那一幫人。笑煞，笑壞（了）。煞，ㄕㄚˋ。極甚。很。唐 羅鄴（八二五—？，光化年間仍健在。）嘉陵江詩：「嘉陵南岸雨初收，江似秋嵐不煞流。」宦途，本義謂做官的經歷。唐 白居易 短歌行：「三十登宦途，五十披朝服。」在此，借指「官場」言。貪墨輩，貪財好賄的那一幫人。貪墨，貪財好賄。左傳 昭公十四年：「貪以敗官為墨。」注：「墨，不絜之稱。」唐 元稹 敘奏：「會潘孟陽代（嚴）礪為節度使，貪墨過礪。」輩，ㄅㄟˋ。等第，類。史記 孫臏列傳：「馬有上中下輩。」謂有三等。世說新語 傷逝：「王（戎）曰：『聖人忘情，最下不及情；情之所鍾，正在我輩。』」引申為羣，隊。此處，從後解。由於行貪求賄，故以鄙語（那）一幫人譯之。

④一錢……銖　把「一錢」看得這麼嚴肅、正經，斤斤計較，堅守原則。一錢如命，本用以形容極端吝嗇。清錢泳（一七五九－一八四四）履園叢話 報應刻薄：「其治家也，事事親裁，不經奴婢，而一錢如命，恐人侵蝕不利於己也。」劉寵以廉潔名。父老贈金，收之，有違平生原則；卻之，則不恭，故只收一大錢耳。錙銖，ㄗ ㄓㄨ。六銖為一錙。（說文）。即一兩的四分之一。屬重量單位。銖，亦為衡制的重量單位，為一兩的二十四分之一。故以「錙銖」喻微小的數量。淮南子 兵略訓：「能分人之兵，疑人之心，則錙銖有餘。不能分人之兵，疑人之心，則數倍不足。」

# 卷四

## 六一、文姬歸漢

陳朝龍

絕代蛾眉絕代才①，黃金不惜贖歸來②。鄉心照徹關山月③，惆悵明妃塚一堆④。

【析韻】

才、來、堆，上平、十灰。

**【釋題】**

蔡琰字文姬。歸漢謂自塞外安返漢邦故土也。琰，東漢 陳留 圉（今河南 杞縣）人。蔡邕（公元一三二—一九二年）之獨生女。又字昭姬。生卒年待考。渠博學多才，精通音律。初適河東 衛仲道，夫亡無子，歸寧於家。「興平中（按：公元一九四—一九五年），天下喪亂，文姬為胡騎所獲，沒於南匈奴左賢王，在胡十二年，生二子。」（引後漢書卷八四列女傳）曹操（一五五—二二〇年）素與邕友善，痛其無嗣，建安十三年（二〇八）操遣使入胡地，以金璧贖回文姬，旋嫁同郡屯田都尉董祀。後，祀犯法當死，文姬親詣曹操求情，言辭肯切，操感其言，乃免祀一死。邕所遺典籍四千餘卷，因顛沛流離有年，散失殆盡。文姬應操之請，獨自誦憶繕寫四百餘篇，文無遺誤；其博聞強記如此。唐 陳子昂（六六一—七〇二）居延海樹聞鶯同作詩：「明妃失漢寵，蔡女沒胡塵。」

**【注解】**

①絕代……才　冠絕當代的美人，舉世無雙的才女。絕代，冠絕當代。謂舉世無雙。南朝 宋 顏延之請立渾天儀表：「值大軍旋旆，渾儀在路，肆觀奇秘，絕代異寶。」唐 高適 畫馬篇：「感茲絕代稱妙手，遂令談者不容口。」南宋 辛棄疾 滿江紅詞：「照影溪梅，悵絕代、幽人獨立。」冠絕，猶云冠極。蛾眉，詳卷三、五三、注④。才，才華。才情。論語先進：「才不才，亦各言其志也。」又，子路：「赦小過，舉賢才。」在此，指有才華的人。

②黃金……來　不在乎花費，用黃金把她換回來。黃金不惜，不惜黃金的倒裝句式，作者為合平仄所做的處理。沒有捨不得黃金。惜，吝惜。捨不得。黃金，應係指「銅」而言。贖，ㄕㄨˊ。用財物換回人身自由。晏子春秋　雜上：「晏子曰：『為僕幾何？』對曰：『三年矣。』晏子曰：『可得贖乎？』對曰：『可。』遂解左驂以贖之。」後漢書　列女傳：「興平中，天下喪亂，文姬為胡騎所獲，沒於南匈奴左賢王，在胡中十二年，生二子。曹操素與（蔡）邕善，痛其無嗣，乃遣使者以金璧贖之，……」歸來，回來。歸，回。返。

③鄉心……月　想念家鄉的心情，完全呈現在別離的哀傷當中。鄉心，思念家鄉的心情。唐劉長卿　新年作詩：「鄉心新歲切，天畔獨潸然。」明　袁宏道　高唐道中詩：「鄉心隨日暮，望眼盡天低。」照徹，透明晶瑩。北魏　楊衒之（？—？，孝敬帝　武定間仍在世。）洛陽伽藍記　景林寺：「又有仙人桃，其色赤，表裏照徹，得霜即熟。」北宋　張耒（一〇五四—一一一四）大禮慶成賦：「潰流汪洋，碧玉照徹。」此處，引申作「完全呈現」解。關山月，漢樂府橫吹曲名。在此，係指傷離別。樂府詩集　橫吹曲解三關山月題解：「樂府題解曰：『關山月，傷離別也。』古木蘭詩曰：『萬里赴戎機，關山度若飛。朔氣傳金柝，寒光照鐵衣。』按：相如曲有度關山，亦類此也。」唐　王昌齡　從軍行詩之一：「更吹羌笛關山月，無那金閨萬里愁。」杜甫　洗兵馬詩：「三年笛裏關山月，萬國兵前草木風。」

④惆悵……堆　唉！昭君何其不幸！坟墓仍在塞外草原。惆悵，ㄔㄡˊ　ㄔㄤˋ。因失意而傷感。楚辭　宋玉　九辯：「廓落兮羈旅而無友生，惆悵兮而私自憐。」後漢書　馮衍傳　顯志賦：

「風波飄其並興兮，情惆悵而增傷。」明妃，漢元帝宮人王嬙，字昭君。晉人避司馬昭（文帝）諱，改稱明君，後人又稱明妃。生卒年不詳。西漢南郡秭歸（今湖北秭歸縣）人。元帝竟寧元年（公元前卅三年）歸匈奴呼韓邪單于為閼氏，卒葬於匈奴。現內蒙呼和浩特市（原稱歸綏市）南有昭君墓，世稱青塚。塚一堆，指青塚。塚，ㄓㄨㄥˇ。本作「冢」。高墳。積土而成小阜曰堆。秦州記：「有土堆，高五丈，生細竹。」一堆，猶言一個小阜。

悲憤詩

漢季失權柄，董卓亂天常。志欲圖篡弒，先害諸賢良。逼迫遷舊邦，擁主以自強。海內興義師，欲共討不祥。卓眾來東下，金甲耀日光。平土人脆弱，來兵皆胡羌。獵野圍城邑，所向悉破亡。斬截無孑遺，尸骸相撐拒。馬邊懸男頭，馬後載婦女。長驅西入關，迥路險且阻。還顧邈冥冥，肝脾為爛腐。所略有萬計，不得令屯聚。或有骨肉俱，欲言不敢語。失意幾微間，輒言斃降虜。要當以亭刃，我曹不活汝。豈敢惜性命，不堪其詈罵。或便加棰杖，毒痛參并下。旦則號泣行，夜則悲吟坐。欲死不能得，欲生無一可。彼蒼者何辜，乃遭此戹禍。邊荒與華異，人俗少義理。處所多霜雪，胡風春夏起。翩翩吹我衣，肅肅入我耳。感時念父母，哀歎無終已。有客從外來，聞之常歡喜。迎問其消息，輒復非鄉里。邂逅徼時願，骨肉來迎己。己得自解免，當復棄兒子。天屬綴人心，念別無會期。存亡永乖隔，不忍與之辭。兒前抱我頸，問母欲何之。人言母當去，豈復有還時。阿母常仁惻，今何更不慈。我尚未成人，奈何不顧思。見此崩五內，恍惚生狂癡。號泣手撫摩，當發復回疑。兼有同時輩，相送告離別。慕我獨得歸，哀叫聲摧裂。馬為立踟躕，車為不轉轍。觀者皆歔欷，行路亦嗚咽。去去割情戀，遄征日遐邁。悠悠三千里，何時復交會。念我出腹子，胸臆為摧敗。既至家人盡，又復無中外。城郭為山林，庭宇生荊艾。白骨不知誰，從橫莫覆蓋。出門無人聲，豺狼號且吠。煢煢對孤景，怛咤糜肝肺。登高遠眺望，魂神忽飛逝。奄若壽命盡，旁人相寬大。為復彊視息，雖生何聊賴。託命於新人，竭心自勗厲。流離成鄙賤，常恐復捐廢。人生幾何時，懷憂終年歲。

蔡琰　悲憤詩書影

文姬歸漢圖（金　張瑀　卷　絹本　淡設色　29×129公分　現藏吉林省博物館）

## 六二、文姬歸漢

蔡振豐

一鞭胡騎朔風催①，十二笳腔動地哀②。輸與琵琶歌出塞③，死留青塚不生回④。

**【析韻】**

催、哀、回，上平、十灰。

**【釋題】**

同前首，略。

**【注解】**

①一鞭……催　胡騎狠狠地擊下一記馬箠，凜冽的北風，也在呼！呼！迫促。形容欲急速返北地也。鞭，ㄅㄧㄢ。馬箠。論語 述而：「富而可求也，雖執鞭之士，吾亦為之。」胡騎，胡人的騎兵。在此，係指匈奴言。朔風，北風。三國 魏 曹植 朔風詩：「仰彼朔風，用懷魏都。」又，阮籍（二一〇—二六三）詠懷詩之十二：「朔風厲嚴寒，陰氣下微霜。」催，迫使。西晉 李密（二二四—二八七）陳情表：「郡縣偪迫，催臣上道。」

②十二……哀　十二把胡笳齊奏，聲音振動大地、曲調淒涼悲哀。十二，指胡笳的數量。笳，ㄐㄧㄚ。即胡笳，古管樂器，漢時流行於塞北與西域，其音悲涼。腔，樂曲的調子。動，振動。

③輸與……塞　贏不了昭君提著琵琶遠赴塞北。輸與，參卷三、五五、注③。琵琶歌出塞，指王昭君言。西漢竟寧元年（公元前卅三年）昭君戎服乘馬，提琵琶出塞。琵琶，ㄆㄧˊ ㄆㄚˊ。本作「批把」、「枇杷」。有四弦、六弦之別。桐木製，曲首長頸，下橢圓，面平背圓。舊皆用木撥。至唐始廢撥用手，稱搊琵琶。宋書樂志卷一：「琵琶，傅玄琵琶賦曰：『漢遣烏孫公主嫁昆彌，念其行道思慕，故使工人裁箏、筑，為馬上之樂，欲從方俗語，故曰琵琶，取其易傳於外國也。』」風俗通云：「以手琵琶，因以為名。」（以上詳釋名釋樂器）。由內而外，曰出。塞，邊界也。邊界之外，稱塞外。自中原而赴北地，故稱出塞。

④死留……回　死後，坆墓仍在塞外。謂生前無從返鄉。青塚，參前首注④。

## 六三、劉先主閉門種菜

鄭兆璜

不教遯迹見英豪①，遍地蒼生志已高②。留得蔓菁諸葛種③，栽培恰好付兒曹④。

**【析韻】**

豪、高、曹，下平、四豪。

**【釋題】**

三國志蜀書劉先主傳裴松之注引胡沖吳曆：「曹公數遣親近密覘諸將有賓客酒食者，輒因事害之。備時閉門，將人種蕪菁，曹公使人窺門。既去，備謂張飛、關羽曰：『吾豈種菜者乎？曹公必有疑意，不可復留。』其夜，開後柵，與飛等輕騎俱去，……。」三國演義第二一回：「玄德也防曹操謀害，就在下處後園種菜，親自澆灌，以為韜晦之計。……一日，關、張不在，玄德正在後園澆菜，許褚、張遼引數十人入園中，曰：『丞相有命，請使君便行。』……隨至小亭，已設樽俎：盤置青梅，一樽煮酒。二人對坐，開懷暢飲。……操曰：『夫英雄者，胸懷大志，腹有良謀，有包藏宇宙之機，吞吐天地之志者也。』玄德曰：『誰能當之？』操以手指玄德，後自指，曰：『今天下英雄，惟使君與操耳！』……。」南宋 陸游 月下醉題詩：「閉門種菜英雄老，彈鋏思魚富貴遲。」清 錢謙益（一五八二—一六六四）歲暮雜懷詩：「看花伴侶青春少，種菜英雄白首多。」吳雯（一六四四—一七〇四）秋日村居詩：「本無喜慍抽身早，須信英雄種菜宜。」

**【注解】**

①不教……豪　不讓他隱居，正顯示他是英雄豪傑。不教遯迹，不使他隱居。教，ㄐㄧㄠ。使。令。讓。墨子 非儒下：「勸下亂上，教臣殺君，非賢人之行也。」遯，ㄉㄨㄣˋ。同「遁」。迹，ㄐㄧ。一作「跡」。餘詳卷二、廿七、注①。見英豪，顯示是位英雄豪傑。見，ㄒㄧㄢˋ。漢書 張騫傳：「令外國客徧觀各倉庫府臧之積，欲以見漢廣大，傾駭之。」顏師古注：「見，顯示。」英豪，英雄豪傑。三國志 魏書 郭嘉傳：「（孫策）新并江東，所誅皆英豪雄傑，能得人死力者也。」唐 司空圖（八三七—九〇八）力疾山下吳村看杏花詩之十二：「不如分減閒心力，更助英豪濟活人。」

②遍地……高　處處以同胞為念，（這種）志氣遠邁常人。遍地，各地。猶言處處。蒼生，百姓。眾民。今語「同胞」。東漢 史岑（？—？）出師頌：「蒼生更始，朔風變律。」晉書 王衍傳：「總角嘗造山濤，濤嗟嘆良久，既去，目而送之，曰：『何物老嫗，生寧馨兒！然誤天下蒼生者，未必非此人也。』」唐 杜甫 行次昭陵詩：「往者災猶降，蒼生喘未蘇。」明 楊慎（一四八八—一五五九）李光弼中渾之戰：「儒者紙上之語，使之當國，豈不誤蒼生乎？」志，心之所至。猶云志氣、志向。高，超越他人（或他物）。與「低」相對。

③留得……種　留下蕪菁，給孔明去栽培。蔓菁，即蕪菁。俗稱大頭菜。根塊肉質，可供蔬食。諸葛種，孔明去栽培。諸葛指諸葛亮。渠字孔明。三國 蜀 諸葛亮 出師表：「臣本布衣，躬耕於南陽，苟全性命於亂世，不求聞達於諸侯。」

④栽培……曹　種植培育的事，就交代孩子們吧！栽培，種植培育。禮記 中庸：「天之生物，必因其材而篤焉，故栽者培之，傾者覆之。」付，交給。餘參卷二、廿八、注④，卷三、五七、注⑦。兒曹，孩子們。

劉備（公元162-223年）

今語亦謂「子女們」。史記外戚世家：「是非兒曹愚人所知也。」後漢書耿弇傳：「光武笑曰：『小兒曹乃有大意哉！』」

## 六四、聞雷失箸

陳朝龍

閒論英雄飲正歡①，聞雷失箸聳曹瞞②。真龍未得風雲會③，有食從教下咽難④。

**【析韻】**

歡、瞞、難，上平、十四寒。

**【釋題】**

三國志蜀書劉先主傳：「先主未出時，獻帝舅車騎將軍董承辭受帝衣帶中密詔，當誅曹公。先主未發。是時，曹公從容謂先主曰：『今天下英雄，唯使君與操耳。本初之徒，不足數也。』先生方食，失匕箸。」裴松之注引華陽國志云：「於時正當雷震，備因謂操曰：『聖人云：迅雷風烈必變，良有以也。一震之威，乃可至於此也。』」三國演義第二一回：「操曰：『夫英雄者，胸懷大志，腹有良謀；有包藏宇宙之機，吞吐天地之志者也。』玄德曰：『誰能當之？』操以手指玄德，後自指曰：『今天下英雄，惟使君與操耳。』玄德聞言，吃了一驚，手中所執匙筯，不覺落於地下。時正值天雨將至，雷聲大作。玄德乃從容俯首拾筯曰：『一震之威，乃至於此。』操笑曰：『丈夫亦畏雷乎？』玄德曰：『聖人（云）迅雷風烈必變，安得不畏？』將聞雷失筯緣故，輕輕掩飾過了。操遂不疑玄德。後人有詩讚曰：勉從虎穴暫趨身，說破英雄驚殺人。巧借聞雷來掩飾，隨機應變信如神！」北宋蘇軾唐道人言天目山上俯視雷雨詩：「山頭只作嬰兒看，無限人間失箸人。」南宋劉克莊（一一八七—一二六九）沁園春詞：「天下英雄，使君與操，餘子誰堪共酒杯？」明徐渭（一五二一—一五九三）與客觀潦於三江水門詩：「枚叔觀濤八月後，使君失箸萬雷中。」筯，ㄓㄨˋ。同「箸」（ㄓㄨˋ）。另參卷二、卅九、釋題。

【注解】

①閒論……歡　開懷暢飲、談天說地，月旦當今英雄。閒論，無關緊要地談論。閒，ㄒㄧㄢˊ。亦作「閑」。英雄，參考卷二、廿九、注③。飲正歡，喝得正高興。飲，ㄧㄣˇ。嚐酒。正，表時態，現在進行式。三國演義第二一回：「玄德心神方定，隨至小亭，已設樽俎；盤置青梅，一樽煮酒。二人對坐，開懷暢飲。」

②聞雷……瞞　聽見雷聲，心悸害怕，不慎掉了手中的筷子，驚動老奸孟德。聞雷失箸，聽到雷聲，受驚嚇而丟掉手中所持的筷子。餘詳釋題。聳，ㄙㄨㄥˇ。通「慫」。震動。驚動。左傳成公十四年：「大夫聞之，無不聳懼。」又，襄公四年：「邊鄙不聳，民狎其野。」曹瞞，即曹操（一五五—二二〇）。操字孟德，小字阿瞞。

③真龍……會　真龍還沒有獲得理想的際遇。真龍，指劉備（一六二—二二三）言。備，中山靖王劉勝之後，漢景帝玄孫，故作者以真龍稱之。龍，古傳說善變化能興雲雨利萬物

的一種神異動物，為鱗蟲之長。禮記禮運：「麟、鳳、龜、龍，謂之四靈。」因用以代稱皇帝（天子）。易乾：「飛龍在天，大人造也。」得，沒有得到。孟子盡心上：「飢者甘食，渴者甘飲，是未得飲食之正也。」風雲會，好的際遇。三國魏吳質（一七七－二三〇）答魏太子牋：「臣幸得下愚之才，值風雲之會。」西晉陸機塘上行：「被蒙風雲會，移居華池邊。」又，日出東南隅行：「藹藹風雲會，佳人一何繁。」

④有食……難　充足的食物，卻讓他不容易吞下去。有，多。謂量充足也。詩小雅魚麗：「君子有酒，旨且有。」朱熹集傳：「有，猶多也。」食，ㄕˊ。食物。從教（ㄐㄧㄠˋ），從而使。清袁枚隨園詩話卷二：「余愛其晚年佳句，如：『廢書祇覺心無著，少飲從教睡亦清。』」下咽，咽下。咽，ㄧㄢˋ。吞。通「嚥」。孟子滕文公下：「三咽，然後耳有聞，目有見。」難，ㄋㄢˊ。不容易。書皋陶謨：「禹曰：『吁！咸若時，惟帝其難之。』」論語子路：「為君難，為臣亦不易。」

## 六五、關雲長　大樗

耿耿忠心炳日星①，君臣恩義等原鴒②。平生不為曹瞞用③，留與人稱漢壽亭④。

**【析韻】**

星、鴒、亭，下平、九青。

【釋題】

關羽（？—二一九）東漢 河東 解（故城在今山西 運城縣及臨猗、永濟二縣部分地區）人。字長生，改字雲長。初，亡命涿郡，與劉備、張飛結識，情若兄弟。備起兵，命為別部司馬。建安五年（二〇〇）為曹操所執，操重其才，拜為偏將軍，以斬顏良功，封漢壽亭侯。旋復離操歸備。備既得江南諸郡，命羽為襄陽太守，知荊州事。建安廿四年（二一九）拜為前將軍，圍曹仁於樊，威震一時。孫權用呂蒙計，襲破荊州，殺羽及其子平。蜀漢 後主 景耀三年（二六〇）追謚壯繆（壯穆）侯。以上詳三國志 蜀書。宋徽宗始封為忠惠公，大觀二年（一一〇八）加封武安王，元文宗加顯靈威勇英濟王，至明 洪武中復侯原封。萬曆廿二年（一五九四）從道士張通元之議，進爵為帝，廟曰英烈。四十二年又敕封「三界伏魔大帝神威遠鎮天尊關聖帝君」，自是相沿有關帝之稱。清 順治九年（一六五二），敕封「忠義神武關聖大帝」，每年五月十三日（農曆）遣太常致祭，除京師外，各省亦皆有關帝廟，正稱武廟，主祀關羽、陪祀岳飛，與孔廟合稱文武廟。

【注解】

①耿耿……星　一顆誠信的真心，與蒼天相輝映。耿耿，誠信貌。楚辭 西漢 劉向 九歎 惜賢：「進雄鳩之耿耿兮，讒介介而蔽之。」又，明貌。南齊 謝朓 暫使下都夜發新林至京邑贈西府同僚詩：「秋河曙耿耿，寒渚夜蒼蒼。」唐 韓愈 利劍詩：「利劍光耿耿，佩之使我無邪心。」此處採前後解均通。忠心，真心。不二心。論語 學而：「為人謀而不忠

乎？」荀子大略：「比干子胥忠而君不用。」炳，照耀。明張煌言（一六二〇—一六六四）賀延平王啟：「伏願揚威四裔，烈炳千秋。」在此，引申作「（相）輝映」解。日星，日與星。泛指蒼天。南宋文天祥（一二三六—一二八三）正氣歌：「天地有正氣，雜然賦流形，下則為河嶽，上則為日星，……」

②君臣……鴒　君臣間的恩情、道義，有如棣蕚情長。君臣，指劉關二人關係言。劉備為君、為兄，雲長為臣、為弟。恩義，恩情道義。淮南子人間訓：「或有功而見疑，或有罪而益信，何也？則有功者離恩義，有罪者不敢失仁心也。」三國演義第五〇回：「雲長是個義重如山之人，想起當日曹操許多恩義，與後來五關斬將之事，如何不動心？」等原鴒，與兄弟無殊。等，與……無殊。原鴒（ㄌㄧㄥˊ）。亦作「鴒原」。詩小雅常棣：「脊令在原，兄弟急難。」孔穎達疏：「脊令者，當居於水，今乃在於高原之上，失其常處，以喻人當居平安之世，今在於急難之中，亦失常處也……以喻兄弟既在急難而相救。」脊令，即鶺鴒。ㄐㄧˊ ㄌㄧㄥˊ。水鳥名。唐李商隱為裴懿無私祭薛郎中文：「原鴒奕奕，沼雁馴馴。」

關羽（公元？-219年）

③平生……用　終其一生，不替曹操效力。平生，一生。唐黃滔（八七〇？—？，天復間仍在世。）遊東林寺詩：「平生愛山水，下馬虎溪時。」不為曹瞞用，不替曹操效力。不為……用，不替……效力。曹瞞，詳前首注②。

④留與……亭　遺給後人稱呼他—漢壽亭侯。亭侯屬侯爵，食邑一亭故稱。漢壽，縣名。歸荊州武陵郡所轄。東漢建安五年（二〇〇）二月，雲長斬袁紹愛將顏良，經表奏朝廷，敕封渠為漢壽亭侯。

## 六六、關雲長

豁　軒

**一片丹心戀漢廷①，也應失計痛桓靈②。江山猶未三分定③，已見臨沮墜將星④。**

**【析韻】**

廷、靈、星，下平、九青。

**【釋題】**

同前首，略。

**【注解】**

①一片……廷　一心忠於國家、護持正義，念念不忘大漢朝廷。一片丹心，亦作「一片赤心」、「一寸丹心」、「一寸赤心」。指忠於國家、護持正義之心意。北宋蘇軾過嶺寄子由詩：

「一片丹心天日下，數行清淚嶺雲南。」戀漢廷，思念東漢朝廷。戀，思念。舊題西漢蘇武（前一四〇—前六〇）詩之四：「征夫懷遠路，遊子戀故鄉。」西晉張協（？—？，永嘉初仍在世。）雜詩之三：「閑居玩萬物，離羣戀所思。」

②也應……靈　並且理當為桓靈失政而埋怨、惋惜。也，副詞。表強調語氣。應，該。失計，本謂謀畫錯誤；在此，猶言失政。史載：桓帝在位期間（一四七—一六七）寵信閹宦、禁錮善類。靈帝承統（一六八—一八九）變本加厲，宦官曹節等弄權，大將軍竇武、太傅陳蕃竟為所害，中涓專橫、朝政日隳。（以上詳後漢書桓、靈二帝紀等）痛，恨惜。漢書賈誼傳：「為庸臣所害，甚可悼痛。」北宋晁沖之（？—？，政和間猶在世）日注茶詩：「爭新鬬識誇擊拂，風俗移人可深痛。」

③江山……定　天下還沒有確定；裂而為三。江山，詳卷二、卅、注③。三分，裂而為三，成鼎足之勢。

④已見……星　當陽附近，已經駭傳將領陣亡。臨沮，地名。濱沮水故名。在今湘北當陽附近。墜將星，形容將領陣亡。墜，ㄓㄨㄟˋ。落下。楚辭屈原九歌國殤：「矢交墜兮士爭先。」將星，ㄐㄧㄤˋ ㄒㄧㄥ。古人認為帝王、文官、武將與天上星宿相應，將星即象徵大將的星宿。隋書天文志：「大將星搖，兵起，大將出。」三國演義第一〇三回：「吾見將星失位，孔明必然有病，不久便死。」榮按：建安廿四年（二一九）秋，雲長走麥城，中孫吳呂蒙計，遇伏於臨沮，力戰被擒。冬，十月遇害，得年五十八。公元二二二年，三國

鼎立之局始告確定。

## 六七、關雲長

蜻蛉

耿耿孤忠立漢廷①，許由射獵怒如霆②。青龍偃月刀猶在③，恨不奸瞞染血腥④。

**【析韻】**

廷、霆、腥，下平、九青。

**【釋題】**

詳本卷、六五釋題。

**【注解】**

①耿耿……廷　他：有一顆誠信不二的忠心，在大漢朝廷為官。耿耿，詳本卷、六五、注①。孤忠，忠貞自持，不求人體察的節操。北宋曾鞏（一〇一九—一〇八三）韓魏公挽歌詞：「覆冒荒遐知大度，委蛇艱急見孤忠。」清宋儒醇（？—？）南渡詩：「獨有史督輔，盡瘁繼以死。一片孤忠心，眾口交肆毀。」顧炎武井中心史歌：「獨力難將漢鼎扶，孤忠欲向湘纍吊。」立，出仕。孟子梁惠王上：「今王發政施仁，使天下仕者皆欲立於王之朝。」西漢劉向說苑尊賢：「賢者立於本朝，則天下之豪，相率而趨之矣。」漢廷，參前首注①。

②許由……霆　就像隱士許由，捕殺鳥獸、氣勢如雷。許由，亦作許繇。傳說中的隱士。相傳堯讓以天下，不受，遁居於潁水之陽箕山之上。堯又召為九州長，由不願聞，洗耳於潁水之濱。事見莊子 逍遙遊、史記 伯夷世家。射獵怒如霆，用弓箭捕取禽獸，氣勢有若疾雷。疾雷曰霆。ㄊㄧㄥˊ。廣韻：「霆，疾雷也。」禮記 孔子閒居：「風霆流行，庶物露生。」舊唐書 吳武陵傳：「霆砰電射，天怒也。」唐 王勃 平臺秘略贊：「奔霆易駭，巨壑難遊。」

③青龍……在　青龍偃月刀依然還在。青龍偃月，刀名。屬兵器。其形似偃月（半弦月），並鏤雕有青龍（蒼龍），故稱。三國演義第一回：「雲長造青龍偃月刀，又名冷豔鋸，重八十二斤。」猶，仍然。荀子 榮辱：「是故三代雖亡，治法猶存。」

④恨不……腥　恨不得沾上奸雄曹操腥臭的血液。意謂恨不得以青龍偃月刀斬鋤奸雄曹操。恨不，「恨不得」的省詞。表急切盼望做（完）成某一件事。奸瞞，奸雄曹操。奸，ㄐㄧㄢ 本作「姦」、又作「姧」。荀子 非相：「聽其言則辭辯而無統，用其身則多詐而無功，上不足以順明王，下不足以和齊百姓；然而口舌之均，噡唯則節，足以為奇偉偃卻之屬，夫是之謂姦人之雄。」本用以稱淆亂是非之辯士。後多用以指欺世弄權、意圖竊取高位的人。漢書 司馬遷傳 贊：「論大道則先黃 老而後六經，序遊俠則退處士而進姦雄。」三國志 魏書 武帝紀：「橋玄謂太祖曰：『天下將亂，非命世之方不能濟也，能安之者，其在君乎！』」裴松之注引東晉 孫盛 異同雜語云：「……嘗問許子將：『我何如人？』子將不答。固問

之，子將曰：『子治世之能臣，亂世之姦雄。』太祖大笑。」瞞，操小字。餘參考卷四、六四、注②。染，用顏料著色。周禮 天官 染人：「染人，掌染絲帛。」墨子 所染：「染於蒼則蒼，染於黃則黃。」南朝 梁 劉勰（？—五二〇）文心雕龍 隱美：「潤色取美。譬繒帛之染朱綠。」唐 王建 江陵使至汝州詩：「日暮數峯青似染，商人說是汝州山。」明 陳繼儒（一五五八—一六三〇）羣碎錄：「黃帝觀翬翟草木之華，乃染五采為文章。」在此，引申做「沾」解。血腥，血液的腥臭氣味。唐 杜甫 哀王孫詩：「昨夜東風吹血腥，東來橐駝滿舊都。」元 紀君祥 趙氏孤兒第二折：「他父親斬首在雲陽，他娘呵囚在禁中，那裏是有血腥的白衣相。」呂梁英雄傳第一回：「滿街是半截的死牛死豬，到處是汙穢的血腥。」

## 六八、關雲長

補　牢

六軍縞素向猇亭①，痛哭中天殞將星②。爛額焦頭成鑄錯③，吞吳誰慰在天靈④。

**【析韻】**

亭、星、靈，下平、九青。

**【釋題】**

同本卷、六五，茲從略。

**【注解】**

①六軍……亭　部隊服喪，朝猇亭前進。六軍，周制：天子有六軍，一萬二千五百人為一軍。（以上詳周禮 夏官 司馬。）後恆作為軍隊的統稱，三國志 魏書 辛毗傳：「河北平，則六軍盛而天下震。」縞素，白色的喪服。楚辭 屈原 九章 惜往日：「思久故之親身兮，因縞素而哭之。」縞，ㄍㄠˇ。細白的生絹。按：蜀軍為雲長服喪也。向猇亭，往猇亭的方向前進。榮按：章武元年（二二一）秋八月，先主領大軍至夔關，駕屯白帝城，決定親征東吳以報殺弟關羽之仇。翌年，二月中旬御林軍直至猇亭，大會諸將，分軍八路，水陸俱進。（以上詳三國志 蜀書 先主傳等）。猇亭，在今湖北 宜都縣境長江北岸。章武二年夏六月，東吳 陸遜營燒七百里，大破蜀軍於此。先主駐進白帝城。

②痛哭……星　對天痛哭：又折損一員老將。痛哭，大聲哭泣。盡情哭泣。東晉 干寶 晉紀總論：「范燮必為之請死，賈誼必為之痛哭。」明 張居正 歸葬事畢謝恩詩：「母子相抱，痛哭失聲。」中天，當空。唐 杜甫 後出塞詩：「中天懸明月，令嚴夜寂寥。」紅樓夢第四十八回：「月到中天夜色寒，清光皎皎影團圓。」殞將星，又折損一員老將。殞，ㄩㄣˇ。通「隕」。墜落。將星，詳卷四、六六、注④。榮按：章武二年（二二二）春正月，彝陵一役，蜀軍雖驅潰吳兵，惟武威後將軍黃忠肩窩中箭，回營後，箭瘡罔治而卒。黃忠（一四七？—二二二）字漢升，南陽（今河南 南陽人）。勇猛善戰。初為劉表部眾，以中郎將銜守長沙。赤壁之戰後歸劉備。建安十六年（二一一）隨備入蜀，任先鋒。備攻劉璋，渠常先登陷陣。

備定益州，任討虜將軍。後從取漢中，連敗曹軍，並於定軍山斬曹魏大將夏侯淵。建安二十四年（二一九）備稱漢中王，封關羽、張飛、馬超、趙雲與黃忠為五虎大將。後隨備征吳，為吳將馬忠射傷，當夜卒於營中。惟據三國志 蜀書 關張馬趙黃合傳載：忠卒於建安二十五年（二二〇）；而備於次年始攻吳。若此，則渠應未參預此役，附誌之。

③爛額……錯 兵敗如山倒，處境狼狽窘迫，已造成嚴重錯誤。「爛額焦頭」本作「焦頭爛額」，原用以形容救火時燒焦了頭，灼傷了額。後恆以之比喻處境非常狼狽窘迫。清 龔自珍 與吳虹生書八：「弟此節俗冗，焦頭爛額，對月對酒皆不樂。」成，成為。北宋 孫光憲 北夢瑣言卷一四神告羅弘信略以：「唐 魏博節度使羅紹威（按指弘信之子，字瑞已）以本府牙軍驕橫不可制，因引入朱全忠兵盡殺牙軍。然自是魏博衰弱不振。紹威悔之，謂親信曰：『聚六州四十三縣鐵，打一箇錯，不能成也。』」後人因稱失誤曰鑄錯，本此。南宋 方岳（一一九三－一二六二）秋崖……題其刺……詩：「鑄錯空糜六州鐵，補鞋不似兩錢錐。」清 陳莀（？－？）挽姜西溟：「晚入承明數未奇，那知鑄錯不堪追。」餘參前注。

④吞吳……靈 即使消滅東吳，也不容易慰藉眾愛將、袍澤等在天之靈。吞，消滅。管子 霸形：「楚欲吞宋 鄭。」靈，ㄌㄧㄥ。一作「霝」（說文），亦作「霛」（廣韻），俗作「灵」。魂靈亦即靈魂。附在人的軀體上作為主宰的一種精神或意志。靈魂離開軀體，人即死亡。古人除持以上論點外，並依輪迴等說，深信靈或上天堂為神或下地獄為鬼，在天靈，即在

天之靈也。西晉潘越寡婦賦：「願假夢以通靈兮，目炯炯而不寢。」李周翰注：「通靈，通夫之靈也。」唐溫庭筠過陳琳墓詩：「詞客有靈應識我，霸才無主始憐君。」

## 六九、三顧草廬

陳朝龍

本來名士癖巖阿①，可奈弓旌屢聘何②？八陣圖成傷二表③，報恩較比受恩多④。

【析韻】

阿、何、多，下平、五歌。

【釋題】

三國志蜀書諸葛亮傳：「時先主屯新野，徐庶見先主，先主器之，謂先主曰：『諸葛孔明者，臥龍也，將軍豈願見之乎？』先主曰：『君與俱來。』庶曰：『此人可就見，不可屈致也。將軍宜枉駕顧之。』由是先主遂詣亮，凡三往，乃見。」諸葛亮出師表：「臣本布衣，躬耕於南陽，苟全性命於亂世，不求聞達於諸侯。先帝不以臣卑鄙，猥自枉屈，三顧臣於草廬之中，諮臣以當世之事，由是感激，遂許先帝以驅馳。」唐杜甫蜀相詩：「三顧頻煩天下計，兩朝開濟老臣心。」宋無名氏念奴嬌和東坡韻詞：「萬里奔騰，兩宮幽陷，此恨如何雪？草廬三顧。豈無高臥英傑？」元張可久齊天樂道情詩：「人傳梁甫吟，自獻長門賦，誰三顧茅廬？」

【注解】

①名士……阿　知名之士，原想好好地隱居。名士，知名之士。呂氏春秋 尊師：「由此為天下名士顯人，以終其壽。」惟魏 晉時代，以唾棄禮法、任性而行、好誦玄談者稱名士。此處，從前解。癖巖阿，嗜好隱居。癖，ㄆㄧˇ。已成習慣的嗜好。晉書 杜預傳：「預常稱（王）濟有馬癖，（和）嶠有錢癖。武帝聞之，謂預曰：『卿有何癖？』對曰：『臣有左傳癖。』」巖阿，ㄧㄢˊ ㄜ。本義謂山窟邊側之地。引申作「隱居者」解。梁書 何胤傳 高祖（蕭衍）敕：「今世務紛亂，憂責是當，不得不屈道巖阿，共成世美。」

②可奈……何　怎麼承受得了一而再再而三地盛情敦請？可奈，怎奈。怎（麼）如何。南唐李煜 采桑子詞：「可奈情懷，欲睡朦朧入夢來。」弓旌屢聘何，（受得了）一再盛情敦請嗎？古徵聘之禮，用「弓」招士，用「旌」（ㄐㄧㄥ）招大夫。左傳 昭公二十年：「昔我先君之田也，旃以招大夫，弓以招士。」孟子 萬章下：「敢問招虞人何以？曰：『以皮冠，庶人以旃，士以旂，大夫以旌。』」後遂以「弓旌」泛指敦聘賢者之

諸葛亮（公元 181-234 年）

信物。屢聘，一再地邀請、敦聘。

③八陣……表　八陣圖：逼使東吳知難、班師，內心的憂思、悲哀，已盡在二表直陳無遺。八陣圖，古用兵陣法之一。三國志 蜀書 諸葛亮傳：「推演兵法，佈八陣圖。」晉書 桓溫傳：「初，諸葛亮造八陣圖於魚腹平沙之下，纍石為八行，行相去三丈。溫見之，謂：『此常山蛇勢也。』文武皆莫能識之。」（參所附三國演義第八四回節錄）成，指促使東吳 陸遜知難而退、班師回建康一事而言。傷二表，內心的憂思與悲哀盡在二表直陳無遺。傷，憂思、悲哀。詩 周南 卷耳：「我姑酌彼兕觥，維以不永傷。」北宋 王安石 寄二弟時往臨川詩：「不有親戚思，詎知遠遊傷。」二表，出師表與後出師表（詳附錄全文）。

④報恩……多　酬答先主知遇的德惠，遠比從先主所得到的恩情來得多呢！較比，猶言較之。較比、比較，同義且均屬同義複詞。

**三國演義第八四回**（節錄）

卻說陸遜大獲全功，引得勝之兵，往西追襲。前離虁關不遠，遜在馬上看見前面臨山傍江，一陣殺氣，沖天而起；遂勒馬回顧眾將曰：「前面必有埋伏。三軍不可輕進。」即倒退十餘里，於地勢空濶處，排成陣勢以禦敵軍；即差哨馬前去探視。回報並無軍屯在此。遜不信，下馬登山望之，殺氣復起。遜再令人仔細探視，哨馬回報，前面並無一人一騎。遜見日將西沈，殺氣益加，心中猶豫，令心腹人再往探看。回報江邊只有亂石八九十堆，並無人馬。

遜大疑，令尋土人問之，須臾，有數人到。遜問曰：「何人將亂石作堆？如何亂石堆中有殺氣沖起？」土人曰：「此處地名魚腹浦。諸葛亮入川之時，驅兵到此，取石排成陣勢於沙灘之上；自此常常有氣如雲，從內而起。」陸遜聽罷，上馬引數十騎來看石陣；立馬於山坡之上，但見四面八方，皆有門有戶。遜笑曰：「此乃惑人之數耳，有何益焉！」送引數騎下山坡來，直入石陣觀看。部將曰：「日暮矣，請都督早回。」遜方欲出陣，忽然狂風大作。一霎時，飛沙走石，遮天蓋地。但見怪石嵯峨，槎枒似劍；橫沙立土，重疊如山；江聲浪湧，有如劍鼓之聲。遜大驚曰：「吾中諸葛之計也！」急欲回時，無路可出。正驚疑間，忽見一老人立於馬前笑曰：「將軍欲出此陣乎？」遜曰：「願長者引出。」老人策杖徐徐而行，徑出石陣，並無所礙，送至山坡之上。遜問曰：「長者何人？」老人答曰：「老夫乃諸葛孔明之岳父黃承彥也。昔小婿入川之時，於此布下此石陣，名『八陣圖』。反復八門，按遁甲休、生、傷、杜、景、死、驚、開。每日每時，變化無端，可比十萬精兵。臨去之時，曾分付老夫道：『後有東吳大將迷於陣中，莫要引他出來。』老夫適於山巖之上，見將軍從死門而入，料想不識此陣，必為所迷。老夫生平好善，不忍將軍陷沒於此，故特從生門引出也。」遜曰：「公曾學此陣法否？」黃承彥曰：「其中變化無窮，不能學也。」遜慌忙下馬拜謝而回。後杜工部有詩曰：

　功蓋三分國，名成八陣圖，江流石不轉，遺恨失吞吳。

陸遜回寨嘆曰：「孔明真『臥龍』也！吾不能及！」於是下令班師。左右曰：「劉備兵敗勢窮，正好乘勢擊之；今見石陣而退，何也？」遜曰：「吾非懼石陣而退；吾料魏主曹丕，其奸詐與父無異，今日知吾追趕蜀兵，必乘虛來襲。吾若深入西川，急難退矣。」遂令一將斷後，遜率大軍而回。退兵未及二日，三處人來飛報：「魏兵曹仁出濡須，曹休出洞口，曹真出南郡；三路兵馬數十萬，星夜至境，未知何意。」遜笑曰：「不出吾之所料，吾已令兵拒之矣。」正是：雄心方欲吞西蜀，勝算還須禦北朝。未知如何退兵？且看下分解。

**前出師表**

臣亮言：先帝創業未半，而中道崩殂。今天下三分，益州疲敝，此危急存亡之秋也。然侍衛之臣，不懈於內，忠志之士，忘身於外，蓋追先帝之殊遇，欲報之於陛下也。誠宜開張聖聽，以光先帝之遺德，恢宏志士之氣。不宜妄自菲薄，引喻失義，以塞忠諫之路也。宮中、府中，俱為一體。陟罰臧否，不宜異同。若有作姦犯科及為忠善者，宜付有司，論其刑賞，以昭陛下平明之治。不宜偏私，使內外異法也。侍中侍郎郭攸之、費禕、董允等，此皆良實，志慮忠純。是以先帝簡拔以遺陛下。愚以為宮中之事，事無大小，悉以咨之，然後施行，必能裨補闕漏，有所廣益。將軍向寵性行淑均，曉暢軍事，試用於昔日，先帝稱之曰能。是以眾議舉寵以為督。愚以為營中之事，事無大小，悉以咨之，必能使行陣和穆，優劣得所也。親賢臣、遠小人，此先漢所以興隆也；親小人，遠賢臣，此後漢所以傾頽也。先帝在時，每與臣論此事，未嘗不歎息痛恨桓靈也。侍中尚書，長史參軍，此悉貞亮死節之臣也。願陛下親信之，則漢室之隆，可計日而待也。臣本布衣，躬耕於南陽，苟全性命於亂世，不求聞達於諸侯。先帝不以臣卑鄙，猥自枉屈，三顧臣於草廬之中，諮臣以當世之事。由是感激，遂許先帝以驅馳。後值傾覆，受任於敗兵之際，奉命於危難之間，爾來二十有一年矣。先帝知臣謹慎，故臨崩寄臣以大事也。受命以來，夙夜憂歎，恐託付不效，以傷先帝之明。故五月渡瀘，深入不毛。今南方已定，兵甲已足。當獎帥三軍，北定中原，庶竭駑鈍，攘除姦凶，興復漢室，還於舊都。此臣之所以報先帝而忠陛下之職分也。至於斟酌損益，進盡忠言，則攸之、禕、允之任也。願陛下託臣以討賊興復之效，不效，則治臣之罪，以告先帝之靈。若無興德之言，則責攸之、禕、允之咎，以彰其慢。陛下亦宜自謀，以咨諏善道，察納雅言，深追先帝遺詔。臣不勝受恩感激，今當遠離，臨表涕泣，不知所云。

## 後出師表

先帝慮漢賊不兩立，王業不偏安，故託臣以討賊也。以先帝之明，量臣之才，固知臣伐賊，才弱敵彊也。然不伐賊，王業亦亡，惟坐而待亡，孰與伐之。是故託臣而弗疑也。臣受命之日，寢不安席，食不甘味，思惟北征，宜先入南。故五月渡瀘，深入不毛，　日而食，臣非不自惜也。顧王業不可偏安於蜀都故冒危難，以奉先帝之遺意。而議者謂為非計，今賊適疲於西又務於東，兵法乘勞，此進趨之時也。謹陳其事如左：高帝明竝日月，謀臣淵深。然陟險被創，危然後安。今陛下未及高帝。謀臣不如良　平，而欲以長策取勝，坐定天下，此臣之未解一也。劉繇王朗各據州郡，論安言計，動引聖人，羣疑滿腹眾難塞胸。今歲不戰，明年不征，使孫策坐大，遂并江東，此臣之未解二也。曹操智計，殊絕於人，其用兵也，髣髴孫吳；然困於南陽，險於烏巢，危於祁連，偪於黎陽，幾敗山北殆死潼關，然後偽定一時爾。況臣才弱，而欲以不危而定之，此臣之未解三也。曹操五攻昌霸不下，四越巢湖不成，任用李服，而李服圖之，委任夏侯。而夏侯敗亡。先帝每稱操為能，猶有此失，況臣駑下，何能必勝，此臣之未解四也。自臣到漢中中間朞年耳，然喪趙雲、陽羣、馬玉、閻芝、丁立、白壽、劉郃、鄧銅等，及曲長屯將，七十餘人。突將無前賨叟青羌散騎武騎一千餘人。此皆數十年之內。所糾合四方之精銳，非一州之所有。若復數年，則損三分之二也。當何以圖敵，此臣之未解五也。今民窮兵疲，而事不可息；事不可息，則住與行。勞費正等，而不及早圖之。欲以一州之地，

三顧草盧圖軸　明戴進（1388-1462）
絹布、設色 172.2x107cm

與賊持久，此臣之未解六也。夫難平者事也，昔先帝敗軍於楚，當此時，曹操拊手，謂天下已定。然後先帝東連吳越，西取巴蜀舉兵北征，夏侯授首，此操之失計，而漢事將成也。然後吳更違盟，關羽毀敗，秭歸蹉跌，曹丕稱帝，凡事如是難可逆料。臣鞠躬盡瘁，死而後已。至於成敗利鈍，非臣之明所能逆覩也。

## 七〇、周郎顧曲

陳濬芝

**未必聲音果不嫺①，紅情綠意那教刪②。美人曲為將軍誤③，會得無言自笑間④。**

**【析韻】**

嫺、刪、間，上平、十五刪。

**【釋題】**

三國志 吳書 周瑜傳：「瑜少精意於音樂，雖三爵之後，其有闕誤，瑜必知之，知之必顧，故時人謠曰：『曲有誤，周郎顧。』」周瑜（一七五—二一〇）三國 廬江 舒（今安徽舒城）人。字公瑾。與孫策同年，並相友善，策東渡，瑜率兵迎之。策卒，弟權繼之，瑜以中護軍與張昭同佐之。建安十三年（二〇八）曹操率軍南下，瑜與劉備合兵，大敗曹軍於赤壁。拜南郡太守。瑜英年早發，年二十四即拜建威中郎將。吳中人呼為周郎。顧，回頭也；亦泛指觀看。顧曲，多引申作欣賞樂曲解。唐 李端（？—約七八五）聽箏詩：「欲得周郎顧，時時誤拂弦。」南宋 劉克莊 摸魚兒詞：「問顧曲周郎，而今還醉，來聽小詞否？」

**【注解】**

①未必……嫺 不一定那樂曲、歌詞當真不熟。未必，不一定。文子 符言：「君子能為善，不能必得其福；不忍於為非，而未必免於禍。」唐 白居易 別舍弟後月夜詩：「平生共貧苦，未必日成歡。」南宋 劉過 水調歌頭詞：「未必古人皆是，未必今人俱錯，世事沐猴冠。」聲音，古指音樂、詩歌言。禮記 樂記：「聲音之通，與政通矣。」東晉 葛洪 抱朴子 勖學：「沈鱗可動之以聲音，機石可感之以精誠。」唐 柳宗元 唐故萬年令裴府君墓碣：「（裴公）喜博奕，知聲音。」果不嫺，當真不熟習。禮記 中庸：「果能此道矣，雖愚必明，雖柔必強。」史記 屈賈列傳：「（原）博聞彊志，明於治亂，嫺於辭令。」

②紅情……刪 麗人的彈唱，那能輕易糾正？紅情綠意，本指春日景色豔麗。北宋 文同（一○一八—一○七九）約春詩：「紅情綠意知多少，盡入涇川萬樹花。」在此，用以代稱麗人。那教刪，那能（輕意）勾掉、改正：教，ㄐㄧㄠ。猶能。晏幾道 虞美人詞之三：「羅衣著破前香在，舊意誰教改？」張相曰：「此『教』字為能義，誰教，猶云那能也。」（詩詞曲語辭匯釋卷一）。刪，ㄕㄢ。勾掉、改訂。後漢書 孔奮傳：「（孔）奇博通經典，作春秋左氏刪。」唐 韓愈 讀荀：「孔子刪詩 書，削春秋，合於道者著之。」

③美人……誤 她：乘興地表演。可被您耽擱了。美人曲，美人所彈唱的樂曲、唱詞。美人，詳卷一、四、釋題。在此，隱指小喬。曲，ㄑㄩˇ。樂曲。唱詞。國語 周語上：「使公卿至

於列士獻詩，瞽獻曲，史獻書。」一又，秦漢以後各種可以入樂的樂曲，如兩漢以及唐宋的大曲、民間小曲，均稱曲。為將軍誤，被將軍延擱下來了。為，ㄨㄟˋ。被。史記高帝本紀：「趙王武臣為其將所殺。」將軍，指周瑜言。誤，延擱。猶云耽誤。

④會得……間　一定贏得默默不語、眉開眼笑。會得，一定贏得。會，表肯定。無言目笑間，眉開眼笑當中默默不語。金元好問杏花雜詩之三：「長年目笑情緣生，猶要春風慰眼前。」間，ㄐㄧㄢ。本作「閒」。內。表事物兩者間的關係。易序卦：「盈天地之間者唯萬物。」東晉袁宏（？—？，太元初卒，年四九。）三國名臣序贊：「夫一人之身，所照未異，而用舍之間，俄有不同。」

周瑜（175-210）

## 七一、赤壁鏖兵

林維丞

東風縱火壁翻新①，百萬貔貅付劫塵②。太息天心終負漢③，不教一炬死奸臣④。

**【析韻】**

新、塵、臣，上平、十一真。

**【釋題】**

赤壁，山名。有三，且均在湖北省：（一）在蒲圻縣境內長江南岸，北岸為烏林。其地石山高聳如長垣，突入江濱，上刻「赤壁」二字。東漢末，曹操退劉備至巴丘（巴陵），遂至赤壁，為周瑜所破，取華容（石首）道歸，即此。（二）赤鼻。在湖北黃岡縣。屹立於長江濱，土石皆赤色，下有赤鼻磯。亦名赤壁山。北宋蘇軾（一〇三六—一一〇一）嘗遊赤壁作賦誤為三國周瑜敗曹操處。（三）在今武昌（縣）東南，又名赤磯，亦名赤圻。鏖兵，激烈戰鬭；苦戰。北周庾信哀江南賦：「鏖兵全匱，校戰玉堂。」一作「麾兵」。鏖，ㄠˊ。三國演義第四十回：「玄德問孔明求拒曹兵之計。孔明曰：『新野小縣，不可久居。近聞劉景升病在危篤，可乘此機會，取彼荊州為安身之地，庶可拒曹操也。』……（夏侯）惇曰：『劉備如此猖獗，真腹心之患也，不可不急除。』操曰：『吾所慮者，劉備、孫權耳。餘皆不足介意。今當乘此時掃平江南。』使傳令起大兵五十萬，……選定建安十三年秋七月丙午日出師。」曹兵一路追擊劉備，備率關、張、趙等將領及所部，棄新野、走樊城，艱苦應戰，屢挫曹兵，直抵巴丘。曹軍降劉琮、取荊州，陳兵赤壁與周瑜對壘。後，孫（權）、劉（備）聯手，運用苦肉、連環等計，火攻曹營，贏得赤壁之戰。「赤壁鏖兵用火攻，運籌決策盡皆同。若非龐統連環計，公瑾安能立大功。」（第四十七回）「魏吳爭鬥決雌雄，赤壁樓船一掃空。烈火初張照雲海，周郎從此破曹公。」（第五十回）劉備字玄德。劉表（一四二一二〇八）字景升。

【注解】

①東風……新　從東邊颳過來的風，正助長著火勢，舊的赤壁變成了新的赤壁。東風縱火，東方所颳來的風助長了火勢。楚辭 屈原 九歌 山鬼：「東風飄兮神靈雨，留靈脩兮憺忘歸。」唐 杜牧 赤壁詩：「東風不與周郎便，銅雀春深鎖二喬。」縱火，本義發火；放火。在此，引申作助長火勢解。縱，ㄗㄨㄥˋ。壁翻新，「舊」赤壁成了「新」赤壁。壁，指赤壁。詳釋題。翻新，從舊的變化成了新的。清 薛福成（一八三八—一八九四）寧波府學記：「就文章而論，固極翻新，然靜思之，確有是理，亦必確有是事，此謂之立言不朽。」

②百萬……塵　百萬雄師，竟然付之一炬，灰飛煙滅。百萬貔貅，百萬雄師。百萬，表概略數量。貔貅，ㄆㄧˊ ㄒㄧㄡ。亦作「豼貅」、「貔貅」。古籍所載傳說中的猛獸。形似虎，或曰似熊，毛色灰白，遼東人謂之白熊。雄者貔、雌者貅，故古人多連舉之。又一說貔貅乃兩種猛獸。（分詳清稗類鈔 動物、逸周書 周祝及史記 五帝本紀並索引。）後恆用以喻勇猛的戰士。元 王實甫 西廂記第二本楔子：「羡威統百萬貔貅，坐安邊境。」清 畢著（一六二二—？）紀事詩：「乘賊不及防，夜進千貔貅。」三國演義第四八回：「操見南屏山色如畫，東視柴桑之境，西觀夏江之江，南望樊山，北覷烏林，四顧空闊。心中歡喜，謂眾官曰：『……今吾有百萬雄師，更賴諸公用命，何患不成功耶？收服江南之後，天下

無事，與諸公共享富貴，以樂太平。』……」付劫塵，猶言付之一炬，灰飛煙滅。劫塵亦作「刼塵」、「㓨塵」、「刦塵」，本謂兵火戰亂之餘燼。元耶律楚材（一一九〇—一二四四）過沁園有感詩：「垣頹月榭經兵火，草沒詩碑覆劫塵。」清錢謙益和盛集陶落葉之二：「秋老鍾山萬木稀，凋傷總屬刦塵飛。」在此，引申作「戰火灰燼」解。三國演義第四九回：「火趁風威，風助火勢，船如箭發，煙燄障天。二十隻火船，撞入水寨。曹寨中船隻一時盡着；又被鐵環鎖住，無處逃避。隔江礮響，四下火船齊到，但見三江面上，火逐風飛，一派通紅，漫天徹地。……操見勢急，方欲跳上岸，……張遼與十數人保護曹操，飛奔岸口。……」

③太息……漢　唉！上蒼最終還是虧欠漢室。太息，詳卷一、八、注③。天心終負漢，最後天意還是虧欠漢室。天心，猶天意。在此，作「上蒼」解。書咸有一德：「克享天心，受天明命。」漢書杜周傳：「宜修孝文時政，亦以儉約寬和，順天心、說民意，年歲宜應。」終，臨了，猶云最後。負，虧欠。東漢王符潛夫論斷訟：「假舉驕奢，以作淫侈，高負千萬，不肯償責。」

④不教……臣　沒讓一把火結束掉那奸臣的老命，教，ㄐㄧㄠ。使。令。讓。墨子非儒下：「勸下亂上，教臣殺君，非賢人之行也。」奸臣，本作「姦臣」。不忠之臣。舊時多指營私舞弊、結黨弄權的官僚。管子明法：「姦臣之敗其主也，積漸積微使主迷惑而不自知也。」餘參卷四、六七、注④。

## 七二、赤壁鏖兵

陳世昌

百萬貔貅赴水濱①，東風一炬委灰塵②。可憐無限操戈士③，化作焦頭爛額人④。

**【析韻】**

濱、塵、人，上平、十一真。

**【釋題】**

同前首，略。

**【注解】**

①百萬……濱　百萬雄師，趕到了水邊。百萬貔貅，參前首注②。赴水濱，趨往水邊。指曹軍開赴江漢一事言。三國志　魏書　武帝紀、蜀書　劉先主傳等載：建安十三年戊子（二〇八）十月，操軍東下，孫權遣周瑜、魯肅等與劉備迎擊於赤壁，大破之。操引還，留曹仁守江陵、樂進守襄陽。

②東風……塵　東風、一把火，全軍盡墨。東風，詳前首注①。一炬，詳前首注④。委灰塵，歸（於）幻滅、消亡。委，歸（於）。國語　越語下：「大夫種來而復往，曰：『請委管籥、屬國家，以身隨之，君王制之。』……」灰塵，本義塵埃。喻人世的變遷幻滅消亡。唐　高適　古大梁行：「魏王宮觀盡禾黍，信陵賓客隨灰塵。」明　劉基　前有尊酒行：「瑤

臺倏忽成灰塵，流毒猶且遷殿民。」

③可憐……士　數不清的兵卒，令人同情啊！可憐，參考卷一、十九注②。無限，猶言無數。謂數量極多。史記 河渠書：「漢中之穀可致，山東從沔無限，便於砥柱之漕。」張守節 正義：「無限言多也。」唐 白居易 詔授同州刺史病不赴任因詠所懷詩：「白髮來無限，青山去有期。」北宋 秦觀（一〇〇九—一一〇〇）如夢令詞：「桃李不禁風，回首落英無限。」操戈士，兵卒。操戈，執戈。列子 周穆王：「操戈逐儒生。」唐 符載（？—？，元和間卒）愁賦：「伏波據鞍而骨驚，定遠操戈而涕激。」戈，ㄍㄜ。古兵器，多青銅製。其突出部分名援，援上下皆刃，用以橫擊或鉤殺。石戈、玉戈用為禮器、明器。士，兵士。武士。左傳 僖公廿八年：「子玉使鬬勃請戰，曰：『請與君之士戲，君馮軾而觀之，得臣與寓目焉。』」荀子 王制：「故王者富民，霸者富士，僅存之國富大夫。」楊倞注：「士，卒伍也。」

④化作……人　各個變成灰頭土臉的人。化作，變成。化，變。改變。莊子 消遙遊：「北冥有魚，其名為鯤，……化而為鳥，其名為鵬。」老子：「我無為而民自化。」焦頭爛額，參考卷四、六八、注③。

## 七三、二喬觀兵書

蔡振豐

曉窗並坐爇香濃①，一卷孫吳溯統宗②。共有談兵好夫壻③，不須索解蹙眉峰④。

**【析韻】**

濃、宗、峰，上平、二冬。

**【釋題】**

二喬，喬公二女，又稱大小喬，皆國色。喬公，名不詳，應作橋公（三國志吳書周瑜傳）。東漢末廬江皖縣（今安徽潛山）人。因其女大、小喬分別嫁孫策、周瑜，故被尊為國老。建安十四年，孫劉聯姻，渠積極支持，劉備頗得其助。傳統戲曲謂其名玄，不確。按：依年代、籍貫言，渠與東漢太尉橋玄諒非同一人也。觀，細看。兵書，兵法之書，如：孫子、吳子、司馬法、六韜、三略、尉繚子、孫臏兵法……等。漢書藝文志著錄古兵書五十二家、七九〇篇、圖四十三卷。三國志吳書周瑜傳：「策欲取荊州，以瑜為中護軍，領江夏太守，從攻皖，拔之。時得橋公二女，皆國色也。策自納大橋，瑜納小橋。」裴松之注引江表傳：「策從容戲瑜曰：『橋公二女雖流離，得吾二人作壻，亦足為歡。』」傳說：周瑜在九江操練水軍，準備擊曹。小橋提議於都督府最高處築一梳妝臺，既可於此議軍務，亦可瞭望水師。臺修成，小喬每日登臺梳妝，同時觀看瑜操練水軍。夫妻亦常假臺讀書談兵。

某日，瑜登臺尋小喬一商破曹之策，見小喬於爐邊烤火，並擺弄紙船。臺熱，瑜解披風，竟將紙船扇入爐中。小喬曰：「周郎！君不見舟於火中化為灰燼乎？」瑜悟，曰：「火攻破曹！」小喬頷首稱善。南宋辛棄疾菩薩蠻贈周國輔侍人詞：「醉裏客魂消，春風大小喬。」唐杜牧赤壁詩：「東風不與周郎便，銅雀春深鎖二喬」清鄭燮（一六九三—一七二五）莫為詩：「周郎早逝孫郎夭，腸斷江東大小喬。」

## 【注解】

①曉窗……濃　天剛亮，姐妹倆、同坐窗邊，焚香、散發郁烈氣味。曉窗並坐，天剛亮，姐妹倆齊坐在窗邊。曉，天明。世說新語文學：「真長（劉惔）延之上坐，清言彌日，因留宿至曉。」並，ㄅㄧㄥˋ，一齊。詩齊風還：「並驅從兩肩兮，揖我謂我儇兮。」爇香濃，所點燃的香，散發郁烈的氣味。爇，ㄖㄨㄛˋ。亦作「爇」。燒，焚燒。左傳僖公二十八年：「魏犨、顛頡怒曰：『勞之不圖，報於何有！』爇僖負羈氏。」杜預注：「爇，燒也。」淮南子兵略訓：「毋爇五穀，毋焚積聚。」濃，與「淡」、「薄」相對。在此，形容香氣撲鼻，郁烈之至。

②一卷……宗　一本兵書，可以推求師承所自和思想要旨。卷，ㄐㄩㄢˋ。一卷，猶云一本。唐以前書籍多出抄寫，將抄妥各頁黏連成長幅，以木棒（或金、玉、瓷、牙等）做軸，自左至右捲成一束，稱一卷（ㄐㄩㄢˋ）。一般高約一尺，長數尺至二、三丈不等。孫吳，孫武（春秋時人）、吳起（戰國時人）並稱孫吳。彼二人皆兵家。孫武著兵法十三篇，吳起撰

吳子四十八篇。荀子議兵：「孫吳用之，無敵於天下。」南朝梁簡文帝雁門太守行之一：「共辭孫吳法，家本幽并現。」孫吳，在此做兵書的代稱。溯統宗，推求師承所自與思想的本源、要旨。溯，ㄙㄨˋ。本作「泝」。追溯。南宋葉隆禮（？—？；淳祐間舉進士）契丹國志本末：「後之英主忠臣，志欲溯今洄古，可以鑒矣。」明楊慎詞品王筠楚妃吟：「予論填辭，必溯六朝，亦昔人窮探黃河源之意也。」統宗，原作「宗統」，意謂宗族系統。（詳後漢書光武帝紀下、晉書庾敳傳與清史稿禮志五等）。在此，作者為叶韻故，倒裝之。謂師承所自（統）與思想本源、要旨（宗）。

③共有……壻　各都有一位擅於戰略、長於用兵的好丈夫。共，共同。論語公冶長：「願車馬，衣輕裘，與朋友共，敝之而無憾。」共有，猶云各都有。談兵，談論軍事、擘劃用兵。北宋梅堯臣（一〇〇二—一〇六〇）夜酌趙侯家詩：「方與舊將飲，談兵燈燭前。」近人程善之（？—一九四二）春日雜感詩：「十四學擊劍，十六能談兵。」大喬歸孫策（一七五—二〇〇），小喬嫁周瑜。孫、周皆熟諳兵法，勇猛善戰者。夫壻，亦作「夫婿」。謂丈夫。女性之配偶。玉臺新詠陌上桑：「東方千餘騎，夫壻居上頭。」敦煌變文集伍子胥變文：「娘子夫主姓仵身為相，僕是寒門居草野；儻見夫壻為通傳，以助勸諫令歸舍。」唐王昌齡閨怨詩：「忽見楊柳陌頭色，悔教夫壻覓封侯。」

④不須……峰　沒必要為求解疑而直皺眉頭。索解，尋求講解。索，尋求。墨子尚賢中：「索天下之隱事遺利，以上事天。」解，ㄐㄧㄝˇ。講解釋疑。南宋陸游老學庵筆記卷一：

「周（按：指周子充）笑解之曰：『所謂志千里者，正以老驥已不能行，故徒有千里之志耳。』」蹙，ㄘㄨˋ。亦作「蹴」。餘詳卷一、十五、注①。眉峰，亦作「眉峯」。眉毛。眉頭。北宋柳永雪梅香詞：「別後愁顏，鎮斂眉峰。」黃庭堅歸田樂引詞：「憶我、喚我、見我、嗔我，天教我怎生受！看承幸廝句，又是尊前眉峰皺。」康伯可（？—？）滿庭芳冬景：「梳粧懶，脂輕粉薄，約略淡眉峯。」明周履靖（一五四二—一六三三）錦箋記閱錄：「喜今日眉峰少整，無限惜花情，試向林園尋問。」

## 七四、諸葛武侯南征

陳朝龍

寄託恩深更鞠躬①，七擒七縱著奇功②。渡瀘五月渾閒事③，為有中原在意中④。

**【析韻】**

躬、功、中，上平、一東。

**【釋題】**

三國志蜀書諸葛亮傳：「（建興）三年春，亮率眾南征，其秋悉平。」裴松之注引漢晉春秋曰：「亮至南中，所在戰捷。聞孟獲者，為夷、漢所服，募生致之。既得……縱使更戰，七縱七擒，而亮猶遣獲。獲止不去，曰：『公，天威也，南人不復反矣。』遂至滇池。南中平。」三國演義第八七至九〇回略以：「諸葛亮對蠻王孟獲採『攻心為上，攻城次之』

之策，七擒七縱：（一）令王平、關索出戰詐敗，誘孟獲追擊，以趙雲、魏延等抄其後路，生擒之。（二）獲部將董荼那因曾受亮釋放之恩，不戰而退，遭責打；乃與眾酋長共縛獲送交蜀營。（三）獲使弟優詐降，裡應外合，襲擊蜀軍，亮命人灌醉優，俟獲來劫寨時，大敗之，獲匹馬而逃，馬岱喬裝蠻兵誘敵擒之。（四）亮詐作退兵，誘獲猛追，暗令趙雲襲其後，獲大敗，領十餘騎奔逃，突遇亮，欲奮力殺之，竟掉入陷坑被擒。（五）銀治洞主楊鋒不滿孟獲繼續對抗蜀軍，與其五子領軍三萬，詐稱援獲，獲大喜，設宴款待，被擒於席間，送交亮。（六）獲請木鹿大王相助，亮以木刻彩畫巨獸嚇退其真獸，大破之。獲妻弟帶來洞主詐作擒獻獲，欲嗣機刺亮，為亮識破，一併擒之。（七）亮火燒兀突骨藤甲兵，復設伏敗獲，獲單騎突圍，遭馬岱生擒。至此，獲心服口服，向亮謝罪，曰：「丞相天威，南人不復反矣！」以上情節多為演義作者所虛構，併誌之。

**【注解】**

①寄託……躬　知遇有加、託孤寄命，他益發恭敬謹慎。寄託，託孤寄命。寄，寄命。託，託孤。意謂遺命託付輔佐幼君，托以非常之重任。寄託，屬同意複詞。論語　泰伯：「可以託六尺之孤，可以寄百里之命。」三國志　蜀書　李嚴傳　與孟達書：「吾與孔明俱受寄託，憂深責重，思得良伴。」三國演義第八五回：「且說孔明到永安宮（按：位在白帝城），見先主病危，慌忙拜伏於龍榻之下。先主傳旨。請孔明坐於龍榻之側，撫其背曰：『朕自得丞相，幸成帝業；何期智識淺陋，不納丞相之言，自取其敗。悔恨成疾，死在旦夕。嗣

子孱弱，不得不以大事相託。』言訖，淚留滿面。」三國志 蜀書 劉先主傳 遺詔：「朕初得疾，但下痢耳；後轉生雜病，殆不自濟。朕聞『人年五十，不稱夭壽。』朕年六十有餘（榮按：六十三歲），死復何恨。但以汝兄弟為念耳。勉之！勉之！勿以惡小而為之，勿以善小而不為。惟德可以服人；汝父德薄，不足效也。汝與丞相從事，事之如父，勿怠！勿忘！汝兄弟更求聞達，至囑！至囑！」恩深，指知遇言。恩，德惠。深，與「淺」相對。表程度。三國 蜀 諸葛亮 出師表：「先帝不以臣卑鄙，猥自枉屈，三顧臣於草廬之中，諮臣以當世之事，由是感激，遂許先帝以驅馳。」更鞠躬，益加恭敬謹慎。鞠躬，ㄐㄩ ㄍㄨㄥ。恭敬謹慎貌。儀禮 聘禮：「執圭，入門，鞠躬焉，如恐失之。」漢書 馮參傳 贊：「宜鄉侯 參鞠躬履方，擇地而行，可謂淑人君子。」顏師古注：「鞠躬，謹敬貌。」

②七擒……功　七次活捉、七次釋放，蠻酋心服、俯首稱臣；他立下卓越的功勳。七擒七縱，亦作「七縱七擒」。七次活捉孟獲、七次釋放孟獲。擒，ㄑㄧㄣˊ。捕捉。古籍通「禽」。縱，ㄗㄨㄥˋ。放。餘詳本首釋題。著奇功，立下卓越的功勳。著，ㄓㄨˋ。建立。禮記 樂記：「樂也者，聖人之所樂也，而可以善民心。其感人深，其移風易俗，故先王著其教焉。」鄭玄注：「著，猶立也，謂立司樂以下使教國子。」唐 李白 送族弟綰從軍安西詩：「爾隨漢將出門去，剪虜若草收奇功。」

③渡瀘……事　五月初暑、燠熱難耐、瘴氣瀰漫，卻強行通過瀘水。對他來說簡直小事一件。渡瀘五月，初暑五月，冒燠熱與瘴氣，強行涉水渡過瀘江。渡，過江河。史記 秦始皇本

紀：「乃西南渡淮水，之衡山、南郡。」瀘，瀘水，又稱瀘江水。指今雅礱江（礱，ㄌㄨㄥˊ）下游及金沙江與其會合後的水域。榮按：後主建興元年（二二三）蜀漢南方四郡先後稱亂，三年（二二五）三月，諸葛亮領兵南征，暑五月強渡瀘水。諸葛亮出師表：「……故五月渡瀘，深入不毛，今南方已定，……」渾閒事，簡直就是無關緊要的事。渾，ㄏㄨㄣˊ。簡直。幾乎。唐杜甫春望詩：「白頭搔更短，渾欲不勝簪。」羅隱焚書坑儒詩：「祖龍算事渾乖角，將為詩書活得人。」閒事，亦作「閑事」。謂無關緊要的事。唐鮑溶（？—？，元和間人。）相和歌詞苦哉遠征人：「虛名乃閒事，生見父母鄉。」北宋蘇軾戲周正孺二絕之一：「勸君鬻駱猶閑事。腸斷閨中楊柳枝。」

④為有……中　因為，內心隨時在意：厚植國力、北定中原、恢復舊業。為，ㄨㄟˋ。因為。國語晉語六：「夫賢者寵至而益戒，不足者為寵驕。」有中原，意謂北定中原，恢復舊業。在意，放在心上。注意。引申作「重視」解，裏面。指心裏言。

## 七五、蛙俸

陳朝龍

晉惠由來闇與愚①，新須蛙俸出天廚②。肉糜倘亦飢年食③，能給為官一滴無④？

**【析韻】**

愚、廚、無，上平、七虞。

【釋題】

晉惠帝（二五九—三〇六），司馬衷，字正度。武帝（炎）之子，昏庸愚暗，在位十七年。水經注 穀水注引晉中州記云：「惠帝為太子，出聞蝦蟆聲，問人為是官蝦蟆、私蝦蟆，侍臣賈胤對曰：『在官地為官蝦蟆，在私地為私蝦蟆。』令曰：『若官蝦蟆可給廩。』」晉書 帝紀第四：「帝又嘗在華林園，聞蝦蟆聲，謂左右曰：『此鳴者為官乎？私乎？』或對曰：『在官地為官，在私地為私。』及天下荒亂，百姓餓死，帝曰：『何不食肉糜？』其蒙蔽皆此類也。」唐 溫庭筠 春日野行詩：「野岸明媚山芍藥，水田叫噪官蝦蟆。」近人柳亞子明思文皇帝忌辰作詩：「半壁匆匆三易主，君王神武有誰陪？官蛙晉惠原庸主，凍雀唐昭豈霸才。」榮按：思文皇帝，永曆帝朱由榔也。凍雀唐昭，唐昭宗受朱溫脅迫，自長安遷都洛陽，詳資治通鑑 唐昭宗 天佑元年。

【注解】

①晉惠……愚 晉惠帝本來就昏昧無知。晉惠，晉惠帝的省詞。餘詳釋題。由來闇與愚，自少至長就是昏昧、無知。由來，從發生到當時。世說新語 德行：「王子敬（按：王獻之字子敬）病篤。道家上章應首過，問子敬由來有何異同得失。」闇，ㄢˋ。昏昧。荀子 君道：「主闇於上，臣詐於下，滅亡無日矣。」戰國策 趙策二：「愚者闇於成事，智者見於未來。」愚，ㄩˊ。蠢笨。無知。詩 大雅 抑：「人亦有言，靡哲不愚。」韓非子 顯學：「故明據先王，必定堯 舜者，非愚則誣也。」

②新頒……廚　最近賞賜蝦蟆的待遇，可來自御膳房呢！「頒」，ㄅㄢ。分賞。晉書　武帝紀泰始二年（二六六）：「出御府珠玉玩好之物，頒賜王公以下各有差。」蛙俸，支給蝦蟆待遇。蛙，指蝦蟆（ㄒㄧㄚ　ㄇㄚˊ）。蛙與蟾蜍的總稱。俸，官吏所得的薪給。今語又稱薪俸、薪水、待遇。出天廚，來自於御膳房。出，由內而外。此處，作「來自於……」解。天廚，皇家的庖廚。亦作「天廚」。唐　蕭至忠（？—七一三）送張亶赴朔方應制詩：「推食天廚至，投醪御酒傳。」北宋　蘇轍（一〇三一—一一一二）天祐八年生日謝表之一：「老逢誕日，泣養親之無從；賜出天廚，愧居思之莫報。」

③肉糜……食　饑荒的年歲，尚且還吃得到肉粥。肉糜（ㄇㄧˊ），肉粥（ㄓㄡ）。南宋　陸游聞杜鵑戲作絕句：「勞君樹杪丁寧語，似勸飢人食肉糜。」餘參本首釋題。尚亦，尚且還。飢年，五穀嚴重歉收的年歲。飢，ㄐㄧ。災荒。通「饑」。淮南子　天文：「四時不出，天下大飢。」注：「穀不熟為飢也。」食，ㄕˊ。吃。

④能給……無　可以多少支給「官蛙」一丁點兒食料否？與前一句同屬諷語。「滴」，表示液態物質的量詞；一滴猶言一丁點兒。無，同「否」、「麼」。參卷一、二、注④。

## 七六、蛙　俸

蔡　振　豐

蛙俸如何亦要需①，劇憐天子太糊塗②。乘軒也有翩翩鶴③，同是千秋笑柄無④？

【析韻】

需、塗、無，上平、七虞。

【釋題】

詳本卷、七五。

【注解】

①蛙倖……需　怎麼樣也需要蛙倖。蛙倖，詳前首釋題及注②。如何，怎麼樣。猶無論如何。要需，需要。急需。天討　豕韋之裔　普告漢人：「如乾隆南巡，藉名巡方，以覘漢人擁戴之情；且搜括民財。綜覈國賦，以濟異口要需。」

②劇憐……塗　天子的頭腦太不清楚、事理太不明白，非常令人惋惜。劇憐，ㄐㄩˋ。極。甚。南宋　吳曾（？—？，建炎、紹興間人）能改齋漫錄　記事一：「待制唐公肅，雅有遠識。先與丁晉公同舉進士，劇相善。」清　孫枝蔚（一六二〇—一六八七）新春詩：「往事休重問，新春劇可哀。」憐，惋惜。天子，指晉惠帝。餘詳前首釋題。糊塗，亦作糊突。形容人頭腦不清或不明事理。太平廣記卷四九三郭務靜引唐　張鷟　朝野僉載：「滄州　南皮丞郭務靜性糊塗。」宋史　呂端傳：「太宗欲相端，或曰：『端為人糊塗。』太宗曰：『端小事糊塗，大事不糊塗。』」

③乘軒……鶴　輕快善飛的鶴，居然搭乘起大夫座車。按：春秋時代，依禮制大夫乘軒，故軒有大夫車之稱。衛懿公（姬赤。公元前六六八—前六六〇年計在位九年）好鶴，鶴亦乘

軒。本句典出左傳閔公二年：「冬十二月，狄人伐衛。衛懿公好鶴，鶴有乘軒者。將戰，國人受甲者皆曰：『鶴實有祿位，余焉能戰。』……」軒，ㄒㄩㄢ。曲輈有轓的座車，限大夫乘坐。翩翩，詳卷二、廿三、注①。唐沈佺期（？—七一三？）移禁司刑詩：「寵邁乘軒鶴，榮過食稻鳧。」北宋王禹偁閣下詠懷：「官清自比乘軒鶴，心小還同畏網魚。」

④同是……無　一樣是古往今來引人發噱的笑話罷！千秋，詳卷一、三、注④。笑柄，供世人笑謔的事。清趙翼納涼詩：「夜深歸去就橫陳，一語應添笑柄新。」無，參卷一、二、注④。

## 七七、王景略捫蝨

鄭兆璜

直教抵掌論生風①，睥睨公然意氣雄②。一笑清談揮麈輩③，功名無數處褌中④。

**【析韻】**

風、雄、中，上平，一東。

**【釋題】**

王猛（三二五—三七五）字景略。前秦北海劇（今山東昌樂縣西）人。少貧，博學好兵書，隱居華陰山。桓溫入關中，猛被褐詣溫，談當世事。捫蝨而言，旁若無人。溫請與偕行，不就。後應苻堅招，相契如備、亮。及堅即位，以猛為中書侍郎，一歲五遷，權傾內外，軍國萬機之務，莫不歸之。臨終，力勸堅勿圖晉。堅未從，終有淝水之敗（三八三）。晉書有傳。捫蝨，ㄇㄣˊ　ㄕ。捉蝨。蝨亦作「虱」。寄生人畜體上吸血之昆蟲。有頭蝨、衣蝨、毛蝨……等數種。太平御覽卷九五一引續晉陽秋：「咸陽王猛被緼袍而謁桓溫，一面談當時之事，猛捫蝨而言，旁若無人，溫察而奇之。」另，初學記卷五引崔鴻前燕錄云：「王猛隱華山。桓溫入關，猛被褐而詣之，一面說當代之事，捫蝨而言，旁若無人。」唐李白贈韋秘書子春詩：「披雲睹青天，捫蝨話良圖。」李頎（？—？，開元、天寶間人）野老曝背詩：「有時捫蝨獨搔首，目送歸鴻籬下眠。」元揭傒斯（一二七四—一三四四）題牧羊圖詩：「白晝捫蝨眠，清風滿高樹。」清王士禎（一六三四—一七一一）送戴務旃遊華山詩：「捫虱雄談事等閒，餘情盤簿寫孱顏。」

## 【注解】

①直教……風　竟然讓他擊掌、從容論述，氣派非常。直教抵掌，竟然讓他擊掌。直教，竟然讓他……。抵掌又作「扺掌」。擊掌。掌，ㄓㄤˇ。手心。論語八佾：「其如示諸斯乎，指其掌。」論生風，從容論述，氣派非常。論，說明或分析事理。文心雕龍論說：「是以論如析薪，貴能破理。」唐韓愈遇始興江口感懷詩：「目前百口還相逐，舊事無人可共論。」生風，喻懾人的氣派、聲勢。後漢書黨錮傳李膺傳論：「李膺振拔污險之中，蘊義生風，以鼓動流俗。」五代王定保（八七〇—九四一？）唐摭言怨怒：「公久在西掖，聲華滿路，一昨遷拜中憲，臺閣生風。」

②睥睨……雄　公開的斜視、目空一切。他：意志、氣概豪橫自大。睥睨，ㄆㄧˋ ㄋㄧˋ。亦作「俾倪」、「辟倪」、「埤院」。斜視。後漢書 仲長統傳：「消搖一世之上，睥睨天地之間。」意氣雄，意志、氣概豪橫自大。管子 心術下：「是故意氣定然後反正。」史記 李廣列傳：「會日暮，吏士皆無人色，而廣意氣自如。」雄，雄壯。唐 劉禹錫 送裴司徒令公自東都留守再命太原詩：「行色旌旗動，軍聲鼓角雄。」

③一笑……輩　獨獨訕笑那批嗜好玄談、不拘禮法的放浪形骸之士。一，獨。一笑，獨笑，此種肢體語言含輕蔑、嘲笑等意。清談，玄談。指魏 晉間何晏、王衍等崇尚老 莊，競談玄理，蔚然成風。（世說新語 言語）。晉人清談時，每喜揮動麈尾以為談助。後因以為談論的代名詞。北宋 秦觀 滿庭芳 茶詞詞：「雅燕飛觴，清談揮麈，使君高會羣賢。」金 趙秉文（一一五九—一二三二）靈威寺詩：「欲盡休公揮麈樂，鬢絲羞對落花風。」輩，猶云批、班、幫。餘參卷三、六〇、注③。

④功名……中　數不清的功績、名聲，都藏在褌襠裡頭呢！功名，詳見卷三、五八、注①。無數，極多。數不清。漢書 溝洫志：「及其大決，所殘無數。」唐 杜甫 卜居詩：「無數蜻蜓齊上下，一雙鸂鶒對沉浮。」處褌中，（都）在他的褌襠裡頭呢！褌，ㄎㄨㄣ。有襠的褲。此處做「褌襠」解。晉書 阮籍傳 大人先生傳：「獨不見羣蝨之處褌中，逃乎深縫，逆乎壞絮，自以為吉宅也。行不敢離縫際，動不敢出褌襠，自以為得繩墨也。」

## 七八、王景略捫蝨

陳懷澄

匡牀高踞笑談中①，旁若無人顧盼雄②。唾手未能殲醜類③，先生也是可憐蟲④。

【析韻】

中、雄、蟲，上平、一東。

【釋題】

同前首，略。

【注解】

①匡牀……中　高高地坐上匡牀，正在戲謔、談笑。匡牀，亦作「筐牀」。方正且安適的牀。商君書　畫策：「是以人主處匡牀之上，聽絲竹之聲而天下治。」高踞，坐在高處。在此，指高高在上言。唐　韓愈　石鼎聯句詩　序：「道士高踞大唱曰：『劉把筆，吾詩云云。』」笑談中，正在笑謔。正在談笑。北宋　曾鞏　訪石仙巖杜法師詩：「君琴一張酒一壺，笑談衮衮樂有餘。」莊季裕（？—？）鷄肋編卷中：「參議官范正輿除直龍圖閣，告詞云：『入幕之賓，以折衝尊俎為任；從軍之樂，以決勝笑談為功』」三國演義第一回：「詞曰：『一壺濁酒喜相逢。古今多大事，都付笑談中。』」

②旁若……雄　目中無人，得意忘形，自大自雄。旁若無人，雖有人在側而視若無睹。形容

自行其事，不顧別人的態度或反應。史記 刺客列傳：「高漸離擊筑，荊軻和而歌於市中，相樂也，已而相泣，旁若無人者。」清 許秋垞（？—？，世次不詳。）聞見異辭 捫蝨新談：「妹昔觀優獻醜，賴表兄捫蝨而談，旁若無人，郎君氣宇不凡……願托終身。」顧盼雄，「顧盼自雄」的省詞。形容得意忘形的情態。典出宋書 范曄傳：「躍馬顧盼，自以為一世之雄。」清 余懷（一六一六—一六九五）板橋雜記 序：「長板橋邊，一吟一詠，顧盼自雄。」紀昀 閱微草堂筆記 姑妄聽之二：「少年恃其剛悍，顧盼自雄，視鄉黨為無物。」同義詞「顧盼自豪」。

③唾手……類　說的比唱的好聽！即使口液吐在掌上，也不能滅敵致勝。唾手，本義謂將口液吐在手上。極言其易。後漢書 公孫瓚傳：「天下指麾可定。」注引九州春秋：「瓚曰：『始天下兵起，我謂唾手而決。』」「唾掌」為其同義詞。唾，ㄊㄨㄛˋ。殲醜類，滅敵。殲，ㄐㄧㄢ。滅。左傳莊公十七年：「遂因氏 頜氏 工婁氏 須遂氏饗齊戍，醉而殺之，齊殲焉。」醜類，本義為惡人、壞人。引申作「敵人」解，屬對敵方之詈詞也。在此，係指東晉言，餘詳前首釋題。

④先生……蟲　先生，你依然是個可憐蟲！先生。對王景略的敬稱。可憐蟲，參卷一、九、注④及十九、注②。

## 七九、謝道韞咏絮

陳濬芝

爭傳咏絮寫珠璣①，不獨多才擅解圍②。宿雨半收風又緊③，漫天詩思也爭④飛。

【析韻】

璣、圍、飛，上平、五微。

【釋題】

咏，ㄩㄥˇ。同「詠」。曼聲長吟。世說新語言語：「謝太傅寒雪日內集，與兒女講論文義。俄而，雪驟。公欣然曰：『白雪紛紛何所似？』兄子胡兒曰：『撒鹽空中差可擬。』兄女曰：『未若柳絮因風起。』公大笑樂。即公大兄無弈女，左將軍王凝之妻也。」晉書列女傳所載，文字略同、茲從略。謝太傅（三二〇—三八五），謝安。安字安石。尚從弟。胡兒，安次兄據之長子，名朗，字長度，胡兒乃其小名。仕至東陽太守。謝道韞（？—三七六？）父無弈（一作奕）仕至安西將軍，叔安拜太保、卒贈太傅，弟玄（三四三—三八三）以精兵八千，大敗苻堅於肥水，功封康樂縣公。柳絮，成熟的柳樹種子，上有白色絨毛，隨風飛落有如飄絮，故稱柳絮，亦稱柳綿。唐李紳（七七二—八四六）登高廟回降雪詩：「麻引詩人興，監牽謝女才。」薛濤（？—八三二）酬文使君詩：「今日謝庭飛白雪，巴歌不復舊陽春。」北宋蘇軾謝人見和雪後……詩：「漁蓑句好應須畫，柳絮才高不道鹽。」陳師道雪中寄魏衍詩：「遙知吟榻上，不道絮因風。」

【注解】

①争傳……璣　競相傳達：已出現佳作咏絮了。争傳，搶著轉達。争，ㄓㄥ。亦作「爭」。競相。搶先。左傳 桓公十二年：「絞人爭出，驅楚役徒於山中。」西漢 司馬遷 報任安書：「軍士無不起，躬自流涕，沫血欲泣，更張空拳，冒白刃，北嚮爭死敵者。」唐 杜甫 洗兵馬詩：「寸地尺天皆入貢，奇祥異瑞爭來送。」傳，ㄔㄨㄢˊ。轉達。孟子 公孫丑上：「速於置郵而傳命。」咏絮寫珠璣，已出現佳作咏絮，咏絮，詳本首釋題。寫，ㄒㄧㄝˇ。用筆作字。此處，猶云寫出。亦即已出現。珠璣，ㄓㄨ ㄐㄧ。喻詩文之美。唐 杜牧 新轉南曹未敘朝散初秋暑退出守吳興書此篇以自見志詩：「一盃寬幕席，五字弄珠璣。」

②不獨……圍　不單單富有才智，而且長於助人紓困。不獨，不單單。多才擅解圍，富才智且長於幫助別人解除困境。多才，富於才智。唐 杜甫 戲贈閿鄉秦少公短歌：「昨夜邀歡樂更無，多才依舊能潦倒。」韓愈 酬裴十六功曹詩：「多才自勞苦，無用祇因循。」擅，ㄕㄢˋ。長於。解圍，本意解除被（包）圍之困。戰國策 齊策六：「故解齊國之圍，救百姓之死，仲達之說也。」因借指解除困境。晉書 列女傳 王凝之妻謝氏（按：道韞。）：「凝之弟獻之嘗與賓客談議，詞理將屈，道韞遺婢白獻之曰：『欲與小郎解圍。』乃青綾步鄣自蔽，申獻之前議，客不能屈。」

③宿雨……緊　昨夜的雨，時落、時歇，風又吹得急促。宿雨，昨夜的雨。唐 王維 田園樂

詩之六：「桃紅復含宿雨，柳綠更帶春煙。」緊，急促。東漢傅毅（四七？—九二？）舞賦：「弛緊急之絃張兮，慢末事之委曲。」唐白居易秋夜聽高調涼州詩：「樓上金風聲漸緊，月中銀字韻初調。」

④漫天……飛　滿天瀰漫作詩的情思，同時搶著飄浮、流動。漫天，遍布空中。北宋洪朋（一〇七二—一一〇九）喜雪詩：「漫天乾雪紛紛闇，到地空花片片明。」作詩的情思，謂之詩思（ㄙ）。唐賈島（七七九—八四三）酬慈恩寺文郁上人詩：「聞說又尋南岳去，無端詩思忽然生。」北宋孫光憲北夢瑣言卷七：「或曰：『相國近有新詩否？』對曰：『詩思在灞橋風雪中驢子上。』」相國，唐鄭綮。飛，離地飄（浮）向空中。

## 八〇、謝道韞解圍

張　貞

片語周旋即解紛①，舌鋒終讓美人軍②。一揮麈尾清談地③，出障分明露翠裙④。

【析韻】

紛、軍、裙，上平、十二文。

【釋題】

晉書列女傳王凝之妻謝氏：「王凝之妻謝氏，字道蘊。西安將軍奕之女也。聰識有才辯云云。凝之弟獻之嘗與賓客談議，詞理將屈。道蘊遣婢白獻之曰：『欲為小郎解圍。』乃施青綾步障（本作郤）自蔽，申獻之前議，客不能屈。」王凝之（三三四？—三九九）字叔平，王羲之（三〇三—三六一）之次子。王獻之（三四四—三八六）。字子敬，羲之第七子。

【注解】

①片語……紛　應酬個三兩句話，就及時解除爭議、糾紛。片語，簡短的話。今語「幾句話」。文獻通考　經籍三：「言出聖賢之口，則單辭片語皆有妙理。」醒世恆言　錢秀才錯占鳳凰儔：「紙上難成片語，偏好攀今掉古。」清 龔自珍 金縷曲 贈李生詞：「一種三生誰付？只片語告君休怒。」周旋，應酬。韓非子　解老：「夫道以與世周旋者，其建生也長，持祿也久。」即解紛，就解除爭議、糾紛。即，ㄐㄧˊ。古作「卽」。就。詩　衛風　氓：「來即我謀。」解紛，解除（彼此間的）爭執、紛亂。史記　滑稽列傳　序：「天道恢恢，豈不大哉！談言微中，亦可以解紛。」漢書　楚元王傳附劉向上諫：「夫有春秋之異，無孔子之救，猶不能解紛，況甚於春秋乎？」

②舌鋒……軍　言詞犀利，最後還是不及容貌姣好的婦道人家。舌鋒，謂言詞犀利。天雨花第一六回：「左公聽了……暗想這妮子舌鋒可畏，回答不來。」終，事務的結局。此處猶謂最後。讓，ㄖㄤˋ。遜色。不及。北宋　王禹偁　神童劉少逸與時賢聯句詩序：「逮十一歲，成三百篇，求之古人曾不多讓。」明　劉若愚（？—？，太監，天啟間人）酌中志　逆賢亂政紀略：「較藩王只欠一爪，比御服僅讓柘黃。」美人軍，容貌姣好的女流（或稱婦道人家）。軍，徒眾，表複數。

③一揮……地　大伙兒一起在拂麈清談的居室裡。一，齊一。引申作「一起」解。揮，拂。麈尾，古人閒談時執以驅蟲、撣塵的一種工具。在細長的木條兩邊與上端插紮獸毛，或直接使獸毛垂露在外，類似馬尾松。麈，ㄓㄨˇ。古人清談時恆執麈尾，相沿成習，為名流雅器；不談時，亦恆執以在手。唐白居易齋居偶作詩：「老翁持麈尾，坐拂半張牀。」清談，詳卷四、七七、注③。地，指玄談所在處所言。

④步障……裙　屏幕下端清楚露出青綠色的裙襬。步障，本作「步鄣」。用以遮蔽風或視線的一種屏幕。餘詳本首釋題與前首注②。分明，參卷一、二、注③。露，ㄌㄡˋ。顯露。翠裙，青綠色的裙子。在此應指裙襬（ㄅㄞˇ）而言。

# 卷五

## 八一、綠珠墮樓

蔡振豐

舞袖腰原如柳細①，墮樓命更比毛纖②；如何一死遲多載③，燕子春愁晝下簾④。

【析韻】

纖、簾，下平、十四鹽。

**【釋題】**

晉書 石崇傳：「……（石）崇有妓曰綠珠，美而艷，善吹笛。孫秀使人求之。崇時在金谷別館，方登涼臺，臨清流，婦人侍側。使者以告。崇盡出婢妾以示之，皆蘊蘭麝，披羅縠，曰：『在所擇。』使者曰：『君侯服御麗則麗矣，然本受命指索綠珠，不識孰是？』崇勃然曰：『綠珠吾所愛，不可得也。』使者曰：『君侯博古通今，察遠照邇，願加三思。』崇曰：『不然。』使者出而又反。崇竟不許。秀怒，乃勸倫誅崇、建。崇、建亦潛知其計，乃與黃門郎潘岳陰勸淮南王允、齊王冏以圖倫、秀。秀覺之，遂矯詔收崇及潘岳、歐陽建等。崇正宴於樓上，介士到門。崇謂綠珠曰：『我今為爾得罪。』綠珠泣曰：『當效死於官前。』因自投于樓下而死。」石崇（二四九—三〇〇）。晉南皮（今河北南皮縣人）。苞子。字季倫，小字齊奴。嘗劫遠使商客，致富不貲。於河陽置金谷園，豪奢成風。綠珠（？—三〇〇）歷代詩詞曲以渠為題材之作甚多。唐 杜牧 題桃花夫人廟詩：「至竟息亡緣底事，可憐金谷墮樓人。」又，金谷園詩：「日暮東風怨啼鳥，落花猶似墮樓人。」南宋 劉辰翁（一二三二—一二九七）沁園春 再和槐城自壽韻詞：「但鶴唳華亭，貴何似賤，珠沉金谷，富不如貧。」元 徐再思（？—？，仁宗、泰定帝二朝間人）一半兒 落花曲：「河陽香散喚提壺，金谷魂消啼鷓鴣。」墮樓，跳樓自殺。墮，ㄉㄨㄛˋ。落。墮隸變作「墮」。間亦有用「墜」字者；墜，ㄓㄨㄟˋ。落下。南宋 劉克莊 祝英台近詞：「可堪解珮盟寒，墜樓命薄。」附記之。

【注解】

①舞袖……細　伴著樂曲，翩翩起舞：（她）擺動中的衣袖與身腰，本來就像柳葉般、纖柔動人。柳，ㄌㄧㄡˇ。亦作「桺」。落葉喬木或灌木，枝條柔韌，葉片纖細，種子有毛，種類繁多，有垂柳、旱柳……等。詩　小雅　小弁：「菀彼柳斯，鳴蜩嘒嘒。」古詩十九首　青青河畔草：「青青河畔草，鬱鬱園中柳。」老殘遊記第二回：「看那大門裏面樓柱上有副對聯，寫的是『四面荷花三面柳，一城山色半城湖。』」

②墮樓……纖　跳樓身亡，她的命，還不如一根微細的毛髮。墮樓，詳本首釋題。命，參考卷三、四七、注②。更比，還不如。纖，ㄒㄧㄢ。微細。細小。書　禹貢：「厥篚玄纖縞。」三國志　蜀書　諸葛亮傳　評：「善無微而不賞，惡無纖而不貶。」

③如何……載　怎樣？晚好多年，同樣自殺身亡！如何，詳卷一、一、注③。一，一樣。淮南子　說山訓：「所行則異，所歸則一。」死，在此，作「自殺身亡」解。遲，ㄔˊ。晚。戰國策　楚策四：「見兔而顧犬，未為晚也；亡羊而補牢，未為遲也。」多載，多年。餘參卷三、五六、注②。

④燕子……簾　老情人、篤念舊愛，幽獨守節。春日發愁，大白天竟將窗簾垂下。唐　張愔愛姬關盼盼（七八七—八一九？）於愔卒後，獨居燕子樓十餘年，不食而死。燕子，本為樓名，在此，代稱關盼盼。餘詳卷一三、二三五、釋題。

## 八二、淵明歸隱

陳朝龍

投簪一向謝丹除①，彭澤歸來樂有餘②。五柳當門三徑菊③，退閒檢點種花書④。

**【析韻】**

除、餘、書，上平、六魚。

**【釋題】**

晉書隱逸傳陶潛：「……素簡質，不私事上官。郡遣督郵至縣，吏白應束帶見之，潛歎曰：『吾不能為五斗米折腰，拳拳事鄉里小人邪！』義熙二年，解印去縣，乃賦歸去來。」陶潛五柳先生傳：「先生不知何許人也，亦不詳其姓字。宅邊有五柳樹，因以為號焉。閒靜少言，不慕榮利。好讀書，不求甚解；每有會意，便欣然忘食。性嗜酒，家貧不能恆得（榮按：亦作「常得」。）親舊知其如此，或置酒而招之，造飲輒盡，期在必醉；既醉而退，曾不吝惜去留。環堵蕭然，不避風日；短褐穿結，簞瓢屢空，晏如也。常著文章自娛，頗示己志。忘懷得失，以此自終。」又，歸去來兮辭：「問征夫以前路，恨晨光之熹微。乃瞻衡宇，載欣載奔。僮僕歡迎，稚子候門。三徑就荒，松菊猶存。攜幼入室，有酒盈樽。引壺觴以自酌，眄庭柯以怡顏。倚南窗以寄傲，審容膝之易安。園日涉而成趣，門雖設而常關。」唐李白嘲王歷陽不肯飲酒詩：「浪撫一張琴，虛栽五株柳。」北宋黃庭堅次韻時進叔詩：「時邀五柳陶，共過三徑詡。」清 程先貞（一六〇七—一六七三）哭盧南村先生詩：「寂寞風催陶令柳，淒涼雨打邵侯瓜。」南宋 陸游 題閣郎中潭水東皋圖亭詩：「萬鍾會作夢幻過，三徑空歎松菊荒。」元 耶律楚材 思新用舊韻詩：「琴斷五弦忘舊譜，菊荒三徑負疏籬。」陶潛（三六五—四二七）東晉 尋陽（今江西 九江）人。一名淵明，字元亮。大司馬陶侃曾孫。曾為州祭酒，復為鎮軍、建威參軍，後為彭澤令。因不能為五斗米折腰，棄官歸隱，以詩酒自娛。為著作郎，不就。南朝 宋 元嘉四年卒，世稱靖節先生。晉書、宋書皆有傳。

## 【注解】

①投簪……除　棄官乞歸，依然心存感激。丹墀前，敬謹跪謝。投簪，丟棄固定頭冠的簪子。喻棄官。南齊 孔稚珪（四四七—五〇一）北山移文：「昔聞投簪逸海岸，今見解蘭縛塵纓。」注：「摯虞 微士胡昭贊曰：『投簪卷帶，韜聲匿跡。』」簪，ㄗㄢ。插定髮髻或頭冠的長針。一向謝丹除，總是心存感激地跪辭於帝闕丹墀之前。一向，總是。唐 白居易 昭君怨詩：「自是君恩薄如紙，不須一向恨丹青」。謝，辭別。告別。史記 張耳陳餘列傳：「有廝養卒謝其舍中曰：『吾為公說燕，與趙王載歸。』」。丹除，帝王宮殿的赤色臺階。亦稱「丹墀」。唐 錢起（七一〇？—七八二？）奉和中書常舍人晚秋集賢院即事詩：「窗明宜縹帶，地肅近丹除。」李嘉祐（？—？，玄宗 代宗間人）送王端赴朝詩：「君承明主意，日日上丹墀。」

②彭澤……餘　從彭澤卸職回到家園，快樂得多了。按：義熙二年（四〇六）陶淵明於彭澤

（縣）令任上，自請解印去縣。餘詳釋題。

③五柳……菊　門前五柳猶存、園中黃英盛綻。五柳，五株柳樹。當門，面對著門。按潛自號五柳先生。三徑，亦作「三逕」。西漢末年，王莽專權，兗州刺史蔣詡（生卒年待考）生病辭官，隱居鄉里，於院中闢三徑，唯與求仲、羊仲來往。東漢 趙岐（？—二〇一）三輔決錄 逃名：「蔣詡歸鄉里，荊棘塞門，舍中有三徑，不出，唯求仲、羊仲從之遊。」後恆用以代稱隱逸者之家園也。東晉 陶潛歸去來兮辭：「三徑就荒，松菊猶存。」南齊 陸厥（四七二—四九九）奉答內兄希叔詩：「杜門清三逕，做檻臨曲池。」唐 蔣防（？—？，元和、開成間人。）題杜賓客新豐里幽居詩：「退跡依三逕，辭榮繼二疏。」北宋 蘇軾 次韻周邠：「南遷欲舉力田科，三徑初成樂事多。」花月痕第一五回：「旁邊挂著一副對聯是：一簾秋影淡於月，三徑花香清欲寒。」

④退閒……書　隱居從容、隨興披覽花藝專書，怡然自得。檢點，查點。唐 方干（八〇九—八八八？）贈山陰崔明府詩：「壓酒曬書猶檢點，修琴取藥似交關。」明 沈鍾鶴（？—？）虞美人 春雨詞：「桃花和淚濕臙脂，檢點殘紅一半未開時。」

## 八三、潘妃蓮步

蔡振豐

君王浪費美人嬌①，遍地金蓮逐步搖②。小立花身愁未穩③，粉腮一笑上紅潮④。

**【析韻】**

嬌、搖、潮，下平、二蕭。

**【釋題】**

一般均作「潘妃步蓮」，本書原刊本作「潘妃蓮步」特誌之。潘妃（？—五〇一），南朝齊廢帝（東昏侯蕭寶卷）之寵妃，小字玉兒。梁武帝破齊，妃自縊亡。南史齊廢帝東昏侯紀：「又鑿金為蓮華以帖地，令潘妃行其上，曰：『此步步生蓮華也。』」唐李商隱隋宮守歲詩：「昭陽第一傾城客，不踏金蓮不肯來。」北宋陳師道城南寓居詩之二：「平生修何行，步有黃金蓮。」丁謂（九六六—一〇三三）再賦詩：「枉將金試步，千古怨東昏。」清王士禛讀史雜感詩：「鑿地蓮花映雉頭，卻忘鼙鼓下荊州。」王夫之（一六一九—一六九二）忍俊詩之四：「王唐瞿薛當年盛，水東潘妃步步蓮。」

**【注解】**

①君王……驕　廢帝奢侈靡費，潘妃嫵媚可愛。君王指齊廢帝蕭寶卷。明帝次子，字智藏。性豪奢。後宮遭回祿，仙華、神仙、玉壽諸宮同時重修。更於芳樂苑立市，遣宮人屠酤，自為市魁，責潘妃為市令，世有宮市之稱。任意誅戮大臣，永元三年（五〇一），蕭衍起兵圍建康，王珍國弒帝於含德殿。和帝（蕭寶融，明帝第八子）立，追封渠為東昏侯。再位僅三年。（詳南齊書卷五、南史卷五）。浪費，對人力、財力、時間濫用不得當。鳴沙石室古佚書唐人太公家教：「才輕德薄，不堪人師，徒消人食，浪費人衣。」南宋楊萬

里寄馬會叔詩：「賜金真浪費，喚取從甘泉。」美人嬌，美人嫵媚可愛。美人，在此，指潘妃言。餘詳卷一、四釋題與注②，另詳本首釋題。嬌，ㄐㄧㄠ。嫵媚可愛。清平山堂話本刎頸鴛鴦會：「比紅兒，態度應更嬌。他生的諸般齊妙，縱司空見慣也魂消。」

②遍地……搖　到處都是金雕蓮花；她，一步步地擺動而來。遍地，參卷四、六三、注②。金蓮，用金雕鑄成的蓮花。逐步，一步步。唐李商隱南朝詩：「誰言瓊樹朝朝見，不及金蓮步步來。」後蜀毛熙震（？—？，廣政間人）臨江仙詞：「縱態迷心不足，風流可見當年。纖腰婉約步金蓮。妖君傾國，猶自至今遍傳。」搖，ㄧㄠ。擺動。墨子備城門：「城上千步一表，長丈，棄水者操表搖之。」

③小立……穩　暫時站在花朵上，就擔心不夠平安穩當。小立，暫時站在……。南宋楊萬里雪後晚晴賦絕句：「只知逐勝忽忘寒，小立春風夕照間。」明袁宏道赴棲霞詩：「舟迂迷去處，小立問漁翁。」清鄭燮賀新郎落花詞：「小立梅花下，問今年暖風未破，如何開也？」花身，猶言花朵上。愁，憂慮。左傳襄公二九年：「哀而不愁，樂而不荒。」西晉張協七命之一：「愁洽百年，苦溢千歲。」金董解元（？—？，大定泰和間人）西廂記諸宮調卷二「少女嬌妻愁被虜。」兒女英雄傳第三〇回：「豐衣足食，無慮無愁。」穩，平穩。安定。晉書顧愷之傳：「行人安穩，布帆多恙。」唐杜甫放船詩：「江流大自在，坐穩興悠哉。」前蜀牛嶠（？—？，乾符、大順間人）夢江南詞：「占得杏梁安穩處，體輕唯有主人憐。」

④粉腮……潮　傅粉的兩頰，淺笑迎人，更添幾許紅暈。腮，ㄙㄞ。指兩頰言。上，猶增加；增添。紅潮，因害羞、醉酒或感情激動，兩頰泛起的紅暈。明 楊慎 小春紅梅效徐庾體詩：「鮮粧呈粉豔，醉頰湧紅潮。」

## 八四、女學士

陳朝龍

南朝脂粉豔臨春①，新賜氷銜到美人②。贏得江山誤才子③，君王無分作詞臣④。

**【析韻】**

春、人、臣，上平、十一真。

**【釋題】**

女學士，帝制時代宮中女官職稱之一；歷代未必均置之。陳書 皇后傳 張貴妃：「以宮人有文學者袁大捨等為女學士。」舊唐書 后妃傳下、女學士尚宮宋氏：「女學士，尚宮宋氏者，名若昭，貝州 青陽（榮按：今河北 清河縣人。）」南史卷一二后妃列傳：「後主每引賓客，對貴妃等遊宴，則使諸貴人及女學士與狎客共賦新詩，互相贈答。采其尤豔麗者，以為曲調，被以新聲。……其曲有玉樹後庭花、臨春樂等。」

**【注解】**

①南朝……春　南朝佳麗，臨春最是出色。公元五—六世紀，宋（九主、九十九年）齊（七

主、廿三年）、梁（七主、五十五年。另，「後梁」三主、與陳並存卅二年）、陳（五主、卅二年）皆都建康（今南京市），史稱南朝（四二〇—五八九）。脂粉，脂謂面脂、唇脂，粉謂鉛粉，末粉等，塗之使皮膚光潔柔滑，多為婦女所用。後因以為女性的代稱。紅樓夢第三七回：「孰謂雄才蓮社，獨許鬚眉；不教雅會東山，讓余脂粉耶？」豔臨春，（當屬）臨春閣最出色。豔，詳卷一、六、注④。臨春，閣名。亦用以為代稱陳後主，此處從前解。餘詳卷三、五五、注③及本卷、八五、釋題。

②新賜……人　首創封賞美人清貴的官銜。賜，上對下的給予。新賜，猶言首創的封賞。氷，ㄅㄧㄥ。本作「冰」。清貴的官銜，曰冰銜。南宋王君玉（？—？）國老談苑卷二：「陳彭年在翰林，所兼十餘職，皆文翰清祕之目。時人謂其署銜為『一條冰』。」南宋劉克莊水龍吟詞：「解去冰銜華職，偏空山，難尋行迹。」清黃遵憲感事詩：「金甌親卜比公卿，領取冰銜十日榮。」學士乃文學侍從之臣，自屬冰銜無疑。

③贏得……子　博得疆土；卻妨礙了才華之士的前程。贏得，猶言博得。朱子語類卷卅四：「『富而可求也』一句，上面自是虛意。言『而可求』，便是富本不可求矣。因舉君子贏得做君子，小人枉了做小人之說。」江山，詳卷二、卅、注③。誤，妨害。隋書后妃傳宣華夫人陳氏：「上恚曰：『畜生何足付大事，獨孤誠誤我！』」才子，本義德材兼備之人，後多指有才華者。西晉潘岳西征賦：「終童山東之英妙，賈生洛陽之才子。」按：終，終軍。賈，賈誼。

④君王……臣　君主阿！您沒有機會做個文學侍從之臣的。君王，指陳後主言，餘詳本卷、八五、釋題。無分（ㄈㄣˋ）猶云沒有機會。作，充當。詞臣，文學侍從之臣，如：學士、翰林……。唐劉禹錫江令宅詩：「南朝詞臣北朝客，歸來唯見秦淮碧。」

## 八五、張麗華膝上判事

陳濬芝

風流天子騁歡娛①，判事居然抱膝俱②。掌上身輕飛燕舞③，江山同誤美人無④？

**【析韻】**

娛、俱、無，上平、七虞。

**【釋題】**

張麗華（？—五八九）。南朝陳後主愛妃，以美色見寵。後主荒淫厚斂，國力衰竭。隋兵入建康，與後主自投宮內景陽井，為隋軍搜出，被殺。南史卷十二后妃列傳下：「時後主怠於政事，百司啟奏，並因宦者蔡臨兒、李善度進請，後主依隱囊，置張貴妃於膝上共決之。李、蔡所不能記者，貴妃並為疏條，無所遺脫。因參訪外事，人間有一言一事，貴妃必先知白之，由是益加寵異，冠絕後庭。」

**【注解】**

①風流……娛　花俏輕浮、不拘禮法的君主，放縱、歡樂。風流天子，指陳後主。陳後主（五

五三—六〇四）姓陳名叔寶。字元秀，小字黃奴，宣帝子。即位後，不勤於政事，起臨春、結綺、望仙三閣，日與妃嬪佞臣宴飲賦詩行樂。隋開皇八年（五八八）文帝遣賀若弼、韓擒虎率軍伐陳。次年，兵臨建康，後主與張、孔二妃匿入景陽井，遭隋軍引出，張、孔旋遇害；渠見執往長安。在位七年。餘參卷一、八、注①。騁歡娛，放任地歡樂。騁，ㄔㄥˇ。放任。莊子天地：「故其與萬物接也，至无而供其求，時騁而要其宿。」注：「皆恣而任之，會其所極而已。」歡娛，歡樂。東漢班固東都賦：「於是，聖上親覩萬方之歡娛，九沐浴乎膏澤。」唐高適別韋參軍詩：「歡娛未盡分散去，使我惆悵驚心神。」

②判事……俱　想不到，竟一面判決政務，一面坐擁愛妃。判事，審理案件。在此，作「決斷政務」解。抱膝，對方坐其膝上且互相擁抱。俱，音ㄐㄩˋ。在一起。南宋趙汝茪漢宮春詞：「湖間舊時飲者，今與誰俱？」俱，在此，引申作「同時出現」解。

③掌上……舞　漢成帝、茶飯不思、醉迷掌上舞，殿鑾猶在。餘參卷三、五四、五五等二首。

④江山……無　難道，國家、同樣都被美人所貽誤、敗壞的嗎？江山，參卷二、卅、注③。美人，參考卷一、四、釋題及注②。無，參考卷一、二、注④。

## 八六、狄梁公毀項羽廟

鄭家珍

檄語森嚴付杳冥①，拔山雄魄失英靈②。阿房三百成焦土③，今日還君一炬青④。

**【析韻】**

冥、靈、青，下平，九青。

**【釋題】**

舊唐書狄仁傑傳：「俄轉寧州刺使，撫和戎、夏，人得歡心，郡人勒碑頌德。御史郭翰巡察隴右，所至多所按動，及入寧州境內，耆老歌刺使德美者盈路，……翰薦名於朝，徵為冬官侍郎，充江南巡撫使。吳楚之俗多淫祠，仁傑奏毀一千七百所，唯留夏禹、吳太伯、季札、伍員四祠。」狄仁傑（六〇七—七〇〇）。字懷英，唐并州太原（今山西太原）人。累官大理丞、刺史、司馬。天授二年入為地官侍郎同鳳閣鸞臺平章事，為酷吏來俊臣誣陷下獄，密使其子訴諸武后，得免，貶彭澤令。神功元年復相，力勸武后立唐嗣。卒贈文昌右相。睿宗時追封梁國公，故有狄梁公之稱。項羽（公元前二三二—前二〇二年）本名籍、字羽。秦末下相（故地在今江蘇宿遷縣西）人。力能扛鼎，才氣過人。從叔父梁於吳中起義。梁敗死，羽領其軍。與秦兵九戰皆捷。秦亡後，自立為西楚霸王，繼與劉邦爭天下。公元前二〇三年，與劉邦約中分天下，楚兵東歸。漢王用張良、陳平計，會韓信、彭越軍，擊退楚軍，圍羽於垓下。羽夜聞漢軍四面皆楚歌，以為劉邦已盡得楚地，乃突圍，至烏江，自刎死。吳楚，約今蘇、浙、皖、贛、湘、鄂六省。淫祠，未經官署同意，擅自濫設之祠廟。

**【注解】**

①檄語……冥　檄文嚴謹明確，一一交給高遠的蒼天。檄語森嚴，檄文（裏）的話嚴謹而明

確。檄，ㄒㄧˊ。古官文書的一種，恆用於徵召、曉諭、聲討。此處，應屬曉諭性下行公文書。森嚴，猶云嚴明。新唐書 文藝傳 序：「於是，韓愈倡之，柳宗元、李翱、皇甫湜等和之，排除百家，法度森嚴。」付杳冥，交代給高遠的蒼天。杳冥，ㄧㄠˇ ㄇㄧㄥˊ。高遠的蒼天。唐 魏璞（？—？，晚唐人）和皮日休悼鶴：「直欲裁詩問杳冥，豈教靈化亦浮生。」

②拔山……靈　那力道無比的勇武氣魄，早已不存在。拔山雄魄，那種力道極大的勇武氣魄。拔山，喻力大。史記 項羽本紀：「力拔山兮氣蓋世，時不利兮騅不逝。」雄，喻勇武貌。魄，氣魄。古人恆以依附於吾人形體且能獨立存在之精神，稱之為魄（ㄆㄛˋ）。禮記 郊特牲：「魂氣歸于天，形魄歸于地。」失英靈，已經不存在了。失，不存在。英靈，對逝者項羽的美稱。唐 杜甫 陪諸公上白帝城頭宴越公堂之作詩：「英靈如過隙，宴衎願投膠。」

③阿房……土　熊熊烈火，阿房宮方圓三百里，悉成黃黑、脆硬的土塊。阿房，ㄜ ㄈㄤˊ。三輔黃圖載：「秦惠文王造阿房宮，未成；（秦）始皇廣其宮，規恢三百餘里。」恢，大也。唐 杜牧 阿房宮賦：「蜀山兀，阿房出。覆壓三百餘里，隔離天日。……五步一樓，十步一閣；……一日之內，一宮之間，而氣候不齊。……戍卒叫，函谷舉；楚人一炬，可憐焦土。」據電視報導：大陸地區考古學者

狄仁傑（607-700）畫像

發現，阿房宮遺址並無遭焚之痕跡；其歷史勢將改寫，附誌之。（民九二、十二）。焦土，烈火燒焦的土地。形容遭遇徹底的破壞。金 元好問 壽陽縣學記：「中夏版蕩，民居、官寺，燬為焦土。」三國演義第六回：「南北兩宮，大焰相接，長樂宮庭，盡為焦土。」物體受劇熱後失去水分，呈黃黑色、變脆變硬曰焦。

④今日……青　今天償還給您一把火，可要燒得青煙瀰漫！還，ㄏㄨㄢˊ。償還。老子：「以道佐人主者，不以兵強天下，其事好還。」君，指西楚霸王項羽。青，形容燃燒時青煙彌漫。

## 八七、中宗點籌

曾逢時

為藉樗蒲計暗張①，點籌庸主事堪傷②。江山自有輸贏局③，曾否深宮一較量④。

**【析韻】**

張、傷、量，下平、七陽。

**【釋題】**

中宗，唐中宗（六五六—七一〇）。原名顯，為英王時，易名哲。高宗 李治第七子、母武后則天，太宗 李世民之孫。永隆元年（六八〇）冊封為太子，弘道元年（六八三）高宗崩，哲即位。甫二月，為武后所廢，封廬陵王。公元七〇五年，張柬之等舉兵，誅張易之，中宗復位，復國號並改元神龍，在位六年。舊唐書 后妃傳上、中宗 韋庶人：「帝在房州時，常謂后曰：『一朝見天日，誓不相禁忌。』及得志，受上官昭容邪說，引武三思入宮中，升御牀，與后雙陸，帝為點籌，以為歡笑，醜聲日聞于外。」雙陸，古博戲。元楊維楨（一二九六—一三七〇）點籌郎詩：「點籌郎，偶在側，血指老人髯成戟。」點籌，計算賭資也。

**【注解】**

①為藉……張　（因為）透過博戲—樗蒲，秘密地展開亂政、干政的謀略。為，ㄨㄟˋ。因為。國語晉語六：「夫賢者寵至而益戒，不足者為寵嬌。」藉，ㄐㄧㄝˋ。借。戰國策秦策三：「此所謂藉賊兵而齎盜食者也。」荀子大略作「借」。借，引申作「透過」、「通過」。樗蒲，ㄔㄨ　ㄆㄨˊ。古博戲。藝文類聚卷七四（東）漢馬融樗蒲賦：「昔有玄通先生，遊于京都，道德既備，好此樗蒲。」世說新語方正：「王子敬（獻之）數歲時，嘗看諸門生樗蒲，見有勝負，因曰：『南風不競。』」樗蒲，亦作「樗蒱」。計，謀略。暗，不公開。猶言秘密。張，展開。

②點籌……傷　（所以）昏君計算賭資這種事，才值得令人哀憐。點籌，詳釋題。庸主，猶言昏君。謂才具不備，無所作為，思慮不清之君。此處，隱指唐中宗。堪傷，可傷。傷，哀憐。唐杜甫垂老別詩：「老妻臥路啼，歲暮衣裳單。孰知是死別，且復傷其寒。」明史文苑傳二、唐寅：「寅詩文初尚才情，晚年頹然自放，謂後人知我不在此，論者傷之。」

③江山……局　國家本就有興有亡。江山，詳卷二、卅、注③。自有，本就有。自，本來。東漢王充論衡問孔：「人之死生自有長短，不在操行善惡也。」輸贏局，輸局或贏局

猶言興亡。輸，ㄕㄨ。負，失敗，與「贏」應對。世說新語 任誕：「桓宣武（榮按：桓溫）欠家貧，戲大輸。債主敦求甚切。」唐 杜甫 遣懷詩：「百萬攻一城，獻捷不云輸。」仇兆鰲注：「唐韻：俗謂負為輸。」近人周立波（一九〇八—一九七九）山鄉巨變上七：「輸了硬生氣，贏了真歡喜。」贏，ㄧㄥˊ。勝。與「輸」相對。唐 白居易放言詩之二：「不信君看弈棋者，輸贏須待局終頭。」局，指博戲或弈棋言。唐 王建 宮詞之七七：「各把沉香雙陸子，局中鬪累阿誰高。」明 陳繼儒 珍珠船卷二：「上夏日與親王局，令臣調琵琶。」取天下如博戲、若弈棋，故稱「局」。

④曾否……量　是否已經在內宮較量過彼此的能力、實力？深宮，宮禁之中帝后妃嬪等居處。唐 梁鍠（？—？開元、天寶間人）長門怨詩：「空殿看人入，深宮羨鳥飛。」清 馬鑾（？—？）如姬詩：「符出深宮人不覺，千秋知己是夷門。」較量，ㄐㄧㄠˋ ㄌㄧㄤˋ。比本領，比實力。清 昭槤 嘯亭續錄 恭勤愨：「性善飲，與劉長沙相國較量，日傾廿餘甕，人以為奇。」

## 八八、宋之問作明河篇

蔡振豐

銀漢迢迢未可親①，一篇命意太清新②。更憐鷄舌含朝奏③，日作長門望幸身④。

**【析韻】**

親、新、身，上平、十一真。

**【釋題】**

宋之問（六五六？—七一二？）又名少連，字延清。唐汾州（今山西汾陽）人；一說虢州（今河南靈寶）人。弱冠，詩名已著，當時五律無出其右者。高宗上元二年（六七五）舉進士，渠沈浮官場期間，阿諛后妃、公主，甘與佞幸合流，宦品卑劣，卒遭流配欽州，賜死貶所。惟其詩作，確堪稱述。其詩與沈佺期齊名，號稱沈宋。渠等承繼沈約四聲八病之說，作品充分掌握「回忌聲病，約句准篇」之要領，使律詩臻於成熟、定型，功不可沒。明胡應麟詩藪內編卷四云：「沈、『宋』、蘇、李合軌於前，王、孟、高、岑並馳於後，新制迭出，古體攸分，實詞章改革之大機，氣運推遷之一會也。」明河篇屬七古佳作。明河即銀河。前十二句敘寫明河耿耿，照徹畫堂瓊戶。中段五句，引入征人未歸，思婦難眠等情節。結尾七句敘及牛女傳說，深化男女離愁別恨。全詩廿四句、一六八言，文字清麗、情節纏綿，有六朝遺意，終未墮入華而不實之泥淖。

**附　明河篇**

宋之問

八月涼風天氣清，萬里無雲河漢明。昏見南樓清且淺，曉落西山縱復橫。

洛陽城闕天中起，長河夜夜千門裏。複道連甍共蔽虧，畫堂瓊戶特相宜。

雲母帳前初泛濫，水晶簾外轉逶迤。倬彼昭回如練白，復出東城接南陌。
南陌征人去不歸，誰家今夜擣寒衣。鴛鴦機上疎螢度，烏鵲橋邊一鴈飛。
鴈飛螢度離愁歇，坐見銀河漸微沒。已能舒卷任浮雲，不惜光輝讓流月。
明河可望不可親，願得乘槎一問津。更將織女支機石，還訪城都賣卜人。

**【注解】**

①銀漢……親　天河在那麼遙遠的地方，實在無從接近。銀漢，天河。銀河。南朝宋鮑照夜聽妓詩之一：「夜來坐幾時，銀漢傾露落。」唐溫庭筠七夕詩：「金風入樹千門夜，銀漢橫空萬象秋。」迢迢，ㄊㄧㄠˊ ㄊㄧㄠˊ。遠貌。玉臺新詠西晉潘岳內顧詩之一：「漫漫三千里，迢迢遠行客。」親，近。接近，論語學而：「汎愛眾而親仁。」禮記郊特牲：「壻親御授綏，親之也。親之也者，親之也。」

②一篇……新　明河篇寓意高潔、毫無瑕疵、新穎不俗。一篇，指明河篇。餘詳釋題。命意，寓意。宣和畫譜卷三：「（李昇）得唐張璪山水一軸，擬玩久之，輒舍去。後乃心師造化，脫略舊習，命意布景，視前輩風斯在下。」太，非常；十分；甚。清新，潔淨無瑕、新穎不俗。唐杜甫春日憶李白詩：「清新庾開府，俊逸鮑參軍。」榮按：庾信（五一三—五八一）。鮑照（四一四—四六六）。

③更憐……奏　益發喜愛口含鷄香，上朝奏事。更憐，益發喜愛。憐，ㄌㄧㄣˊ。愛慕，喜愛。莊子秋水：「夔憐蚿，蚿憐蛇。」西晉歐陽建（？—三〇〇）臨終詩：「下顧所憐女，

惻隱心中酸。」鷄舌含朝奏，古代尚書上殿事，口含鷄舌香（即今稱丁香）。初學記卷一一引東漢應劭漢官儀：「尚郎含鷄舌香伏奏，黃門郎對揖跪受，故稱尚書懷香握蘭，遊走丹墀。」唐劉禹錫郎州竇員外見示與澧州元郎中郡齋贈答長句二篇因而繼和：「新恩共理犬牙地，昨日同含鷄舌香。」明陳汝元（？—？，萬曆間人）金蓮記接武：「御杯共醉龍頭榜，春雪同含鷄舌香，」鷄舌香亦省作「鷄舌」、「鷄香」。唐李商隱行次昭應縣道上送戶部李郎中充昭攻討詩：「暫逐虎牙臨故絳，遠含鷄舌過新年。」黃滔遇羅員外衮詩：「豸角戴時垂素髮，鷄香含處隔青天。」口中有物曰含。朝奏，上朝奏事。朝，彳幺。

④日作……身　從前，司馬長卿捉刀代撰長門賦，所期待的無非想重新贏得皇上的寵愛罷了。日，從前。往日。左傳文公七年：「日衛不睦，故取其地。」長門，指長門賦。詳卷三、四四、四五等二首。幸，寵愛。身，自身。自己。楚辭九章惜誦：「吾誼先君而後身兮，羌眾人之所仇。」洪興祖補注：「人臣之義，當先君而後己。」穀梁傳昭公十九年：「就師學問無方，心志不通，身之罪也。」南唐李煜浪淘沙詞：「夢裡不知身是客，一晌貪歡。」

## 八九、弔梅吟

林資銓

玉骨冰肌委幻塵①，底須長楞問花神②。紅顏自古天應妒③，不見梅妃憔悴身④。

【析韻】

塵、神、身，上平、十一真。

【釋題】

哀悼梅妃，所作合律詩句也。梅妃，唐玄宗妃。姓江名采蘋。敏慧能文，頗得玄宗寵。性愛梅，所居遍植梅，因名梅妃。後因楊貴妃而失寵，卒於安史之亂。宋人有傳奇小說梅妃傳寫其事。

【注解】

①玉骨……塵　潔淨姣好的軀體，已盡付虛幻。玉骨冰肌本作「冰肌玉骨」。形容女子潔美的體膚。後蜀孟昶（九一九—九六五）避暑摩訶池上作詩：「冰肌玉骨清無汗，水殿風來暗香暖。簾開明月獨窺人，欹枕釵橫雲鬢亂。」元湯式一枝花冬景題情套曲：「他有那錦心繡腹，我有那冰肌玉骨。但能夠殢雨尤雲那些兒福。」委，交給。猶云「付」。幻塵，佛家語。謂虛幻的塵世。圓覺經卷上：「幻身滅故，幻心亦滅；幻心滅故，幻塵亦滅。」明宋濂（一三一〇—一三八一）日本建長禪寺古先原禪師道行碑：「涅盤生死俱幻塵，

有壁積鐵山如銀。」

②底須……神　何必經常空腹去請教花神。底須，何必。何須。元 許有壬（一二八七—一三六四）摸魚子 和明初韻詞：「傾綠醑，底須按樂天池上霓裳譜！」儒林外史第五五回：「共百年易過，底須愁悶。」長枵，經常空腹。不知而求人解答曰問。猶云請教。枵，ㄒㄧㄠ。花神，掌管花的神。

③紅顏……妬　從古到今，上蒼就不特別眷顧美女佳麗。紅顏，本義謂年少者臉色紅潤狀。引申作女子美麗的容顏；在此，特指美女言。明 王世貞（一五二六—一五九〇）客談庚戌事詩：「紅顏宛轉馬蹄間，玉筯雙垂別漢關。」榮按：庚戌，明 嘉靖廿九年（公元一五五〇年），是歲，俺答兵犯京師。清 吳偉業 圓圓曲：「慟哭六軍俱縞素，衝冠一怒為紅顏。」自古，猶言從古到今。天，指上蒼。應，就。妬，ㄉㄨˋ。本作「妒」。本義謂婦女相忌妒，即因別人比自己好而生忌恨之言行。左傳 襄公廿一年：「叔向之母妬叔虎之母美而不使。」惟此處應作「不特別眷顧」或「有意輕視」解為妥。

④不見……身　沒看到梅妃那精神萎頓、形容清瘦的樣子？梅妃，詳釋題。憔悴，ㄑㄧㄠˊ ㄘㄨㄟˋ。亦作「憔顇」、「憔瘁」。描述人精神萎頓、形容消瘦的狀態。國語 吳語：「使吾甲兵鈍弊，民日離落而日以憔悴，然後安受吾燼。」韋昭注：「憔瘁，瘦病也。」身，指梅妃的身軀。

## 九○、楊貴妃

簡　楫

忘卻長生殿上言①，美人橫受馬嵬冤②。秋風羅襪君恩冷③，不及華清太液溫④。

【析韻】

言、冤、溫，上平、十三元。

【釋題】

楊太真（七一九—七五六年）。小名玉環。楊玄琰女。唐 蒲州 永樂（今山西 芮城縣西南）人。曉音律、經史，善歌舞。父琰秩滿長安，渠被選入壽邸，年十四。後為女道士，號太真。天寶三年（七四四）入宮，得玄宗寵。次年，封貴妃。姊妹皆顯貴，堂兄楊國忠亦入仕，天寶十一載（七五二）拜右相，操縱朝務，國政敗壞。安祿山反（七五五），玄宗西奔，至馬嵬坡（今陝西 興平縣西）時，軍士以咎在楊家，誅國忠，楊妃亦被迫縊死。新舊唐書均有傳。新唐書遝採野史—樂史 楊太真外傳之說，謂楊妃「始為壽王妃」與史實不符。又渠是否縊死馬嵬坡，該真相亦仍待深究。

【注解】

①忘卻……言　忘記在長生殿上所說的話。忘卻，忘記。唐 張籍（七六六？—八三○？）寄蘇州白二十二使君詩：「此處吟詩向山寺，知君忘卻曲江春。」北宋 張先 滿江紅 初

春詞：「多少恨，今猶昨。愁知悶，都忘卻。」長生殿，天寶元年（七四二）十月，唐玄宗於華清宮敕造之。本名集靈臺（又稱集仙臺用以祀神）。唐 陳鴻（？—？，貞元廿一年進士，大和初猶在世）長恨傳：「天寶十載，避暑驪山宮（按：即華清宮）。秋七月，牽牛織女相見之夕，夜始半，妃獨侍上，凭肩而立，因仰天感牛女事，密相誓心，願世世為夫婦，言畢，執手各嗚咽。」白居易 長恨歌：「七月七日長生殿，夜半無人私語時：『在天願為比翼鳥，在地願為連理枝。』」

②美人……冤　美人竟枉遭馬嵬坡之厄。美人，用以代稱楊妃。横，ㄏㄥˋ。枉，冤曲。唐 劉禹錫 上杜司徒書：「余聞初子之横為口語所中，獨相國深明之。」受，遭遇。遭受。詩 邶風 柏舟：「覯閔既多，受侮不少。」馬嵬冤，馬嵬坡之厄。馬嵬坡，位今陝西省 興平縣西。相傳晉人馬嵬在此築城，故名。安 史之亂，玄宗自長安西奔成都途中，楊妃為軍士所迫縊死於該處。

③秋風……冷　秋天帶著肅殺之氣的季風，吹拂著雙腳的足衣，益發感到君王的恩寵已經涼卻、飄杳了。秋風，秋季的風。羅襪，絲羅所織輕軟的足衣。君恩冷，君王的恩寵已經涼卻、飄杳。君，指唐玄宗。

④不及……溫　怎麼比得上華清泉暖？不及，比不上。華清太液，華清宮溫泉。在今陝西 臨潼縣 驪山下。白居易 長恨歌：「春寒賜浴華清池，溫泉水滑洗凝脂。」

## 九一、楊貴妃

戴珠光

誦經解厄呼鸚鵡①，禍起安兒最負恩②。萬里胡塵鼙鼓動③，海棠睡裏斷香魂④。

**【析韻】**

恩、魂，上平、十三元。

**【釋題】**

同前首，略。

**【注解】**

①誦經……鵡　使喚雪衣女讀心經，才能避過被縛的災難。說郛 楊太真外傳卷下：「廣南進白鸚鵡，洞曉言詞，呼為雪衣女。一朝，飛上妃鏡臺上，自語：『雪衣女昨夜夢為鷙鳥所縛。』上令妃授以多心經（榮按：波羅蜜多心經），記誦精熟後，上與妃遊別殿，置雪衣女於步輦竿上同去。瞥有鷹至，搏之而斃，上與妃歎息久之，遂瘞於苑中，呼為鸚鵡塚。」誦，朗讀。周禮 大司樂：「以樂語教國子：興、道、諷、誦、言、語。」注：「倍文曰諷，以聲節之曰誦。」經，波羅密多心經。解厄，又作「解阨」。免除災難、災殃。聊齋志異 湯公：「公頓思惟佛能解厄，因宣佛號，纔三四聲，飄墮袖外。」呼，叫喚。引申作「差使」解。鸚鵡，鳥名。頭圓，上嘴大，呈鉤狀，下嘴短小，舌大而軟，羽毛彩色美

麗，有白、赤、黃、綠等各色。能效人語，主食果實。禮記 曲禮上：「鸚鵡能言，不離飛鳥。」在此，指廣南所進白鸚鵡，名雪衣女。

②禍起……恩　這場災難是義子安祿山所引發的，他舉兵叛亂最最虧欠君恩。禍，ㄏㄨㄛˋ。災難。災害。災殃。指一切有害之事。禮記 表記：「君子慎以避禍。」史記 孔子世家：「聞君子禍至不懼，福至不喜。」起，發生。興起。在此，作「引發」解。安兒，安祿山（？—七五七），唐 營州 柳城 奚族人。本姓康，初名軋犖山。母嫁突厥人安延偃，改姓安，更名祿山。通曉諸族語言。天寶初，官平盧、范陽、河東三節度使。嘗認楊妃為義母。天寶十四載（七五五）十一月，於范陽起兵叛亂，先後攻陷洛陽、長安，稱雄武皇帝，國號燕，建元聖武。至德二年（七五七）春，為其子慶緒所殺。新舊唐書有傳。負恩，忘恩。背恩。隋 江總 哭魯廣達詩：「悲君感義死，不作負恩生。」

③萬里……動　從遙遠的邊陲，胡人兵馬行進揚起的沙塵與如雷巨響的軍鼓聲，一波波地震撼著大地而來。萬里，形容距離遙遠。在此，用以表示邊陲之地。胡塵，胡兵所引起的沙塵。喻胡兵的凶焰。鼙鼓，ㄆㄧˊ ㄍㄨˇ。又作「鞞鼓」。軍鼓。古時，擊鼓進軍、鳴金收兵。動，震撼大地。唐 白居易 長恨歌：「漁陽鼙鼓動地來，驚破霓裳羽衣曲。九重城闕煙塵生，千乘萬騎西南行。」又，法曲：「以亂干和天寶末，明年胡塵犯宮闕。」

④海棠……魂　美人啊！你就在沈睡當中，香消玉殞了。新唐書 楊貴妃傳：「明皇登沉香亭召楊妃。妃被酒新起，命力士從侍兒扶腋而至。明皇笑曰：『此真海棠睡未足耶？』」

蘇軾定惠院海棠詩：「林深霧暗曉光遲，日暖風輕春睡足。」斷，猶言了結。香魂，形容美人之魂。唐黃滔明皇回轡經馬嵬賦：「杳龕闕而難尋艷質，經馬嵬而空念香魂。」清龔自珍減字木蘭花偶檢叢紙中得花瓣一包……得句詞：「人天無據，被濃留得香魂住。」

## 九二、秦國夫人觀劇

陳叔寶

忽聽君王有詔傳①，三千放出盡嬋娟②。上陽宮柳昭陽月③，回首春風二十年④。

【析韻】

傳、娟、年，下平、一先。

【釋題】

舊唐書后妃列傳上：「玄宗楊貴妃，……有姊三人，皆有才貌，玄宗並封國夫人之號，長曰大姨，封韓國；三姨，封虢國；八姨，封秦國。並承恩澤，出入宮掖，勢傾天下。」楊太真外傳：「時新豐初進女伶謝阿蠻，善舞。上與妃子鍾念，因而受焉，就是按於清元小殿，寧王吹玉笛，上羯鼓，妃琵琶，馬先期方響，李龜年觱篥，張野狐箜篌，賀懷智拍。自旦至午，歡洽異常。時，唯妃女弟秦國夫人端坐觀之。曲罷，上戲曰：『阿瞞樂籍，今日幸得供養夫人，請一纏頭。』秦國曰：『豈有大唐天子阿姨無錢用耶？』遂出三百萬為一局焉。」

阿瞞，玄宗李隆基小名。玉笛，玉製之笛。屬管樂器。唐李白春夜洛城聞笛詩：「誰家玉笛暗飛聲，散入春風滿各城。」羯鼓，古羯族人樂器。其音主太蔟一均。唐諸樂龜茲部、高昌部、疏勒部、天竺部皆用之。其形如漆筒，下以小牙林承之。擊用二杖，音聲急促高烈。（唐南卓羯鼓錄、新唐書禮樂志十二。）琵琶。參卷四、六二、注③。方響，打擊樂器名。屬磬類。銅、鐵製，始創於南朝梁。以十六枚銅（鐵）片組成，其制上圓下方，大小相同，厚薄不一，分兩排，懸作一架，以小鋼鎚擊之，其聲清濁不等，為隋唐燕樂中常用之樂器。（通典卷一四四樂四金一）白居易偶飲詩：「千聲方響敲相續，一曲雲和戛未終。」觱篥，ㄅㄧˋ ㄌㄧˋ。古樂器名，又稱悲篥、笳管。源自龜茲，後傳入我國，以竹為管，以蘆為首，形似胡笳。（文獻通考卷一三八、樂考十一。）李頎聽安萬善吹觱篥歌：「南山截竹為觱篥，此樂本自龜茲出。」箜篌，ㄎㄨㄥ ㄏㄡˊ。傳為師延所作、空國之侯所為，故亦稱空侯。（釋名釋樂器）。又謂漢武帝令樂人侯暉依琴作坎侯，言其坎坎應節奏也。隋書音樂志下載出自西域，西涼有臥箜篌、豎箜篌。舊唐書音樂志二稱依琴制作，似瑟而小。七弦，用撥彈之，如琵琶。民五八，新疆吐魯番阿斯塔那唐墓二三〇號墓出土有絹畫舞樂屏風，上繪有樂伎豎抱彈撥箜篌，其形似瑟而小，與上引舊唐書所述符合。

**【注解】**

①忽聽……傳　突然聽到天子傳下詔書。忽聽，事先並未預知，突然間聽到。君王，指唐玄宗李隆基。詔，ㄓㄠˋ。詔書。秦漢以後，以帝王的名義所封發的一種公文書。傳，ㄔㄨㄢˊ。遞

送。即傳下。

②三千……娟　釋放出宮的妃嬪，全都是美女。三千，概指後宮妃嬪的人數。在此，作妃嬪的代稱。放出，釋放。漢書 貢禹傳：「放出園陵之女，罷倡樂，絕鄭聲。」唐 白居易 七德舞詩：「怨女三千放出宮，死囚四百來歸獄。」盡嬋娟，全都是美女。嬋娟，ㄔㄢˊ ㄐㄩㄢ。有多義。在此，指美女。唐 方干 贈趙崇侍御詩：「卻教鸚鵡呼桃葉，便遣嬋娟唱竹枝。」元 馬致遠（？—？，金末、元初大都人。）新水令 離別套曲：「青鎖畔，綉幃前，少箇嬋娟，酬不了少年願。」清 洪昇 長生殿 夜怨：「笑君王見錯，把一個罪廢殘粧，認是金屋嬋娟。」

③上陽……月　日子一天天地過去。上陽宮，新唐書 地理志二：「上陽宮在禁苑之東，東接皇城之西南隅。上元中置，高宗之季常居以聽政。」「上陽宮柳」為禁苑一景。在此，表示「晝」。昭陽，漢宮殿名。後泛指后（妃）寢殿；另詳卷三、四六、注②。昭陽月，用以表示「夜」。一晝一夜合為一日（天），與下句緊緊相扣。

④回首……年　回過頭來，看那風風光光的二十年。回首，回過頭。回頭看。北宋 蘇軾 觀湖詩之一：「回首不知沙界小，飄衣猶覺色塵高。」春風，喻恩澤。三國 魏 曹植 上責躬應詔詩表：「伏惟陛下德象天地，恩隆父母，施暢春風，澤如時雨。」在此，引申作「風風光光。」解。榮按：秦國夫人係楊妃女弟，俗呼八姨，姊妹序第八故也。受封秦國前已于歸柳府有年，渠早亡，約於天寶十三載（七五四）病卒。名諱及生卒年均不可考。

## 九三、華清賜浴

陳朝龍

君恩濃處是溫泉①，賜浴華清韻事傳②。戲罷鴛鴦香到汗③，凝脂水滑侍兒肩④。

【析韻】

泉、傳、肩，下平、一先。

【釋題】

新唐書卷七六后妃列傳楊貴妃上：「……每十月，帝幸華清宮，五宅車騎皆從，家別為隊，隊一色，俄五家隊合，爛若萬花，川谷成錦繡，……」白居易長恨歌：「春寒賜浴華清池，溫泉水滑洗凝脂。」天寶六載（七四七）溫泉宮易名華清宮，治湯井為華清池。池在今陝西臨潼縣南驪山上。又，說郛楊太真外傳下：「上每年冬十月幸華清宮，常經冬還宮闕。去即與妃同輦。華清有端正樓，即貴妃梳洗之所；有蓮花湯，即貴妃澡沐之室。」

【注解】

①君恩……泉　天子的深愛和厚賞正是溫泉。君恩，指帝王的愛意與賞賜言。餘參卷五、九〇、注③。濃，大、厚。與「淡」相對。處，指狀態所在的空間言。溫泉，泉源近火山或泉中釋出熱量所形成，其溫度逾當地年平均氣溫之泉水。西漢董仲舒（前一七九—前一〇四）雨雹對：「水極陰而有溫泉，火至陽而有涼燄。」清葉廷琯（一七九一—一八六

八）鷗陂漁話 惠學士唐宮詞：「清溪幾曲流香滿，正是溫泉浴罷時。」

②賜浴……傳　接受招待到華清宮泡湯。這種風雅的消息，不斷地有人公開轉述。賜，上對下的贈送、招待……。浴，今語洗澡。在此，指泡湯言。華清，詳卷五、九〇、注④。韻事，詳卷三、四八、注⑤。傳，（公開）轉述。

③戲罷……汗　夫妻倆一面浸泡暖泉，一面打情罵俏；出浴時，香汗淋漓。戲，指入浴言。罷，止。終。了。鴛鴦，ㄩㄢ ㄧㄤ。似野鴨，體形較小。嘴扁，頸長，趾間有蹼，善泳，翼長，能飛。雄者羽色絢麗，頭後有銅赤、紫、綠等色羽冠；嘴赤色，腳黃。雌者體稍小，羽毛呈蒼褐色，嘴灰黑色。棲息於內陸湖泊與溪流邊。在我國內蒙古與東北北部繁殖，越冬時，在長江以南直至華南一帶活動。屬我國著名特產珍禽之一。舊傳，雌雄偶居不離，古稱「匹鳥」。詩 小雅 鴛鴦：「鴛鴦于飛，畢之羅之。」毛傳：「鴛鴦，匹鳥也。」在此，用以喻夫妻。西漢 司馬相如 琴歌之二：「室通人遐獨我腸，何緣交頸為鴛鴦。」榮按：開元十二年（七二四）玄宗廢王皇后為庶人，從此未再立后。武惠妃卒謚貞順皇后（開元廿六年、七三八）。

華清宮一隅

華清宮本名湯泉宮，貞觀十八年（644）建成，一度改名溫泉宮，天寶六載再行擴建，始稱今名。

冊立楊太真為貴妃（天寶四載八月、公元七四五年），其儀制悉比照后制處理、適用。香到汗，猶言汗留餘香。

④凝脂……肩　白皙柔潤的肌膚、舒爽溫滑的泉湯；嬌弱無力的身軀，就讓宮女的肩頭來支撐吧！凝脂，本義謂凝固的油脂。常用以形容潔白柔潤的肌（皮）膚或器物。詩衛風碩人：「手如柔夷，膚如凝脂。」水滑，指泉水溫滑、舒爽。侍兒，宮女。婢女。唐白居易長恨歌：「春寒賜浴華清池，溫泉水滑洗凝脂；侍兒扶起嬌無力，正是新承恩澤時。」

## 九四、李謫仙醉草清平調

林鵬宵

譜出清平雅調和①，謫仙醉態喜高歌②。名花自古能傾國③，不是狂言醉後多④。

**【析韻】**

和、歌、多，下平、五歌。

**【釋題】**

舊唐書卷一九〇下：「李白字太白，山東人。具有逸才，志氣宏放，飄然有超世之心。……天寶初，客遊會稽，與道士吳筠隱於剡中。既而，玄宗詔筠赴京師，筠薦之於朝，遣使召之，與筠俱待詔翰林。白既嗜酒，日與飲徒醉於酒肆。玄宗度曲，欲造樂府新詞，亟召白，白已臥於酒肆矣。召入，以水灑面，即飲、秉筆，頃之成十餘章，帝頗嘉之。」太白清平調詩，名花與妃子共詠，雖竭力揄揚，而意成諷諫，一時興到筆隨，洵絕妙好辭，其中以飛燕比太真，日後竟為高力士媒孽讒構，終於落拓以卒。才人不遇，可為浩歎。謫仙，謫居人間之仙翁也。李白對酒憶賀監詩序：「太子賓客賀（知章）於長安紫極宮一見余，呼余為謫仙人，因解金龜換酒為樂。」謫，ㄓㄜˊ。

## 【注解】

①譜出……和　作成清平樂詞，高雅的風格，平仄、聲韻，都十分平穩、諧暢。作曲曰譜。譜出，猶云作成。清平，清平樂或稱清平調，古曲調名。雅調，高雅不落俗套的風格、聲韻。唐朱灣（？—？，大曆、貞元間人）箏柱子詩：「知音如見賞，雅頌為君傳。」元結（七一九—七七二）河嶽英靈集序：「浩然詩，文彩芊茸，經緯綿密，半遵雅調，全削凡體。」和，順暢。

②謫仙……歌　您：酒逾常量、半睏不睏，就愛高聲吟唱。謫仙，詳本首釋題。醉態，飲酒超量，呈現半睏、不睏的神態。喜，愛。樂於。高歌，高聲吟唱。唐許渾秋思詩：「高歌一曲掩明鏡，昨日少年今白頭。」明劉基過秦樓詩：「且高歌對酒，趁取韶華未晚。」

③名花……國　古往今來，出名的美女，姿容無不傾覆全國。南朝梁何思澄（四八三？—五三四？）南苑逢美人詩：「傾城今始見，傾國昔曾聞。」明梁辰魚（一五二一？—一五九四？）浣沙記泛湖：「載去西施豈無意，恐留傾國更迷君。」餘參本首釋題及卷一、十、注⑦。

④不是……多　不是醉後多狂言。不是，表否定判斷。唐張鷟（六五八？—七三〇）朝野僉載卷五：「是汝書，及注是，以字押；不是，及注非，亦以字押。」北宋蘇軾寄子由詩：「吏曹不是尊賢事，誰把前言語化工？」妄誕之語、放肆之言曰狂言。漢書霍光傳：「諸儒生多窶人子，遠客飢寒，喜妄說狂言，不避忌諱。」唐杜牧兵部尚書席上作詩：「偶發狂言驚滿座，三重粉面一時回。」儒林外史第一八回：「支劍峯已是大醉，口發狂言。」

## 九五、馬嵬坡

鄭兆璜

馬嵬坡下瘞蛾眉①，尺組空笛去後思②。他日淋鈴重駐蹕③，千金買襪不勝悲④。

【析韻】

眉、思、悲，上平、四支。

【釋題】

馬嵬，今陝西興平縣馬嵬鎮。位於西安市西南約八十五公里處。唐屬西安府興平縣所轄，設馬嵬驛。嵬，ㄨㄟˊ。山高貌。舊唐書后妃列傳上楊貴妃：「及祿山叛，露檄數國忠之罪。河北盜起，玄宗以皇太子為天下兵馬元帥，監撫軍國事。國忠大懼，諸楊聚哭，貴妃銜土陳請，帝遂不行內禪。及潼關失守，從幸至馬嵬，禁軍大將陳玄禮密啟太子，誅國忠父子。

既而四軍不散，玄宗遣力士宣問，對曰：『賊本尚在。』蓋指貴妃也。力士復奏，帝不護已，與妃訣，遂縊死於佛室。時年三十八，瘞於驛西道側。」新唐書后妃列傳上楊貴妃：「祿山反，以誅國忠為名，且指言妃及諸姨罪。帝欲以皇太子撫軍，因禪位，諸楊大懼，哭于廷。國忠入白妃，妃銜塊請死，帝意沮，乃止。及西幸至馬嵬，陳玄禮等以天下計，誅國忠，已死，不解。帝遣力士問故，曰：『禍本尚在！』帝不得已，與妃訣，引而去，縊路祠下，裹屍以紫茵，瘞道側，年三十八。」楊太真外傳卷下：「（天寶）十五載六月，潼關失守，上幸巴蜀，貴妃從。至馬嵬，右龍武將軍陳玄禮懼兵亂，乃謂軍士曰：『今天下崩離，萬乘震盪，豈不由楊國忠割剝氓庶，以至於此？若不誅之，何以謝天下？』眾曰：『念之久矣。』會吐蕃和好使在（馬嵬）驛門遮國忠訴事，軍士呼曰：『楊國忠與蕃人謀叛！』諸軍乃圍驛四合，殺國忠並男暄等。上乃出驛門勞六軍。六軍不解圍。上顧左右責其故。高力士對曰：『國忠負罪，諸將討之。貴妃即國忠之妹，猶在陛下左右，群臣能不憂怖？伏乞聖慮裁斷。』上回入驛。驛門傍有小巷，上不忍歸行宮，於巷中倚杖欹首而立。聖情昏默，久而不進。京兆司祿韋諤進曰：『乞陛下割恩忍斷，以寧國家。』逡巡，上入行宮，撫妃子出於廳門，至馬道北牆口而別之，使力士賜死。妃泣涕嗚咽，語不勝情。乃曰：『願大家好住，妾誠負國恩，死無恨矣。乞容禮佛。』帝曰：『願妃子善地受生。』力士遂縊於佛堂前之梨樹下。……六軍尚未解圍。以繡衾覆床，埋驛庭中，敕玄禮等入驛視之。玄禮擡其首，知其死，曰：『是矣！』而解圍。瘞於西郭之外一里許道北坎下。妃時年三十八。」

【注解】

①馬嵬……眉　馬嵬西郭外北坎下，葬著（一位）美人。馬嵬坡下，分詳本首釋題，卷五、九〇、釋題及注②。瘞，ㄗㄤˋ。同「葬」。埋藏。掩埋屍體。禮記　檀弓上：「葬也者，藏也；藏也者，欲人之弗得見也。」蛾眉，詳卷三、五三、注⑧。

②尺組……思　短短的一副腰帶，徒然留給大家對你去世以後的想念。尺組，短的腰帶。近人章炳麟（一八六九－一九三六）哀韓賦：「孟賁不能輓其素車兮，兌說不能解其尺組。」空留，徒然留給。徒然，謂於事無補。去後思，（對方）去世後的種種想念。

③他日……蹕　改天再度到華清行宮暫歇。淋鈴，雨淋鈴的省詞；曲名。唐　杜牧　華清宮詩：「行雲不下朝元閣，一曲淋鈴淚數行。」隱指華清行在言。重，再（度）。駐蹕，亦作「駐驆」。帝王出行，途中停留暫住。西晉　左思　吳都賦：「弭節頓轡，齊鑣駐蹕。」舊唐書文苑傳下、李巨川：「俄有李茂貞犯京師，天子駐蹕於華。」榮按：雨淋鈴本作雨霖鈴，乃唐教坊曲名。傳唐玄宗避安　史之亂奔蜀，初入斜谷，霖雨涉旬，於棧道中聞鈴聲與山相應，因悼念楊貴妃，遂採其聲製雨霖鈴以寄恨。時梨園弟子中惟張野狐善觱篥，因吹之，遂傳於世。惟經查新舊　唐書　玄宗紀奔蜀之行，自陳倉入散關，出河池，初未經斜谷路也。附誌之。

④千金……悲　花費千金買下一雙足衣護腳禦寒，那傷心，真受不了啊！千金，至昂之價；足衣，至微之物。以至昂之價，購至微之物，豈不令人生悲？用以諷君恩冷。買，購置。

襪，足衣。不勝，ㄅㄨˋ ㄕㄥ。非常。十分。後漢書 皇甫規傳：「臣不勝至誠，沒死自陳。」唐 韓愈 袁州申使狀：「在愈不勝戰懼之至，伏乞仁恩，特令改就常式。」悲，傷心。哀痛。詩 豳風 七月：「女心傷悲，殆及公子同歸。」古詩十九首 西北有高樓：「上有弦歌聲，音響一何悲。」唐 溫庭筠 玉蝴蝶 詞：「搖落使人悲，斷腸誰得知。」明 袁宏道 哭江進之詩之二：「案有君遺蹟，時時動我悲。」餘參卷五、九〇、注③、④。

## 九六、天寶宮人

蔡振豐

**華清奉侍憶平生①，鼙鼓漁陽已變更②。幾度逢人揮淚說，上皇失計在西行③。**

**【析韻】**

生、更、行，下平、八庚。

**【釋題】**

唐 元稹 長慶集 行宮詩：「寥落古行宮，宮花寂寞紅。白頭宮女在，閑坐說玄宗。」天寶，玄宗年號，自公元七四二至七五五年，為唐之盛世。後凡追思昔時盛事，多用白頭宮女重話天寶當年為典。宮人，宮女之通稱。易 剝：「貫魚，以宮人寵。」

**【注解】**

①華清……生　回想這一生，在華清宮服侍帝后妃嬪。華清，參本卷、九〇、注④，九三、

注②、④。奉侍，伺（ㄘˋ）候尊長。在此，指服侍帝后妃嬪的生活起居。憶平生，回想這一生。餘詳卷四、六五、注③。

②鼙鼓……更　漁陽鼙鼓頻響，已成過去。鼙鼓漁陽，天寶十四載（七五五）冬十一月，安祿山以誅楊國忠為名，反於范陽，引兵東掠，附和者有盧龍、密雲、汲、鄴與漁陽等郡。漁陽在今河北薊縣與平谷縣境。餘詳卷五、九〇、九一等二首釋題及有關注解。已變更，已成過去。變更，本謂改變；更動。在此，引申作「（成）過去」解。蓋安史之亂，前後九年，於代宗廣德元年（七六三）全部敉平。

③幾度……行　好多次，遇到人流著眼淚談及：上皇錯誤的決定就是西行入川。幾度，好多次。多少次。猶幾回，參卷三、五四、注②。逢，遇。揮淚，流淚。灑淚。晉書殷仲堪傳：「父病積年，仲堪衣不解帶，躬學醫術，究其精妙，執藥揮淚，遂眇一目。」西晉陸機晉平西將軍孝公周處碑：「迴輪出於新平，士女揮淚，褰帷望于廣漢，雞犬靡喧。」唐杜甫贈蜀僧閭丘師兄詩：「窮愁一揮淚，相遇即諸昆。」上皇，指唐玄宗。按：天寶十五載（七五六）七月，太子亨即位靈武（今寧夏靈武縣西北），尊玄宗為上皇。失計在西行，錯誤的決定就是向西行進，準備入川。

## 九七、張睢陽殺妾餉士

蔡振豐

乏餉終難任折衝①，殺姬聊以固崇墉②。可憐一劍如花碎③，暮角寒煙慘幾重④。

【析韻】

衝、墉、重，上平、二冬。

【釋題】

舊唐書　忠義列傳下張巡：「巡乃出其妾，對三軍殺之，以饗軍士，曰：『諸公為國家戮力守城，一心無二。經年乏食，忠義不衰。巡不能自割肌膚，以啖將士，豈可惜此婦人，坐視危迫。』將士皆泣下，不忍食，巡強令食之。」新唐書　忠義列傳中張巡：「巡出愛妾曰：『諸君經年乏食，而忠義不少衰，吾恨不割肌以啖眾，寧惜一妾而坐視士飢？』乃殺以大饗，坐者皆泣，巡彊令食之，……」「餉士」應訂正為「饗士」。餉，ㄒㄧㄤˇ。軍糧。饗，ㄒㄧㄤˇ。賜（犒）賞。史記　項羽本記：「旦日饗士卒，為擊破沛公軍。」張巡（七〇九－七五七）唐鄧州　南陽（今河南　南陽縣）人。一作蒲州　河東（今山西　永濟縣）人。博通羣書，曉戰陣法。氣志高邁，略細節，所交必大人長者，不與庸俗合，時人叵知也。開元末，擢進士，由太子通事舍人出為清河令，治績顯，秩滿遷調真源（今河南　鹿邑縣）令。安祿山反，巡與許遠合兵守睢陽（故城在今河南　商丘南），拜御史中丞。堅守數月，援盡糧絕，城陷遇害。南宋文天祥正氣歌：「在唐睢陽齒。」史稱張睢陽而不名，蓋崇其重義尚氣節也。

**【注解】**

①乏餉……衝　缺少軍糧畢竟不容易擔負起制敵取勝的重責。餉，亦作「饟」、「餉」。餘詳本首釋題。漢書嚴助傳淮南王安上書：「丁壯從軍，老弱轉餉。」注：「餉亦饟字。」終，畢竟。任，ㄖㄣˋ。擔負。折衝，使敵人的戰車後撤。亦即制敵取勝。衝，衝車。古戰車的一種。呂氏春秋召類：「夫脩之於廟堂之上，而折衝乎千里之外者，其司城子罕之謂乎？」高誘注：「衝，車，所以衝突敵之軍，能陷破之也。……使欲攻己者還其衝車於千里之外，不敢來也。」

②殺姬……墉　殺妾分食眾袍澤，總算勉強穩住睢陽守城的巨任。姬，ㄐㄧ。妾。侍妾。亦稱姬人。史記秦始皇本紀：「莊襄王為秦質子於趙，見呂不韋姬，悅而取之，生始皇。」漢書元后傳：「後東平王聘政君為姬，未入，王薨。」聊，勉強。南宋蘇庠（一〇六五—一一七四）臨江仙詞：「秋水芙渠聊蕩槳，一樽同破愁城。」清俞樾茶香室叢鈔盤古即元始天尊：「荒誕之說，聊博異聞耳。」固，穩定。安定。國語晉語二：「夫固國者在親眾而善鄰。」崇墉，高牆。高城。東

張巡（公元 709-757 年）
本圖取自三才圖會

漢王延壽（？—？，順帝間人）魯靈光殿賦：「崇墉岡連以嶺屬，朱闕巖巖而雙立。」張載注：「墉，牆也。」西晉左思魏都賦：「於是崇墉濬血，嬰堞帶涘。」張載注：「墉，城也。」唐杜甫劍門詩：「兩崖崇墉倚，刻畫城郭狀。」在此，用以代稱睢陽城也。

③可憐……碎　可憐啊！一刀一刀地割裂，好端端的一個人就像花一般破碎成一片片、一塊塊。可憐，參考卷一、九、注④。碎，完整的軀體或東西，破成一片片、一塊塊的狀態。

④暮角……重　黃昏的號角聲，正瀰漫在帶有寒意的煙霧裡。悲痛！有幾層？暮，黃昏。傍晚。角，號角。軍隊傳令用的吹奏樂器。寒煙，寒冷的煙霧。亦作「寒烟」。南朝宋顏延之應詔觀北湖田收詩：「陽陸團精氣，陰谷曳寒煙。」元黃庚（？—？泰定初仍在世。）江村詩：「極目江天一望賒，寒烟漠漠月西斜。」慘，ㄘㄢˇ。悲痛。幾重，多少層。重，ㄔㄨㄥˊ。量詞。猶今語「層」。

## 九八、賈島祭詩

陳朝龍

嘔盡心肝亦自憐①，等閒酒脯薦華筵②。詩情似共人爭老③，祀典重修又一年④。

**【析韻】**

憐、筵、年，下平、一先。

【釋題】

舊唐書賈島傳：「島苦吟。常於歲除之夜，取一年所作詩，以酒脯祭之，曰：『吾勞精神，以此補之。』」榮按：新唐書島傳附於韓愈傳，且無上引文字。賈島（七七九—八四三）。字浪先，一作閬仙，號碣石山人。唐范陽（今河北涿縣）人。早年迭應試不第，遂削髮為僧，法名無本。島滯留長安時，嘗為韓愈賞識，授以文法並勸其還俗。開成二年（八三七）授任遂州長江縣主簿，由是而有賈長江之稱。任滿，遷普州司倉參軍。會昌三年（八四三），轉司戶參軍，未授命而卒，享年六十五歲。島與孟郊（七五一—八一四）並稱中唐苦吟詩人，有「郊寒島瘦」之評。與韓愈、姚合、王建、張籍、雍陶等均有交往。善作五律，詩思幽僻、清奇雅正。遺有長江集（十卷）、小集（三卷）、詩格（一卷），全唐詩錄有島詩五卷。今本有李嘉言編校長江集新校（上海古籍、民七二）。

【注解】

①嘔盡……憐　勞心苦慮地構思，自個兒又傷感起來。嘔盡心肝，即嘔心。唐李商隱李賀小傳：「（李賀）背一古破錦囊，遇有所得，即書投囊中，及暮歸，太夫人使婢受囊出之，見所書多，輒曰：『是兒要當嘔出心始已耳。』」而後即以「嘔心」形容詩人構思詩文時的勞心苦慮。清梁紹壬（？—？，道咸間人）兩般秋雨盦隨筆顧受笙：「若我顧受笙表兄，亦復九度秋闈。道光辛卯（榮按：指十一年、公元一八三一年）八月十五夜，以疾卒于號舍。余作輓聯云：『短屋痛長眠，文戰嘔心，竟爾修文歸地下；良宵驚惡耗，月圓

撒手，從今賞月怕秋中。』」亦，表示「既……又……」。自憐，亦作「自伶」。自傷。自我憐惜。西漢王褒九懷通路：「陰憂兮感余，惆悵兮自伶。」西晉束皙（二六三？—三〇二？）貧家賦：「行乞貸而無處，退顧影以自憐。」北齊顏之推（五二〇？—五九一？）神仙詩：「鏡中不相識，捫心徒自憐。」唐岑參初授官題高冠草堂詩：「自憐老舊業，不敢恥微官。」北宋歐陽修三日赴宴口占：「共喜流觴修故事，自憐霜鬢惜年華。」

②等閒……筵　端上平常的水酒、乾肉，進獻案前，權充豐美的席筵。等閒，本作「等閑」。尋常。平常。唐賈島古意詩：「志士終夜心，良馬白日足，俱為不等閒，誰是知音目。」元鄧玉賓（？—？）粉蝶兒套曲：「翠巖前，青松下，把個茅庵兒圍抱，除了猿鶴，等閒間無人到。」酒，水酒。脯，ㄈㄨˇ。乾肉。詩大雅鳧鷖：「爾酒既湑，爾殽伊脯。」薦，ㄐㄧㄢˋ。進獻。送上。儀禮鄉射禮：「主人阼階上拜送爵，賓少退，薦脯醢。」華筵，豐盛的筵席。唐杜甫劉九法曹鄭瑕邱石門宴集詩：「能吏逢聯璧，華筵直一金。」敦煌曲子詞浣溪沙：「喜覩華筵獻大賢，歌歡共過百千年。」明王錂春蕪記宴賞：「華筵送夕陰，酒如澠。」

③詩情……老　作詩的情緒、興致，好像要和人一心比歲數。唐劉禹錫秋詞之一：「晴空一鶴排雲上，便引詩情到碧霄。」南宋陸游瀼西詩：「亦知憂吏責，未忍廢詩情。」清王夫之東閣梅詩：「香國揚州錦陣豪，詩情偏向峭寒高。」爭老，猶云爭年。謂一比（較）年歲。

④祀典……年　祭禮重加編訂，匆匆再過了一年。祀典，記載祭祀禮儀的典籍。國語　魯語上：「凡禘、郊、祖、宗、報，此五者國之典祀也……非是不在祀典。」南朝　宋　傅亮（三七四－四二六）為宋公修張良廟教：「夫盛德不泯，義存典祀。」祀，ㄙˋ。重修，再修改訂正或編纂。南宋　李心傳（一一六六－一二四三）舊聞證誤　卷四：「趙元鎮作相，提舉重修泰陵實錄。書成，加恩。」（榮按：泰陵有多處，宋人稱（宋）哲宗陵為泰陵，本名永泰陵，在今河南　鞏縣西南。）宋史　高宗紀八：「命史館重修徽宗　大觀以前實錄。」又，再。復。表次數。史記　淮陰侯列傳：「項梁敗，又屬項羽。」

## 九九、賈島祭詩

蔡振豐

祭詩舊事閬仙傳①，一瓣心香禮拜虔②。此即騷壇新俎豆③，不妨酒脯備年年④。

【析韻】

傳、虔、年，下平、一先。

【釋題】

同前首，略。

【注解】

①祭詩……傳　祭詩、這件往事，是賈閬仙遺留下來的。祭詩，詳前首釋題。舊事，往事。

唐白居易得湖州崔十八使君書兼寄微之詩：「故情歡喜開書後，舊事思量在眼前。」比宋蘇軾和子由蠶市：「詩來使我感舊事，不悲去國悲流年。」清李漁閒情偶寄詞曲上音律：「因此劇外，別無善本欲睹崔張舊事，舍此無由。」閬仙，詳前首釋題。傳，ㄔㄨㄢˊ。遺留。近人朱湘（一九〇四－一九三三）哭孫中山詩：「誰說他沒有遺產傳給後人？他有未竟之業讓大家繼承。」

②一瓣……虔　燃起瓣香，敬慎誠摯地頂禮膜拜。一瓣心香，燃香供祭，謂心中虔誠敬禮。南宋王十朋（一一一二－一一七一）行可生日詩：「祝公壽共詩書久，一瓣心香已敬焚。」花月痕第五一回：「次日，荷生仍來洛神廟，與心印共坐一車，一瓣心香，數行情淚。」一瓣，ㄅㄢˋ。作量詞用。一瓣香，猶今言一柱香也。古，對人施禮祝拜以示敬，稱禮拜。（詳東漢班固白虎通姓名及陳敬疏證。）在此，引申作頂禮膜拜解。唐劉禹錫送贈仲剬東遊兼寄呈靈澈上人詩：「情空禮拜見真像，金元玉髻卿雲間。」虔，ㄑㄧㄢˊ。恭敬。詩大雅韓奕：「夙夜匪懈，虔共爾位。」

③此即……豆　這就是詩界的新式供品。騷壇，詩界。典出唐杜牧雪晴訪趙嘏街西所居三韻詩：「命代風騷將，誰登李杜壇。」後，南宋衛宗武（？－一二八九）和張菊存寄詩云：「騷壇新領袖，上國舊衣冠。」新俎豆，俎、豆，均古宴客、朝聘、祭祀等所用禮器。前者適用於置肉，呈几狀。後者適用於盛乾肉等物，高腳盤。論語魏靈公：「俎豆之事，則嘗聞之矣。」在此，引申作「供品」解。新俎豆，新式供品也。

④不妨……年　而後，可以每年置辦水酒、乾肉啊！不妨表示可以，無（妨）礙之意。北齊顏之推顏氏家訓 風操：「世人或端坐奧室，不妨言笑，盛營甘美，厚供齋食。」北宋 梅堯臣睡意詩：「花時啼鳥不妨喧，清暑北窗聊避燠。」明 李贄 答劉憲長書：「縱不落髮，亦自不妨，在彼在此，可以任意。」酒脯，詳前首注②。備年年，年年備。

## 一〇〇、賈島祭詩　鄭兆璜

自將除夕祭詩篇①，韻事爭傳賈閬仙②；勞我精神酬爾酒③，何曾心血負年年④。

**【析韻】**

篇、仙、年，下平、一先。

**【釋題】**

詳本卷、九八。

**【注解】**

①自將……篇　自個兒攜帶除夕詩作。自將。ㄗˋ ㄐㄧㄤ。自己拿著。自己帶著。元 戴善甫（？—？，中統、大德間人）風光好第三折：「秦弱蘭賺了他一篇樂章，親筆落款，他自將著。」後漢書 羊續傳：「續妻後與子祕俱往郡舍，續閉門不內（納），妻自將祕行，其資藏唯有布衾、敝祇裯、鹽、麥數斛而已。」除夕，一年最後一天的夜晚。舊歲至此夕

而除，次日即新歲，故稱。西晉周處（二三八—二九七）風土記：「至除夕，達旦不眠，謂之守歲」在此，應係作為詩題。篇，ㄆㄧㄢ。竹簡。古時文字多著之于篇。後因稱首尾完整的文字為篇。如：論語二十篇，一篇猶一卷；詩三百篇，一篇猶一首。

②韻事……仙　這種雅事，競相傳說是賈閬仙做的。韻事，詳卷三、四八、注②及卷五、九三、注②。爭傳，詳卷四、七九、注①。另參卷五、九三注②。賈閬仙，詳卷五、九八釋題。

③勞我……酒　困乏我的精神；卻要勸您飲杯水酒。勞，ㄌㄠˊ。困乏。左傳僖公卅二年：「勞師以襲遠，非所聞也。」精神，指人的精氣、元氣。與形骸相對。呂氏春秋盡數：「聖人察陰陽之宜，辨萬物之利，以便生，故精神安乎形，而年壽得長焉。」元揭傒斯哭王十良仲詩：「精神與時息，形質隨日化。」酬，ㄔㄡˊ。勸（酒）。主答客曰酬。說文作「醻」。儀禮鄉飲酒禮：「主人實觶酬賓。」

④何曾……年　怎能每年都承擔這種精力、耗費這種心思？何曾，猶何乃。何能。怎麼能。孟子公孫丑上：「爾何曾比予于管仲？」心血，心思與精力。聊齋志異張鴻漸：「流離數年，兒已成立，不謂能繼書香，卿心血殆盡矣。」兒女英雄傳第一〇回：「嘖！嘖！嘖！果然是一對美滿姻緣！不想姐姐竟給你弄成了，這也不枉我這滴心血！」負年年，年年負。負，ㄈㄨˋ。承受。擔負。莊子逍遙遊：「風之積也不厚，則其負大翼也無力。」唐李白書情題蔡舍人雄詩：「愧無橫草功，虛負雨露恩。」

# 卷六

## 一〇一、驢背詩思

陳朝龍

之一

灞上尋詩句未成①，幾番慘淡費經營②；蹇驢似解沈吟趣③，故意遲遲踏雪行④。

之二

雅愛騎驢得得行⑤，許多妙思出生成⑥；天教詩境歸冲淡⑦，風雪鞭搖夕照橫⑧。

【析韻】

成、營、行，下平、八庚。（之一）

行、成、橫，下平、八庚。（之二）

【釋題】

詩思，作詩的思路、情致。唐韋應物休暇日訪王侍御不遇詩：「怪表詩思清人骨，內對寒流雪滿山。」清王夫之乍開梅詩：「底事花魂多荏苒，逼人詩思在些些。」全唐詩話：

「相國鄭綮擅詩，或曰：『相國近為新詩否？』對曰：『詩思在灞橋風雪中、驢子上，此何以得之？』」北宋孫光憲北夢瑣言卷七，文字略同。云：「唐相國鄭綮善詩。……或曰：『相國近有新詩否？』對曰：『詩思在灞橋風雪中、驢子上，此處何以得之？』蓋言平生苦心也。」另，南宋計有功（？—？，紹興末仍在世）唐詩紀事卷六五引古今詩話亦載。明程羽文（？—？）詩本事：「詩思：孟浩然詩思在灞橋風雪中、驢子背上。」鄭綮（？—八九九）唐滎陽（今河南滎陽縣西）。字蘊武。善詩，多詼諧，時稱鄭五歇後體，乾寧元年（八九四）春，拜中書門下平章事（按：俗稱相國。），未三月以太子少保致仕。霸橋，亦作灞橋。在陝西長安縣東。三輔黃圖六橋：「霸橋在長安東，跨水作橋。漢人送客至此橋，折柳贈別。王莽時，霸橋災，數千人以水沃救不滅，更霸橋為長安橋。」隋時更以石為之，唐人以送別者多於此，因亦謂之銷魂橋。南宋范成大北門覆舟山道中詩：「騎驢索句當年事，歲暮騷人不自聊。」明高啟為石城朱氏題梅雪軒詩：「年來驢背無詩思，醉踏塵埃空自愁。」清程先貞（一六〇七—一六七三）蹇驢行詩：「只宜騎汝灞橋邊，高聳詩肩吟風雪。」

**【注釋】**

①灞上……成　在灞上漫行當中，不時捕捉作詩的靈感，卻沒個一句、半句。灞上，在陝西西安市東、灞水西高原上，故名。史記白起王翦列傳：「於是王翦將兵六十萬人，始皇自送至灞上。」唐杜甫懷灞上遊詩：「悵望東陵道，平生灞上游。」尋詩，尋覓詩句。猶云捕捉作詩的靈感。南宋陳與義（一〇九〇—一一三八）尋詩兩絕句之一：「無人畫

出陳居士，亭角尋詩滿袖風。」明 高啟 次張仲和春日漫興詩：「獨騎款段尋詩去，懶逐看花眾少年。」句未成，未成句。猶言沒個一句、半句。

②幾番……營　多少次用心斟酌，虛耗構思。幾番，猶言幾次。番，作量詞用。慘淡，亦作「慘澹」。謂費心思慮。唐 杜甫 送從弟亞赴河西判官詩：「踴躍常人情，慘澹苦士志。」清 黃叔琳（一六七二—一七五六）柏林寺觀李晉王畫像歌：「鷹揚虎視空一世，經營慘澹傳其真。」費，耗。在此，作「虛耗」解。經營，指文章、詩畫等之構思言。南朝 梁 劉勰 文心雕龍 麗辭：「至於詩人偶章，大夫聯辭，奇偶適變，不勞經營。」唐 杜甫 丹青引：「詔謂將軍拂絹素，意匠慘淡經營中。」

③蹇驢……趣　瘸腿駑弱的驢子好像懂得深思的興緻。蹇驢，既瘸腿又蠢弱的驢子。楚辭 東方朔 七諫 謬諫：「駕蹇驢而無策兮，又何路之能極？」王逸注：「蹇，跛也。」前蜀 杜光庭（八五〇—九三三）虬髯客傳：「忽有一人，中形，赤髯如虬，乘蹇驢而來。」蹇，ㄐㄧㄢˇ。似解，（好）像懂得。沈吟，亦作「沉吟。」深思。古詩十九首 東城高且長：「馳情整中帶，沈吟聊躑躅。」北宋 秦觀 滿園花詞：「一向沈吟久，淚珠盈襟袖。」趣，興緻。晉書 王羲之傳：「恆恐兒輩覺，損其歡樂之趣。」

④故意……行　存心慢慢地走著賞雪。故意，存心。有意識的。北宋 司馬光（一〇一九—一〇八六）乞趁時收糴常平斛㪷白箚子：「收成之初，農夫要錢，急糶之時，故意小估價例，令官中收糴。」遲遲，亦作「遟遟」、「遲遲」。徐行貌。詩 邶風 谷風：「行道遲

遲，中心有違。」毛傳：「遲遲，舒行貌。」楚辭 劉向 九歎 惜賢：「時遲遲其日進兮，年忽忽而日度。」唐 來鵠（一作「鵬」。？—？，會昌、中和間人）古劍池詩：「秋水蓮花三四枝，我來慷慨步遲遲。」踏雪，亦作「蹋雪」。謂在雪地行走。亦指賞雪。唐 孟郊（七五一—八一四）寒溪詩：「曉飲一杯酒，踏雪過青溪。」清 邵長蘅（一六三七—一七〇四）雪後登滕王閣放歌：「夜深蹋雪還上來，揮手寒窗招海月。」

⑤雅愛……行　素來喜歡騎著毛驢，任情自得地走著。雅愛，素來（就）喜歡。北齊 顏之推 顏氏家訓 慕賢：「吾雅愛其手迹，常所寶持。」唐 盧照鄰（六三四？—六八六？）駙馬都尉喬召集序：「凡所著迷，多已適意為宗，雅愛清靈，不以繁詞為貴。」得得，任情自得貌。莊子 駢拇：「夫不自見而見彼，不自得而得彼者，是得人之得而不自得其得者也。」南朝 梁何遜（四七二？—五一九？）西州直示同員詩：「誓將收飲啄，得得任心神。」北宋 黃庭堅 和甫得竹數本于周翰善而作詩和之：「人知愛酒耳，不解心得得。」

⑥許多……成　許多精妙的構思，來之於自然形成。妙思，精妙的構思。陳書 司馬申傳：「（申）十四便善弈棊，……子春素知申，即與坐所呼與為對，申每有妙思，异（朱异）觀而奇之，因引申遊處。」明 謝榛（一四九五—一五七五）四溟詩話卷三：「易者雖不緊要，亦當冥心搜句，或三二篇，則妙思種種出焉。」出生成，得之於自然形成。出，由內至外。引申作「得之於……」或「來之於……」解。生成，詳參卷一、四、注①。

⑦天教……淡　上蒼示意：詩的意境回復質樸、閑靜。天教，上天示意（以為教誨）。教，

ㄐㄧㄠˋ。晏子春秋 諫上十八：「日暮，公西面望，睹彗星。召伯常騫，使禳去之。晏子曰：『不可。此天教也。』」詩境，詩的意境或境界。唐 白居易 秋池詩之二：「閑中得詩境，此境幽難說。」金 元好問 書扇贈李湛然詩：「未要吳儂誇勝槩，已從詩境從天游。」清 袁枚 隨園詩話補遺卷二：「錢唐 陳文水孝廉湘設帳於香亭家，性愛苦吟，詩境高潔。」歸沖淡，回（復）到質樸、閑適、恬靜的境界。沖淡，本作「沖淡」、又作「沖澹」。指詩、詞、歌、賦等文字質樸，感情自然、閑適、恬靜言。唐 皎然（七二〇？—？）詩式 詩有六迷：「以虛誕為高古，以緩慢而為沖淡。」司空圖 詩品 沖澹第二：「素處以默，妙機其微。飲之太和，獨鶴與飛。猶之惠風，荏苒在衣。閱音修篁，美曰載歸。遇之匪深，即之愈稀。脫有形似，握手已違。」

⑧風雪……橫　風雪交加中，安坐驢背、擺動條鞭，夕陽就在眼前。搖，擺動。夕照，夕陽。橫，側。旁。引申作「眼前」解。

## 一〇二、驢背詩思

雪和

橋頭風雪擁驢行①，詩思闌珊費品評②。較與作文工馬上③，許多清福足平生④。

**【析韻】**

行、評、生，下平、八庚。

**【釋題】**

同前首，略。

**【注解】**

①橋頭……行　橋邊，又是風、又是雪，牽著毛驢，慢慢地走著。橋頭，橋樑兩端與岸接連的地方。亦泛指橋邊。唐 施肩吾（？—？，元和間人）望夫詞詩：「自家夫壻無消息，卻恨橋頭賣卜人。」風雪，風與雪。後漢書 西南夷傳：「堪耐寒苦，同之禽獸，雖婦人產子，亦不避風雪。」宋書 孔覬傳：「其日大寒，風雪甚猛，塘埭決壞，眾無固心。」唐 高適薊門不遇詩：「曠盪阻雲海，蕭條帶風雪。」杜甫 閣夜詩：「歲暮陰陽催短景，天涯風雪霽寒宵。」餘參前首釋題。擁，ㄩㄥ。執持。張喬（？—？，咸道、廣明間人）漁家詩：「擁棹思悠悠，更深泛積流。」

②詩思……評　作詩的思路、情致，消沉下去，很難評價啊！詩思，詳本卷、一〇一、釋題。闌珊，消沉。唐 白居易 詠懷：「白髮滿頭歸得也，詩情酒興漸闌珊。」明 王錂 春蕪記 訊病：「情思轉闌珊，更粉消珠淚，翠鎖眉山。」費，耗。消耗。漢書 楊王孫傳：「今費財厚葬，……吾不為也。」北宋 王安石 詠韓子愈詩：「力去陳言誇末俗，可憐無補費精神。」品評，評價。評論。世說新語 文學：「（習鑿齒）於病中猶作漢晉春秋，品評卓異。」元 陳鎰（？—？，至元、延祐間人）次韻齊子和山長過訪：「明朝又向山城去，滿路梅花入品評。」

③較與……上　和作文相比，我可長於即刻下筆。較與，和……相比。工，擅長。善於。馬上，猶即刻。

④許多……生　享有那麼多的清福，這一生就值得了。清福，清閑之福。元耶律楚材（一一九〇—一二四四）冬夜彈琴……以遺猶子蘭：「秋思盡雅興，三樂歌清福。」紅樓夢第一一八回：「只有襲人也顧不得王夫人在上，便痛哭不止，說：『我也願意跟了四姑娘去修行！』寶玉笑道：『你也是好心，但是你不能享這個清福的！』」足平生，這一生就值得了。足，值得。平生，詳卷四、六五、注③。

## 一〇三、驢背詩思

吳逢清

騎驢灞上雪霜盈①，詩思都教觸目生②。冷到鞭絲寒到骨③，梅花十里逗吟情④。

【析韻】

盈、生、情，下平、八庚。

【釋題】

詳本卷、一〇一。

【注解】

①騎驢……盈　在灞上，騎著毛驢，到處霜雪。灞上，參本卷、一〇一、注①。盈，ㄧㄥˊ。

充滿。雪霜盈猶云滿是霜雪。詩 周南 卷耳：「采采卷耳，不盈頃筐。」又，小雅 楚茨：「我倉既盈，我庾維億。」

②詩思……生　作詩的念頭，促使眼睛所看到的景物，紛紛顯現好的素材。詩思，詳本卷、一〇一、釋題。都教，ㄉㄡ ㄐㄧㄠˋ。都使得……。都，屬副詞，表示總括。觸目，目光所及。晉書 習鑿齒傳：「來達襄陽，觸目悲感，略無歡情。」北宋 歐陽修 采桑子詞：「歸來恰似遼東鶴，城郭人民，觸目皆新，誰識當年舊主人。」生，顯現。出現。南宋 葉適（一一五〇—一二二三）故朝奉大夫宋公墓誌銘：「宋紹恭年八十五，憊老不生於色，慢游不設於身。」唐 盧綸（？—七七九？）臘月觀咸寧王部曲娑勒擒豹歌：「使知縛虎如縛鼠，敗虜降羌生眼前。」

③冷到……骨　冷透馬鞭，寒徹肌骨。（又，寒意頻增、直刺肌骨。亦通。）寒，冷。寒冷屬同義複詞。鞭絲，馬鞭。借指出游。南宋 陸游 乍晴出游詩：「本借微風欹帽影，卻乘新暖弄鞭絲。」清 陳維崧 春風裊娜 正月十二日同陸翼王等遊白塔旃檀諸寺詞：「帽影帶晴薰御陌，鞭絲和暖糝皇州。」榮按：帽影鞭絲，亦借指出游。

④梅花……情　梅花盛綻，綿衍長達十里，（更）觸動已蟄伏許久的詩興。逗，ㄉㄡˋ。觸動。清 洪昇 長生殿 哭像：「爇騰騰，寶香，映熒熒燭光，猛逗著往事來心上。」吟情，詩興。南宋 戴復古 昭武太守與李賈嚴羽共觀前舉詩之八：「詩本無形在窈冥，網羅天地運吟情。」元 張可久 罵玉郎過感皇恩採茶歌 楊駒兒墓園曲：「放吟情，寫牧聲，寄春鶯，

明年來此賞清明。」

## 一〇四、白香山琵琶行

蔡　振　豐

琵琶聽罷總情傷①，一筆拈來寫斷腸②。宦海易沉人易老③，天涯共此淚雙行④。

此題施澐舫先生取桃園簡若川元卷末句云：「寄語稻江諸女伴，莫再誤琵琶候。」補錄

【析韻】

傷、腸、行，下平、七陽。

【釋題】

白居易（七七二—八四六）。唐太原人。字樂天。貞元十六年（八〇〇）進士，拔萃皆中，補校書郎。元和初，授翰林學士，遷左拾遺。元和十年（八一五）六月盜殺宰相武元衡，居易首上疏，「請亟捕賊，刷朝廷恥，以必得為期。」忤權貴，謫貶江州司馬。累遷杭、蘇二州刺史。後詔還，授太子少傅。會昌初，以刑部尚書致仕。晚年居洛陽香山，號香山居士。渠主張「文章合為時而著，歌詩合為事而作。」其詩平易淺顯，傳稱老嫗能解，流布甚廣。與元稹齊名，稱元白，又與劉禹錫合稱劉白。遺有白氏長慶集。新舊唐書皆有傳。琵琶行係白氏遭謫之次年（元和十一年、八一六）送客湓浦，偶遇長安倡女彈琵琶，以之為體材所作敘事長詩，屬七古，凡八十八句，六一六字。「行」，古樂府詞題裁之一，恆與「歌」連稱「歌行」。

## 琵琶行 並序

白居易

元和十年，余遷九江郡司馬。明年秋，送客湓浦口。聞舟中夜彈琵琶者，聽其音，錚錚然，有京都聲。問其人，本長安倡女，嘗學琵琶於穆曹二善才。年長色衰，委身賈人婦。遂命酒，使快彈數曲。曲罷憫然，自敘少小時歡樂事，今漂淪顦顇，徙於江湖間。余出官二年，恬然自安，感斯人言，是夕覺有遷謫意，因為長歌以贈之，凡六百一十二言（榮按：傳鈔訛誤，應訂正為六百一十六言），命曰琵琶行。

潯陽江頭夜送客，楓葉荻花秋瑟瑟。主人下馬客在船，舉酒欲飲無管絃；醉不成歡慘將別，別時茫茫江浸月。忽聞水上琵琶聲，主人忘歸客不發。尋聲闇問彈者誰？琵琶聲停欲語遲。移船相近邀相見，添酒回鐙重開宴。千呼萬喚始出來，猶抱琵琶半遮面。轉軸撥絃三兩聲，未成曲調先有情。絃絃掩抑聲聲思，似訴平生不得志。低眉信手續續彈，說盡心中無限事，輕攏慢撚抹復挑，初為霓裳後六么。大絃嘈嘈如急雨，小絃切切如私語：嘈嘈切切錯雜彈，大珠小珠落玉盤。閒關鶯語花底滑，幽咽流泉水下灘。水泉冷澀絃凝絕，凝絕不通聲漸歇。別有幽愁闇恨生，此時無聲勝有聲。銀瓶乍破水漿迸，鐵騎突出刀槍鳴，曲終收撥當心畫，四絃一聲如裂帛。東船西舫悄無言，唯見江心秋月白。沈吟放撥插絃中，整頓衣裳起斂容。自言「本是京城女，家在蝦蟆嶺下住。十三學得琵琶成，名屬教坊第一部；曲罷常教善才服，妝成每被秋娘妒。五陵年少爭纏頭，一曲紅綃不知數。鈿頭銀篦擊節碎，血色羅裙翻酒污。今年歡笑復明年，秋月春風等閒度。弟走從軍阿姨死，暮去朝來顏色故，門前冷落車馬稀，老大嫁作商人婦！商人重利輕別離，前月浮梁買茶去，去來江口守空船，繞船明月江水寒。夜深忽夢少年事，夢啼妝淚紅闌干！」我聞琵琶已嘆息，又聞此語重唧唧！同是天涯淪落人，相逢何必曾相識！我從去年辭帝京，謫居臥病潯陽城；潯陽地僻無音樂，終歲不聞絲竹聲。住近湓江地底濕，黃蘆苦竹繞宅生，其間旦暮聞何物？杜鵑啼血猿哀鳴，春江花朝秋月夜，往往取酒還獨傾，豈無山歌與村笛，嘔啞嘲哳難為聽。今夜聞君琵琶語，如聽仙樂耳暫明。莫辭更坐彈一曲，為君翻作琵琶行。感我此語良久立，卻坐促絃絃轉急，淒淒不是向前聲，滿座重聞皆掩泣。座中泣下誰最多？江州司馬青衫濕！

右作可分三大段落。前段「潯陽……月白。」敘寫邀商婦彈琵琶之經過並詳述琵琶聲調。其中敘及時令、船舟主客、商婦、彈姿與方法……均細膩熨貼。尤其借物喻聲，悠揚、幽咽、激烈等聲調，彷彿如聞其聲。次段「沉吟……闌干」，乃代商婦自述身世，自青春而老大，如泣如訴，若琵琶聲之激揚幽抑。末段「我聞……衫溼！」作者抒己傷感之情、謫居之苦，以更彈一曲為餘韻，與中段相照應。「字裏行間。步步映襯、聯貫迴護，筆意層出不窮，處處掌握主意。」全篇若江潮湧處，餘波蕩漾，有悠然不盡之妙。

**【注解】**

①琵琶……傷　聽完彈奏琵琶，內心老是不好過。琵琶，ㄆㄧˊ ㄆㄚˊ。餘參卷四、六二、注③。聽罷，聽完。罷，止。總情傷，心裏老是不好過。總，亦作「緫」。ㄗㄨㄥˇ。老是，一直。

情傷，傷心。悲傷。南朝宋謝靈運（三八五—四三三）送雷次宗詩：「志苦離念結，情傷日月惱。」後蜀顧敻（？—九三五？）浣溪紗詞：「惆悵經年別謝娘，月窗花院好風光，此時相望最情傷。」

②一筆……腸　提起（一隻）筆來縷述那萬分思念、悲痛的情節。拈，ㄋㄧㄢ。近人王闓運（一八三二—一九一六）莫姬哀詞：「纍餘理曲，及罷拈帬。」斷腸，形容非常思念、悲痛。三國魏曹丕燕歌行：「念君客遊絲斷腸，慊慊思歸戀故鄉。」唐李白清平調之二：「一枝紅豔露凝香，雲雨巫山枉斷腸。」北宋蘇軾次韻回文之二：「紅牋短寫空深恨，錦句新翻欲斷腸。」另參卷三、四四、注③。

③宦海……老　官場中很容易陷入困厄，使人很快地衰老。宦海，指官場。因出仕升沉無定，多風波險阻，如身處海潮之中，故稱。太平廣記卷三二引仙傳拾遺顏真卿：「子有清簡之名，已誌金臺。可以度世，上補仙官，不宜自沉於名宦之海。」南宋陸游謝錢參政啟：「名場蹭蹬，幾白首以無成；宦海漂流，顧清衫而自笑。」明王錂春蕪記秋閨：「他那裡宦海沉淪，我這裡愁城遙遠。」儒林外史第八回：「宦海風波，實難久戀。」沉，本作「沈」。ㄔㄣˊ，與「浮」相對。在此，用以形容陷入困厄、蹭蹬之境。西晉左思詠史之二：「世胄躡高位，英俊沈下僚」唐李商隱戊辰會靜中出貽同志二十韻：「我本玄元胄，稟華由上津；中迷鬼道樂，沈為下士民。」

④天涯……行　人同此心，天同此理。唉！不禁淚流滿面。天涯，猶天邊。形容極遙遠的地

方。語出古詩十九首行行重行行：「相去萬餘里，各在天一涯。」南朝隋徐陵（五〇七—五八三）與王僧辯書：「維桑與梓，翻若天涯。」元馬致遠天淨沙秋思曲：「夕陽西下，斷腸人在天涯。」「天涯」「天涯地角」「天涯海角」「海角天涯」……等均屬同意詞，附誌之。共此，同此。

## 一〇五、老嫗解詩

陳濬芝

信口分明解不訛①，香山有集妙如何②？能詩更有康成婢③，一語泥中亦足多④。

**【析韻】**

訛、何、多，下平、五歌。

**【釋題】**

老嫗，老婦人。嫗，ㄩˋ。「解」詩，曉悟、理解。北宋彭乘（九八五—一〇四九）墨客揮犀卷三：「白樂天每作詩，令老嫗解之。問曰：『解否？』嫗曰：『解。』則錄之。不解，則又復易之。」又，釋惠洪，亦宋人，所撰冷齋夜話老嫗解詩一則，除少一「復」字外，全相同也，附記之。

**【注解】**

①信口……訛　隨口吟誦、清清楚楚，又有正確的理解。信口，隨口。謂出言不加思索。唐

白居易答故人詩：「讀書未百卷，信口嘲風花。」元 無名氏謝金吾第一折：「你只管言三語四，信口見罵誰哩？」分明，參卷四、八〇、注④。解不訛，（有）正確的理解。解，詳本首釋題。不訛，沒有謬誤。今語「不錯」。訛，ㄜˊ。本作「譌」。

②香山……何　香山居士的遺集，是這樣地美好。香山，白居易晚年號香山居士，餘詳前首釋題。有集，（遺）有白氏長慶集。集，ㄐㄧˊ。本作「雧」。成書的著作稱集。自隋代（五八一—六一九）始，我國將書籍歸類為經、史、子、集四部。（隋書 經籍志）。妙如何，這樣地美好。妙，ㄇㄧㄠˋ。善，美好。戰國 楚 宋玉 登徒子好色賦：「贈以芳華辭甚妙。」世說新語 賞譽上：「（王）濟又使騎難乘馬。叔姿形既妙，回策如縈，名騎無以過之。」榮按：叔指王濟之叔王湛（字處沖，世稱王汝南而不名。）唐 孫過庭（？—？，垂拱前後之人。）書譜：「是以右軍之書，末年多妙。」如何，詳卷一、一、注③。此處，引申作「這樣地」解。

③能詩……婢　鄭玄家的女僕還會作詩呢！能，表示在某方面有才具。能詩，猶言會作詩。更，還。又。史記 平準書：「於是，為秦錢重難用，更令民鑄錢。」唐 王昌齡 別劉謂詩：「天地寒更雨，蒼茫楚城陰。」世說新語 文學：「鄭玄（康成）家奴婢皆讀書。嘗使一婢不稱旨，將撻之，方自陳說。玄怒，使人曳箸泥中。須臾，復有一婢來，問曰：『胡為乎泥中？』答曰：『薄言往愬，逢彼之怒。』」上引對話，前者出自詩經 邶風 式微，後者語出邶風 柏舟。康成婢，即鄭玄家的婢女。婢，ㄅㄧˋ。女僕。

④一語……多　單單這麼一句「胡為乎泥中」，就該大加讚賞了。一語泥中，指來婢的問話；詳前注。亦，就。論語 學而：「有子曰：『信近於義，言可復也。恭近於禮，遠恥辱也。因不失其親，亦可宗也。』」足多，完全可以稱美。謂實該大加讚賞。史記 遊俠列傳 序：「今遊俠，其行雖不軌於正義，然其言必信，其行必果，已諾必誠，不愛其軀，赴士之厄困，既已存亡死生矣，而不矜其能，羞伐其德，蓋亦有足多者焉。」

## 一〇六、雪夜入蔡州　　蔡振豐

**一天風雪令初申①，入蔡兵機捷比神②。太息軍聲來驀地③，敵營尚有擁眠人④。**

### 【析韻】

申、神、人，上平、十一真。

### 【釋題】

舊唐書 李愬傳：「愬乘其無備，（元和十二年）十月，將襲蔡州。……是日，陰晦而雪，大風裂旆，馬慄而不能躍，士卒苦寒，抱戈僵僕者道路相望……諸將請所止，愬曰：『入蔡州取吳元濟也。』……自張柴行七十里，比至懸瓠城，夜半，雪愈甚。近城有鵝鴨池，愬令驚擊之，以雜其聲。賊恃吳房、朗山之固，晏然無一人知者。李祐、李忠義坎墉而登，敢銳者從之，盡殺守門卒而登其門，留擊柝者。黎明，雪亦止，愬入，止元濟外宅，蔡吏告元濟曰：『城已陷矣。』……」李愬（七七三—八二一）。唐臨潭（今甘肅臨潭縣，昔稱洮州）人。字元直。父李晟。有謀略，善騎射。元和中，藩鎮割據。十年，淮西節度使吳元濟反，朝廷遣裴度宣慰淮西行營，以愬為鄧州節度使，率兵討伐。十二年，愬師雪夜襲蔡，生擒元濟，淮西平，以功封涼國公。蔡州，今河南汝南縣。

**【注解】**

①一天……申　整天風雪交加，指令剛剛發布。一天風雪，一天，整天。成天。兒女英雄傳第一回：「又有幾家親友子弟，因他的學問高深，都送文章請他批評改正，一天也都沒些空閑。」風雪，暴風和（大）雪交相來襲。令，指令。上對下的所發布的指示性諭告或文書。初，ㄔㄨ。始，開端。在此，引申作「甫」、「剛剛」解。申，申令。意即發布。宣布。

②入蔡……神　進取蔡州的用兵計謀，何其神速。由外而內曰入。入蔡謂進取蔡州。蔡州，詳釋題。兵機，用兵的計謀。吳子圖國：「吳起儒服以兵機見魏文侯。」前漢書平話卷上：「見班部中蕭何奏曰：『陳稀兵機深厚，謀計多能，不在韓信之後，有鬼神之機。在朝將相，盡皆老矣……我王聖鑒，欲擒陳稀，除非韓信也。』」捷比神，捷同神，猶言神速。比，齊同、等同。

③太息……地　唉！部隊喧鬧不停，多麼意外。太息，參卷一、八、注③。軍聲，指入蔡部旅的吵嚷聲。清方文（一六一二—一六六九）泊紫沙州詩：「醉餘一覺纔安枕，又聽軍聲

四面譁。」餘參本首釋題。驀地，亦作「驀的」。出乎意料地。突然。朱子語類卷六七：「若不尋得一箇通路，只驀地行去，則必有礙。」驀，ㄇㄛˋ。

④敵營……人　叛軍營帳裏，還有擁被而眠的人呢！敵營，指叛將吳元濟所勒軍士的營帳。尚有，還有。擁眠人，擁被而眠的人。

## 一〇七、薛濤箋

蔡振豐

小采深紅好寫題①，校書雅製價非低②。可憐命薄同於紙③，門巷枇杷老碧鷄④。

**【析韻】**

題、低、鷄，上平、八齊。

**【釋題】**

唐元和初，薛濤在西川（今四川西部），居百花潭（今成都錦江南岸），好製小詩，惜紙幅大，不欲長而有賸，乃命匠人造彩色小箋。時人名為薛濤牋。牋，ㄐㄧㄢ。本作「箋」；古作「椾」。薛濤（七六八—？）唐女妓，字洪度。本長安良家女，隨父鄖宦蜀。父卒，因家貧而入樂籍。濤熟諳音律，工詩詞。韋皋鎮蜀，召其侍酒賦詩，稱女校書，出入幕府，經十一鎮，皆以能詩受知。其間與之唱和者有元稹、白居易、杜牧等，均當世詩人名士。晚年居成都浣花溪，着女冠服。太和（八二七—八三五）中卒，段文昌為撰墓誌，碑題「西川女校書薛洪度之墓」。文獻通考經籍七十著錄薛洪度詩一卷。

**【注解】**

①小采……題　稍作染色，呈現深紅，方便寫字、題詩。小采，稍加著色。略作染色。小，ㄒㄧㄠˇ。稍。略。孟子盡心下：「其為人也，小有才。」舊唐書朱泚傳論：「小不如意，別懷異圖。」采，ㄘㄞˇ。彩色。在此，作動詞使用，作「着（色）」、「染（色）」等解。深紅，形容顏色。好寫題，好寫字、好題詩。好，形容方便。

②校書……低　妳，高尚脫俗、質地精美的成品，聲價很高。校書，代稱薛濤。餘詳釋題（後段）。雅製，高尚脫俗、質地優美的成品。「雅製」，本作典範的體格法式解。或泛指雅正的式樣。文心雕龍體性：「故童子雕琢，必先雅製，沿根討葉，思轉自圓。」北宋李上交（？—？）近事會元卷一：「開元以來，文官仕任（伍）多以紫皁官絁為頭巾、平頭子，相效為雅製。」聲價，名譽身價。在此，形容馳名且價昂。北齊顏之推顏氏家訓名實：「夫神滅形消，遺聲餘價，亦猶蟬殼蛇皮，獸迒鳥迹耳。」南朝梁江淹別賦：「方銜感於一劍，非買價於泉裏。」不低，（很）高。

③可憐……紙　引人同情啊！妳的命運不濟，就跟紙一樣單薄。可憐，參考卷一、九、注④。命薄，命運不濟。隋薛道衡昭君辭：「專由妾命薄，誤使君恩輕。」唐李商隱屬疾詩：「多情真命薄，容易即迴腸。」薄，表示不好的程度。餘參考卷三、四七、注⑤。

④門巷……鶏　晚年終老碧鷄坊萬里橋邊枇杷巷。貞元年間（七八六—八〇五）劍南節度

使韋皋（七四五—八〇五）對薛濤情辭清麗，大為激賞，一度有意奏請朝廷，任渠為校書郎，參預幕府；時曾賦七絕一首贈濤：「萬里橋邊女校書，枇杷花下閉門居；掃眉才子知多少？管領春風總不如！」（榮按：有謂上引絕句係王建或胡曾所作。）碧鷄，碧鷄坊的省詞，在今成都市內。古成都有坊一二〇。第四曰碧鷄坊。唐 杜甫 西郊詩：「時出碧鷄坊，西郊向草堂。」北宋 蘇軾 次韻蔣穎叔凝祥池詩：「似知金馬客，時夢碧鷄坊。」南宋 陸游 病中久止酒有懷成都海棠之盛詩：「碧鷄坊裏海棠時，彌月兼旬醉不知。」

## 一〇八、陳橋驛

鄭兆璜

為漢興師終激變①，黃袍竟自換征衫②。陳橋亦有循環報③，崖海孤軍一字帆④。

【析韻】

衫、帆，下平、十五咸。

【釋題】

宋史 太祖本紀：「（後周 顯德）七年（九六〇）春，北漢結契丹入寇，命出師禦之。次陳橋驛，軍中知星者苗訓引門吏楚昭輔視日下復有一日，黑光摩盪者久之。夜五鼓，軍士集驛門，宣言策點檢為天子，或止之，眾不聽。遲明，逼寢所，太宗入白，太祖起。諸校露刃列于庭，曰：『諸軍無主，願策太尉為天子。』未及對，有以黃衣加太祖身，眾皆羅拜，呼萬歲，即掖太祖乘馬。」陳橋驛在今河南開封東北。

**【注解】**

①為興……變　為抵禦北漢來犯而舉兵，竟發生急劇地變化。為，ㄨㄟˋ。為了。漢，北漢。十國之一，計三主、廿八年（九五一－九七九）。至太宗太平興國四年（九七九）御駕親征，英武帝劉繼元降，北漢亡。興師，舉兵。起兵。詩秦風無衣：「王于興師，脩我戈矛，與子同仇。」北宋蘇軾代張方平諫用兵書：「興師十萬，日費千金。」終，謂事物的結局。與「始」相對。詩大雅蕩：「靡不有初，鮮克有終。」文心雕龍章句：「原始要終，體必鱗次。」激變，因刺激而生急劇性的變化（如變亂等是）。明劉若愚酌中志遼左棄地：「撫鎮果行文招徠。居民安土重遷，幾至激變。」清邵長蘅守成行紀時事也事在己亥六月：「即防此輩易激變，盜賊往往皆良民。」

②黃袍……衫　自個兒將戎裝更易成黃袍。黃袍，黃色的長衣，隋以後漸成為皇帝的專用服，士庶禁止穿著。竟自，自管自。直接。初刻拍案驚奇卷六：「打滅燈火，拽上了門，竟自歸家。」清李漁慎鸞交贈妓：「他是青樓女子，小弟可以相留；如今既屬吾兄，就是朋友之妾了，一刻不容再住，竟自送歸宅上便了。」換，更易。墨子備城門：「寇在城下，時換吏卒署。而毋換亓養。」征衫，猶云征袍。出征戰士所著戰服。北宋司馬光涑水記聞卷一：「太祖警起，出視之，諸將露刀羅立于庭，曰：『諸軍無主，願奉太尉為天子。』太祖未及答，或以黃袍加太祖之身，眾皆拜于庭下，大呼稱萬歲，聲聞數里。」餘

參釋題。

③陳橋……報　陳橋兵變也是有因果報應。陳橋指陳橋（驛）兵變。餘參釋題。循環，本謂往復迴旋。報，報應。後世的禍福窮富……種因於前世所作所為，曰報應。又分現世報、來世報。

④崖海……帆　崖山海濱，只餘留孤立無援的些許勤王軍士和稀稀疏疏排成「一」字形的水師船舶。崖山，本作厓山。亦稱厓山門。在廣東新會縣南大海中。與湯瓶嘴對峙如門，形勢險要。南宋紹興年間，於此處置厓山寨，為扼守南海的門戶，亦為南宋抗元的最後據點。祥興二年（一二七九）二月，張世傑兵潰，陸秀夫負帝昺於此沉海。（宋史列傳忠義六、陸秀夫。）孤軍，孤立無援的軍隊。後漢書呂布傳：「布妻曰：『昔曹氏待公臺為赤子，猶舍而歸我，今將軍厚公臺不過於曹氏，而欲委全城，捐妻子，孤軍遠出乎？』」南宋朱熹聞廿八日報喜而成詩之三：「雪擁貂裘一馬馳，孤軍左袒事難期。」清閻爾梅（一六〇三—一六七九）題余闕祠詩：「死守七年經百戰，孤軍終不樹降旗。」一字，謂物形如一字者。唐白居易二月二日詩：「輕衫細馬春年少，十字津頭一字行。」

宋太祖（趙匡胤，公元927-976年）

吳融（？—九〇三）新雁詩：「數聲飄去和秋色，一字橫來背晚暉。」水面上排列如「一」字的水師船舶，稱一字帆。

## 一〇九、陳摶墜驢

蔡振豐

長睡纔醒鼎革忙①，希夷一笑卜興王②。墜驢即是騎驢地③，居士湖西十里塘④。

**【析韻】**

忙、王、塘，下平、七陽。

**【釋題】**

北宋王偁（？—？）東都事略卷一一八：「（陳摶）嘗乘白驢，欲入汴，中途聞太祖登極，大笑墜驢，曰：『天下於是定矣。』」邵伯溫（一〇五七—一一三四）邵氏聞見錄卷七：「（陳摶）嘗乘白騾，從惡少年數百，欲入汴州。中途聞藝祖登極，大笑墜騾，曰：『天下於是定矣。』」陳摶（？—九八九）。北宋真源（今河南鹿邑縣）人。字圖南。五代後唐長興中舉進士不第。先後隱居武當山、華山，自號扶搖子，宋太宗賜號希夷先生。摶有先天圖，數傳而為周敦頤之太極圖，渠為兩宋象數學之祖，著有指玄篇，言導養、還丹諸事。宋史有傳（隱逸上）。摶，ㄓㄨㄢ。古「專」字。書舜典：「歸，格于藝祖，用特。」傳：「藝，文也。」疏：「才藝文德，其義相通，故藝為文也。文祖、藝祖，史變文耳。」後代帝王因以藝祖為太祖之通稱。如唐高祖（李淵）、宋太祖（趙匡胤）、金太祖（阿骨打）……皆有藝祖之稱。驢，ㄌㄩˊ。學名Equus asinus。哺乳綱，馬科。體較馬小，耳長，尾根毛稀，尾端似牛尾。被毛灰、褐或黑色，背灰、褐，肩、四肢恆見暗色條紋，眼黑，嘴、腹每被淡色毛。僅前肢有附蟬。性溫馴、富耐力，頗執拗。耐粗食、耐熱，抗病力強，壽齡較馬長。多用於乘、挽、馱與拉磨用。騾，ㄌㄨㄛˊ。本作「驘」。俗稱馬騾。學名**Equus asinus x Equus caballus orientalis**。公驢與母馬交配所生的種間雜種。體形偏似馬，發聲近驢。頸上緣毛、尾毛與耳長，介於馬、驢之間。蹄小、踵高且堅實，四肢筋腱強韌，背、肩及四肢中部恆見暗色條紋。耐粗食、耐勞，抗病強，挽力大且持久。壽齡長於馬、驢。一般無生殖力，多作挽、馱用。綜上所述，陳摶騎驢之可能性較高。元張憲（？—？，天曆，洪武間人）陳橋行詩：「陳橋亂卒不擁馬，撫掌先生肯墜驢。」明袁宏道希夷避詔岩詩：「一枕孤雲分外清，墜驢歸去有無情。」清王夫之初度日占詩（之六）：「陳摶驢背笑難禁，龔勝船頭餓稱心。」

**【注解】**

①長睡……忙　睡了很久，方才起身下床；改朝換代未免太匆匆。「陳摶……每寢處，多百餘日不起。」（宋史隱逸傳上、王偁東都事略卷一一八均載）。長，ㄔㄤˊ。指時間相隔距離大。孫子虛實：「日有短長，月有死生。」纔，方才。剛剛。醒，ㄒㄧㄥˇ。結束睡眠狀態。鼎新革故，省作「鼎革」。多用以指改朝換代或朝政變革。唐徐浩（七〇三—七八二）謁禹廟詩：「鼎革固天啟，運興匪人謀。」明徐復祚（一五六〇—？）投梭記渡江：

「朝廷多故，須知鼎革天之數。」忙，急促。唐 李咸用（？—？，晚唐人）題陳正字山居詩：「幾日憑欄望，歸心自不忙。」

②希夷……王　希夷啊！您粲然哈哈大笑，預測新立的帝王。希夷，陳摶的字號，餘詳釋題。一笑，短暫地哈哈大笑。一，表短暫。宋書 戴顒傳：「（王）綏曰：『聞卿善琴，試欲一聽。』」三國演義第一〇六回：「（李）勝曰：『乞紙筆一用。』」卜興王，預測新立的皇帝。卜，預測。古人用火灼龜甲取兆，以預測吉凶，曰卜。書 洛誥：「我乃卜澗水東，瀍水西，惟洛食。」傳：「必先墨畫龜甲，然後灼之，兆順食墨。」而後，以其他方式預測未來，亦稱作「卜」。興，ㄒㄧㄥ。起身。引申作「新立」解。興王，新立的帝王。

③墜驢……地　從驢背上掉下來的地方，就是您騎毛驢的地方。墜驢，從驢背上掉下來。墜，ㄓㄨㄟˋ。落下。指掉到地面。

④居士……塘　居士！您不正隱居在湖西十里塘嗎？居士，未作官的士人。韓非子 外儲左上：「齊有居士田仲者，……」禮記 玉藻：「居士錦帶，弟子縞帶，并紐約用組。」在此，用以指稱陳摶。湖西十里塘，摶隱居處之一。

## 一一〇、陳摶墜驢

施廷俊

河山驢背已全非①，一墜呵呵寄意微②。終是仙人多伎倆③，南山更有倒騎歸④。

**【析韻】**

非、微、歸，上平、五微。

**【釋題】**

同前首，略。

**【注解】**

①河山……非　河川、山脈、驢背，已經完全不一樣了。河山，詳參卷二、卅六、注④。已全非，已經完全不一樣了。已，表示時間，指過去。全，表示範圍、空間。非，謂改變，不同於原樣。三國魏曹丕與朝歌令吳質書：「節同時異，物是人非。」北宋賀鑄烏江東鄉往還馬上作詩：「殘日兩竿荒戍遠，青山滿眼故園非。」

②一墜……微　意外地摔下來、呵呵一笑，您寄托著精妙幽深的心意。一墜，意外地落地。一，表事出意外。史記范雎列傳：「范叔一寒至此哉？」呵呵，ㄏㄜ ㄏㄜ。笑聲。晉書石季龍載記下：「宣乘素車，從千人，臨韜喪，不哭，直言呵呵，使舉衾看屍，大笑而去。」唐寒山（生卒年籍里均不詳）詩之五六：「含笑樂呵呵，啼哭受殃抉。」寄意，寄托心意。東晉陶潛癸卯歲十二月中做與從弟敬遠詩：「寄意一言外，茲契誰能別。」微，幽深、精妙。易繫辭下：「君子知微知彰，知柔知剛。」漢書匈奴傳揚雄上書：「臣聞六經之治，貴於未亂；兵家之勝，貴於未戰；二者皆微。」

③終是……倆　到底是仙人，有的是點子！終是，到底是。仙人，神話中長生不老的人。古

詩十九首之十五：「仙人王子喬，難可與等期。」此處，用以代稱陳摶。多，超出。伎倆，ㄐㄧˋ ㄌㄧㄤˇ。技能。三國魏劉紹（？—？，建安正始間人）人物志上流業：「蓋人流之業，十有二焉，……有伎倆。」注：「錯意工巧。」

④南山……歸　終南山還有逆乘而返的人呢！南山，本名終南山，簡稱終南，秦嶺主峰之一，在今陝西西安市南。古名中南山、地肺山、太一山、周南山，又泛稱秦嶺秦山。詩秦風終南：「終南何有？有條有梅。」書禹貢：「終南惇物，至於鳥鼠。」皆指此山。更有，參考卷六、一〇五、注③。倒騎，逆乘。意謂面朝（驢）尾而騎。北宋潘閬（？—一〇〇九）過華山詩：「高愛三峯插太虛，帚頭吟望倒騎驢。（榮按：一作「回頭仰望倒騎驢」。）旁人大笑從他笑，終擬移家向此居。」歸，返、回。左傳僖公一五年：「秦獲晉侯以歸。晉大夫反首拔舍從之。秦伯使辭焉。」西漢武帝秋風辭：「秋風起兮白雲飛，草木黃落兮雁南歸。」

## 一一一、陳摶墜驢　施天鈞

閒從禿尾理鞭絲①，墜地仙人笑亦奇②。一跌已知天下定③，江山馬上讓香兒④。

**【析韻】**

絲、奇、兒，上平、四支。

【釋題】

詳本卷、一〇九。

【注解】

①閒從……絲　一有空，就從毛既稀疏又少的驢尾開始整治出遊的行頭。閒，ㄒㄧㄢˊ。亦作「閑」。閑暇。楚辭屈原九歌湘君：「交不忠兮怨長，期不信兮告余以不閒。」王逸注：「閒，暇也。」從，自……。禿尾，尾毛疏而短。北史楊愔傳：「愔曰：『卿前在元子思坊騎禿尾草驢，經見我不下，以方麴障面，我何不識卿？』漫漢驚服。」理，整治。鞭絲，借指出游。餘參考卷六、一〇三、注③。

②墜地……奇　摔到地上的您，笑得多怪異。墜地，掉落在地上。餘參卷六、一〇九、注③。仙人，詳前首注③。亦，猶云多（麼）。唐杜甫寄從孫崇簡詩：「牧豎樵童亦無賴，莫令斬斷青雲梯。」奇，怪異。特異。莊子知北遊：「是其所美者為神奇，其所惡者為臭腐。」

③一跌……定　失足倒下的那一剎那，已經知道全國又將統一了。跌，ㄉㄧㄝˊ。失足倒下。西漢陸賈（？—？，高祖、文帝間人）新語輔政：「任杖不固則仆。……（秦）以趙高李斯為杖，故有傾仆跌傷之禍。」天下，詳卷二、卅一、注③。定，猶云統一。餘詳本卷、一〇九、釋題。

④江山……兒　政權即刻就要拱手讓人了。江山，引申作「政權」解。餘參考卷二、三十、

注③。馬上，參卷六、一〇二、注③。讓，意謂將好處給予別人。呂氏春秋 行論：「堯以天下讓舜。」高誘注：「讓，猶予也。」唐 韓愈 鳳翔隴州節度使李公墓誌銘：「太傅薨，公兄弟讓嗣，公竟棄其家自歸京師。」唐 朱揆（一作逵，大曆中處士）釵小志：「元載妓薛瑤英，幼以香屑，親飲啖之，長而肌香，故名香兒。」榮按：趙匡胤（九二七—九七六），原為後周殿前都點檢，領宋州 歸德軍節度使。顯德七年（九六〇）正月，發動陳橋兵變，取代後周（恭帝）而有天下。作者以香兒隱指匡胤，寓有諷意也。

## 一一二、杯酒釋兵權

鄭 以 庠

數杯堪抵犒師牛①，外重兵權笑語收②。除卻五朝藩鎮禍③，折衝樽俎亦風流④。

【析韻】

牛、收、流，下平、十一尤。

【釋題】

建隆二年（辛酉、九六一）七月，宋太祖既滅李筠、李重進。一日，召趙普問曰：「自唐末以來幾十年，帝王共易八姓，戰鬥不息，人民死亡，原因何在？吾欲停息戰鬥，使國家長治久安，有何良策？」普曰：「陛下言及此，天地人神之福也。並無他故，方鎮權力太大，君弱臣強而已。今欲治之，只有奪方鎮之權，控制其錢糧，收其精兵，天下自安矣。」時，石守信、王審琦，皆太祖故交，各領禁衛。趙普語太祖，請授以他職，太祖曰：「彼等必不叛，卿何憂？」普曰：「臣亦不憂其叛。然觀數人，皆非統御才，恐不能制伏其下。萬一部下作孽，彼等亦不得自由耳。」太祖悟。于是，召石守信等飲，酒酣，屏左右謂曰：「我非爾曹力，不及此。然天子亦甚艱難，不如為節度使之樂，吾終夕未嘗高枕而臥。」守信等請（問）其故，太祖曰：「是不難知，誰不欲居此位？」守信等頓首曰：「陛下何為出此言？今天下已定，誰敢復有異心？」太祖曰：「卿等如此，假令部下有欲富貴者，一旦以黃袍加汝身，汝欲不為，豈可得乎？」守信等頓首涕泣曰：「惟陛下哀矜，指示可生之途。」太祖曰：「卿等何不釋去兵權，出守大藩，擇便好田宅市之，為子孫立永遠之業；多致歌兒舞女，日飲酒相歡以終其天年。朕且與卿等約為婚姻，君臣之間，兩無猜疑，上下相安，不亦善乎？」明日，皆稱疾請罷，太祖從之。以石守信為天平節度使、高懷德為歸德節度使、王審琦為忠正節度使、張令鐸為鎮寧節度使，均罷軍職。殿前副點檢自是亦不復除。開寶二年（己巳、九六九）十月，太祖宴藩臣於後苑，謂之曰：「卿等久臨劇鎮，非所以優賢。」於是鳳翔節度使王彥超等皆罷為諸衛上將軍。（資料來源：宋史 太祖本紀、趙普列傳與涑水記聞等。）

釋，ㄕˋ。放（棄）。捨去。書 多方：「開釋無辜，亦克用勸。」

**【注解】**

①數杯……牛 幾杯酒，竟可以抵過勞軍的牛隻。數杯，幾杯酒。堪，ㄎㄢ。可以。能夠。書 多方：「性爾多方，罔堪顧之。」北魏 賈思勰（？—？）齊民要術 種桑柘：「三年，

間剷去，堪為渾心扶老杖。」紅樓夢第六六回：「我正有一門好親事，堪配二弟。」抵，ㄉㄧˇ。值。相當。比。唐 杜甫 春望詩：「烽火連三月，家書抵萬金。」北宋 王安石 寄致政吳虞部詩：「年抵馮唐初未半，才方疏廣豈能多。」全元散曲 天淨沙：「西風塞上胡笳，月明馬上琵琶，那抵昭君恨多。」犒師，以酒食財物慰勞軍隊。西漢 揚雄（前五三—一八）法言 修身：「如刲羊刺豕，罷賓犒師，惡在犁不犁也。」金 元好問 東平賈氏千秋錄後記：「公命老幼婦女乘城，悉兵東下，鉦鼓之聲聞數十里，游騎為之宵遁，晉安獻牛酒犒師。」

②外重……收　賦予地方過大的軍事指揮權，談笑之間，一一解決。外，指「地方」言。重，形容權柄大，有逾常情。兵權，掌控、指揮軍隊的權力。唐 韓愈 次潼關上都統相公詩：「暫辭堂印執兵權，盡管諸軍破賊年。」笑語，亦作「笑語」。談笑。說笑。詩 小雅 楚茨：「禮儀卒度，笑語卒獲。」唐 賈島 喜雍陶至詩：「今朝笑語同，幾日百憂中。」收，ㄕㄡ。收回。韓非子 和氏：「不如使封君之子孫三世而收爵祿……以奉選練之士。」在此，引申作「解決」。

③除卻……禍　除去五代以來，地方割據的人為災殃。除卻，除去。五朝，猶云五代。梁、唐、晉、漢、周，合稱五代（九〇七—九六〇）。榮按：唐初於重要各州設都督府，睿宗時設節度大使，玄宗朝復於邊境置十節度使，通稱藩鎮。各藩鎮掌理一個地區的軍政，而後權力逐漸擴大，並兼管民政、財政，既掌控全部軍政，遂形成地方割據且與朝廷對抗。

中唐以後惡化，五代尤烈。禍，災殃。

④折衝……風流　未動用武力；於酒宴對談中，說服對方，取得預期的成果，也算是一位傑出不凡的人物呀！折衝樽俎，語本戰國策 齊策五：「此臣之所謂比之堂上，禽將戶內，拔城於尊俎之間，折衝於席上者也。」西晉 張協（？—？，永嘉中仍健在）雜詩之七：「何必操干戈，堂上有奇兵，折衝樽俎間，制勝在兩楹。」餘參釋題。風流，傑出不凡的人物。晉書 劉毅傳：「六國多雄士，正始出風流。」敦煌曲子詞 感皇恩一：「朱紫盡風流，殿前卿相對，列諸侯，叫呼萬歲願千秋。」

## 一一三、林處士梅　　陳懷澄

**玉骨珊珊絕粉泥①，枝頭鶴子自雙棲②。而今不作調羹用③，合喚孤山處士妻④。**

【析韻】

泥、棲、妻，上平、八齊。

【釋題】

北宋 沈括（一〇三〇—一〇九四）夢溪筆談 人事二：「林逋隱居杭州 孤山，常畜兩鶴，縱之則飛入雲霄，盤旋久之，復入籠中。逋常泛小艇，遊西湖諸寺，有客至逋所居，則一童子出應門，延客坐，為開籠縱鶴，良久，逋必棹小船而歸，蓋嘗以鶴飛為驗也。」明 田汝成（？—？，弘治、嘉靖間人）西湖遊覽志卷二：「放鶴亭在孤山之北。嘉靖中，錢塘令王錢作，其巔有歲寒岩，其下有處士橋。先是，至元間，儒學提舉余謙即葺處士之墓，復植梅數百本於山，構梅亭於其下。郡人陳子安以處士無家，妻梅而子鶴，不可偏舉，乃持一鶴，放之孤山，構鶴亭以配之。」清 吳之振（一六四〇—一七一七）輯宋詩鈔 和靖詩鈔 序：「林逋（九六七—一〇六），字君復，杭之錢塘人，少孤，力學，刻志不仕，結廬西湖 孤山。……時人高其志識，賜謚和靖先生。逋不娶，無子，所居多植梅畜鶴。泛舟湖中，客至，則放鶴致之，因謂梅妻鶴子云。」宋史卷四五七列於隱逸傳。逋，ㄅㄨ。元 張翥（一二八七—一三六八）多麗西湖泛舟夕歸詞：「自湖上愛梅仙遠，鶴夢幾時醒？」詹正（？—？）齊天樂 贈童甕天：「吹香弄碧。有坡柳風情，逋梅月色。」明 袁宏道 代廣陵姬用前韻詩：「梅花終作處士妻，海棠暫試詩人目。」清 黃景仁（一七四九—一七八三）臘月廿五日飲翁學士寶蘇齋詩：「妻梅謾語如何憑，清供家山問誰錄？」

**【注解】**

①玉骨……泥　枝幹高潔飄逸，摒棄了粉和泥。玉骨，梅枝幹的美稱。唐 馮贄（？—？，後唐 天成間仍在世。）雲仙雜記卷二：「袁豐居宅後，有六株梅……豐歎曰：『煙姿玉骨，世外佳人，但恨無傾城笑耳。』即使妓秋蟾出比之。」金 段成已（一一九九—一二七九）嗅梅詩：「玉骨那愁瘴霧傷，好將經卷伴南荒。」清 納蘭性德 眼兒媚 詠梅詞：「冰肌玉骨天分付，兼付與凄涼。」珊珊，ㄕㄢ ㄕㄢ。高潔飄逸貌。清 袁枚 隨園詩話卷

一引（清）奇麗川 和高清邱梅花：「珊珊仙骨誰人近，字與林家恐未真。」張詡（？—？）摸魚兒 吳門喜晤夢華詞：「堪喜處，是仙骨珊珊，久脫風塵苦。」絕，摒棄。唐 韓愈 謝自然詩：「繁華榮慕絕，父母慈愛捐。」

②枝頭……棲　當然和枝頭上的鶴，一塊兒住下。自，自然。老子：「我無為而民自化，我好靜而民自正。我無事而民自富，我無欲而民自樸。」雙棲，共棲止。多用以喻夫妻、朋友情篤。

③而今……用　現在，不必為打理三餐傷腦筋。調羹，本義調和羹湯；泛指烹調。清 黃遵憲 歲暮懷人詩之卅四：「兩兩鴛鴦挾鳳雛，調羹食性各諳姑。」用，出力。效勞。商君書 靳令：「六蝨成羣，則民不用。」

④合喚……妻　應該稱呼妳是孤山處士妻。餘詳釋題。

梅妻鶴子

## 一一四、林處士梅

林次湘

一枝高占嶺頭春①，雪裏丰姿月下神②。卿信有緣兒有福③，孤山長得伴詩人④。

【析韻】

春、神、人，上平、十一真。

【釋題】

同前首，略。

【注釋】

①一枝……春　獨自高高地據有山峯上的春色。一枝，指梅樹言；猶云獨自。高，表示縱的距離。占，據有。嶺頭，山峯。春，春色。北朝魏陸凱（？—五〇四？）贈范曄詩：「折梅逢驛使，寄與隴頭人。江南無所有。聊寄一枝春。」

②雪裏……神　雪地裏，風度高雅、儀態端正；月光下，飄逸脫俗、宛若女神。丰姿，風度儀態。太平廣記卷三三一引唐牛肅紀聞道德里書生：「有貴主，年二十餘，丰姿絕世。」聊齋志異羅刹海市：「（馬驥）美丰姿，少倜儻，喜歌舞。」神，神仙。在此，喻為女神。

③卿信……福　你深信彼此投緣；鶴兒感到擁有幸福。卿，指梅樹言，予以擬人化，故稱。

兒，指所畜鶴。緣，因緣、定分。南朝宋謝靈運還舊園作見顏范二中書詩：「長與懽愛別，永絕平生緣。」玉臺新詠古詩為焦仲卿妻作：「下官奉使命，言談大有緣。」富貴壽考、健康安寧、吉慶如意，全備圓滿皆謂之福。在此，作「幸福」解。

④孤山……人　在孤山的湖濱，長期與詩人為伴。詩人，指林逋，餘詳前首釋題。

## 一一五、梅花處士

陳濬芝

**觸目梅花手自題①，那知品望艷朋儕②？尚書我亦推紅杏③，第一春風小宋齊④。**

**【析韻】**

題、齊，上平、十二齊。

**【釋題】**

梅花處士，指北宋林逋。清龔自珍己亥雜詩之二四五：「牡丹絕色三春暖，豈是梅花處士妻？」餘詳本卷、一一三、釋題。

**【注解】**

①觸目……題　雙眼所看見的梅花，都經他一一親手品題。觸目，參考卷六、一〇三、注②。

②那知……儕　怎麼知道她的品質、姿態……冠絕眾梅？那，ㄋㄚˇ。今亦作「哪」。怎麼。品望，本謂人品聲望。在此，應作「品質、姿態、聲價」解為妥。艷，ㄧㄢˋ。本作「豔」，

又作「豔」、「艷」。照耀；炫惑。引申作「冠絕」。朋儕，朋輩。同輩的友人。在此，指眾梅。

③尚書……杏　（這）我也一樣薦舉紅杏尚書。推，薦舉。北宋詞人宋祁（九九八—一〇六一）字子京，渠任工部尚書時，曾作玉樓春　春景詞一闋，上闋云：「東城漸覺風光好，縠皺波紋迎客棹。綠楊煙外曉寒輕，紅杏枝頭春意鬧。」時人張先因此戲稱子京為紅杏枝頭春意鬧尚書，簡稱紅杏尚書。苕溪漁隱叢話前集　張子野：「遯齋閑覽云：張子野郎中以樂章擅名一時。宋子京尚書奇其才，先往見之。遣將命者謂曰：『尚書欲見雲破月來花弄影郎中乎？』子野屏後呼曰：『得非紅杏枝頭春意鬧尚書邪？』遂出，置酒盡歡。蓋二人所舉，皆其警策也。」

④第一……齊　最得意的人，莫過於小宋啊！第一，表「最」、「極」等意思。春風，春風得意的省詞。小宋，指宋祁。祁兄庠（九九六—一〇六六），昆仲同舉進士，祁試禮部第一名，時太后以弟不可先兄，仍改以庠第一。齊，適中。管子　正世：「治莫貴於得齊。制民急則民迫……緩則縱。」淮南子　詮言訓：「善博者不欲牟，……平心定意，捉得其齊。」

## 一一六、狄武襄元夜奪崑崙關

陳濬芝

虛筵破敵仗奇才①，第一功名宋代推②。三鼓未終師已捷③，笙歌半雜凱歌來④。

**【析韻】**

才、推、來，上平、十灰。

**【釋題】**

北宋 仁宗 皇祐五年（癸巳、一〇五三）正月，狄青合孫沔、余靖兵自桂州（今廣西 貴縣）至濱州（今廣西 賓陽）。張忠等皆以輕敵敗死，軍聲大沮。青號令極嚴，斬不用命者陳曙等，諸將股慄。青按兵不動，更令調十日糧，眾莫測；翼（翌）日，青進軍，以一晝夜絕崑崙關（今廣西 賓陽東南）。時值上元節，青大宴將士；智高軍諜知青宴樂，不為備。是夜，大風雨，青已度關，遂出歸仁鋪（今廣西 南寧東北）為陣。智高軍悉出逆戰。青揮蕃落騎兵擊之，大敗智高軍。智高復趨邕州（今廣西 南寧）。宋軍追奔五十里，捕斬數千級，其黨黃師宓等死者五十餘人。智高夜縱火燒城遁，由合江入大理國（今雲南）。蕃落，外族部落。蕃同「番」。狄青（一〇〇八—一〇五七）宋 汾州 西河（今山西 臨汾縣西）人。字漢臣。行伍出身，自士兵而累遷為大將，頗見重於范仲淹並教以兵法，渠始勤於讀書；平生前後二十五戰，以皇祐五年上元夜襲破崑崙關之戰最著名。卒謚武襄。（資料來源：宋史卷二九〇列傳四十九）詩題所稱「元夜」，係「上元夜」之省詞。上元，陰曆正月十五，俗稱元宵。

**【注解】**

①虛筵……才　憑藉特異的用兵才能：佯宴飲，敵軍不疑、寇心鬆弛。夜半行軍，出其不意，

攻其不備，克敵至勝。虛筵，本謂空著座位等候。表示尊賢。在此，申引作佯辦筵會、酒席，賺取匪徒不為備。破敵，擊敗敵軍。史記 范睢蔡澤列傳：「奪魏公子印，安秦社稷，利百姓，卒為秦禽將破敵，攘地千里。」後漢書 應劭傳：「若令（鄒）清募鮮卑輕騎五千，必有破敵之效。」仗，ㄓㄤˋ。憑藉。依靠。韓非子 亡徵：「羣臣為學，門子好辯，商賈外積，小民右仗者，可亡也。」陳奇猷集釋：「仗，猶言依賴也。右仗，猶言尚依賴也。小民右仗，謂人主慕行仁義，而小民則尚依賴也。」唐 杜甫 送王十五判官扶侍還黔中詩：「離別不堪無限意，艱危深仗濟時才。」奇才，異常的才能。史記 商君列傳：「公孫鞅，年雖少，有奇才。」

②第一……推　有宋征戰，最輝煌的功勳，非你莫屬。第一，參考前首注④。功名，參卷三、五八、注①。宋代，指南、北宋。推，舉薦。

③三鼓……捷　尚未擊鼓三回，部隊已經贏得勝利。三鼓，三度擊鼓。古作戰，以擊鼓指示進軍，用鳴金明示收兵。左傳莊公十年：「齊人三鼓，……」南宋 楊萬里仲良見和再和謝焉詩：「吾才三鼓竭，君思九江寬。」師，謂我師。猶言我軍。捷，ㄐㄧㄝˊ。勝利，詩 小雅 采薇：「豈敢定居？一月三捷。」

④笙歌……來　（此刻，）合笙之曲和勝利之歌，正交互吹奏。笙歌，合笙之歌。禮記 檀弓上：「孔子既祥，五日彈琴而不成聲，十日而成笙歌。」唐 王維 奉和聖製十五夜然燈繼以酬客應制詩：「上路笙歌滿，春城漏刻長。」雜，混合。國語 鄭語：「先王以土與金、

木、水、火雜，以成百物。」凱歌，勝利之歌。西晉崔豹（？—？）古今注音樂：「短簫鐃歌，軍樂也……周禮所謂王大捷則令凱樂，軍大獻則令凱歌者也。」來，產生。發生。唐韓愈秋懷詩：「愁憂無端來，感歎成坐起。」

## 一一七、紅燭修史

鄭兆璜

**垂簾評史擁羣芳①，一炬搖搖走筆忙②。修到汾陽見盧杞③，也應紅粉撤雙行④。**

**【析韻】**

芳、忙、行，下平、七陽。

**【釋題】**

雜劇有椽燭修書。遠山堂劇品云：「南曲一折。宋子京燃椽燭，擁歌姬，修潤唐書，是一番極富麗景象，詞亦華美稱之。」北宋魏泰（？—？，宣和間猶在世。）東軒筆記：「子京晚年，知成都府，帶唐書在本任刊修。每宴罷，盥洗畢，開寢門垂簾，燃二椽燭，媵婢夾侍，和墨伸紙。遠近觀者，皆知尚書修唐書矣。」椽燭，如椽之燭。大燭也。明楊慎升庵詩話托物起興：「宋子京修唐書，爇二椽燭，妾媵夾侍，望之如神仙。」椽，ㄔㄨㄢˊ。置於桁條上架屋瓦之木條。椽燭，形容用燭粗且大也。媵婢，侍婢。妾媵，侍妾。媵，ㄊㄥˊ。宋祁（九九八—一〇六一）。北宋安陸（今湖北安陸縣）人。字子京。與兄庠同舉進士，試禮部第一名，太后以弟不可以先兄，乃改庠為第一。官至工部尚書。兩人皆以文名，時稱二宋，以大小為別。祁 玉樓春詞有「紅杏枝頭春意鬧」名句，世稱紅杏尚書。與歐陽修修唐書，修撰本紀、志、表，祁撰列傳，嘉祐五年書成，即今之新唐書。卒諡景文，宋史有傳。古今詞話：「宋景文遇張子野家。將命者曰：『尚書欲見雲破月來花弄影郎中？』子野內應曰：『得非紅杏枝頭春意鬧尚書耶？』」

## 【注解】

①垂簾……芳　放下簾子、分析批判史事，手還抱著好多位美女。垂簾，放下簾子。簾，障蔽門窗等用的竹製或布製家用品。清 王士禎 池北偶談 談異七李坤：「蔡以易卜，垂簾都門。」評史，分析批評史事，擁，參考卷三、五五、注③。羣芳，喻美女。紅樓夢第六三回回首：「壽怡紅羣芳開夜宴，死金丹獨豔理親喪。」

②一炬……忙　一根紅燭，燭焰晃來晃去；他正忙著運筆疾書。一炬，一根（紅）燭。炬，ㄐㄩˋ。蠟燭。南朝 梁 簡文帝 對燭賦：「綠炬懷翠，朱燭含丹。」搖搖，形容燭火動盪貌。大戴禮 武王踐阼：「若風將至，必先搖。」走筆忙，忙著運筆疾書。事多曰忙。唐 白居易 北窗三友詩：「興酣不疊紙，走筆操狂詞。」

③修到……杞　撰寫到郭子儀的事略，就知道盧杞這人的奸險無恥。意謂忠奸立即可以判定。修，撰寫。編纂。郭子儀（六九七—七八一）唐 華州 鄭（今陝西 華縣人）。玄宗時為朔方節度使，平安 史之亂，功第一。吐番 回紇分道來犯，子儀以數十騎出，免胄見

其大酋。回紇捨兵下馬而拜。遂與回紇會軍，破吐番。以一身繫時局安危者二十年。累官至太尉、中書令，封汾陽郡主。號尚父。世稱郭汾陽，亦稱郭令公。新、舊唐書有傳。見，知道。穀梁傳 僖公元年：「是齊侯與？齊侯也。何用見其是齊侯也。」盧杞（生卒年待考）字子良。唐 滑州 靈昌（今河南 滑縣西南人）。建中初，由御史中丞擢為相，陷害楊炎、顏真卿；專權自恣，排斥宰相張鎰。藩鎮叛亂，杞以籌軍資為名，收括財貨，繼又徵收間架、除陌之稅，怨聲滿天下。李懷光反，暴揚杞罪惡，貶死於澧州（今湖南 澧縣）。新舊唐書均列入姦臣傳。北宋 蘇洵（一〇〇九—一〇六六）辯姦論：「郭汾陽見盧杞曰：『此人得志，吾子孫無遺類矣。』」

④也應……行　又該到了吩咐美女分成兩列，一一離去的時候。紅粉，代稱美女。唐 李商隱 馬嵬詩之二：「冀馬燕犀動地來，自埋紅粉自成灰。」撤，ㄔㄜˋ。除去。引申作「離開」解。

## 一一八、鄭監門繪流民圖

吳　逢　清

欲罷青苗恨力孤①，傷心溝壑繪成圖②。先生代請蒼生命③，寫到顛連下淚無④？

**【析韻】**

孤、圖、無，上平、七虞。

【釋題】

宋史鄭俠傳：「自熙寧六年七月不雨，至於七年之三月，人無生意。……俠知（王）安石不可諫，悉繪所見為圖，奏疏詣閤門，……『臣謹以逐日所見，繪成一圖，但經眼目，已可涕泣，而況有甚於此者乎！』……疏奏，神宗反復觀圖，長嘆數四，袖以入。是夕，寢不能寐。」東軒筆記卷五：「熙寧六、七年，河東、河北、陝西大饑，百姓流移於京西就食者，無慮數萬，朝廷遣使賑恤。或云使者隱沒其數，十不奏一，然而流連襁負，取道於京師者，日有千數。選人鄭俠監安上門，遂畫流民圖，及疏言時政之失。」選人，後補官員也。鄭俠（一〇四一—一一一九）福清（今福建長樂）人。字介夫。初從學於王安石，後極力反對新法，撰有西塘集二十卷存世。監安上門，通作「監門」。宋時設六部監門官，以京朝官充任，掌部僚出入謁假事，謂之部門，亦稱門官。清沈德潛（一六七三—一七六九）晚秋雜興詩：「誰能師鄭監，繪圖達深宮。」楊中訥（？—？，康乾間人。）高郵道中書事詩：「空懷憂國長沙淚，難繪流民鄭俠圖。」

【注解】

①欲罷……孤　想停止施行青苗法，只怨自己力量單薄。欲，參卷一、十六、注②。罷，停止。論語子罕：「夫子循循然善誘人，博我以文，約我以禮，欲罷不能，既竭我才。」青苗，青苗法。北宋熙寧二年（一〇六九）王安石創青苗法。當青黃不接之際，官貸錢於民。正月放而夏斂，五月放而秋斂，納息二分。本名常平錢，民間稱青苗錢。（詳宋史

食貨志四）。恨，怨。參考卷二、廿六、注④。力孤，力量單薄。

②傷心……圖　哀痛同胞困厄、野死，只好將它畫成圖。傷心，心靈受傷。形容極度悲痛。西漢 司馬遷報任安書：「故禍莫憯於欲利，悲莫痛於傷心。」南宋 陸游 重過沈園作詩之一：「傷心橋下春波綠，曾是驚鴻照影來。」溝壑，ㄍㄡ ㄏㄜˋ。山溝。用以借指野死之處或困厄之境。孟子 滕文公下：「志士不忘在溝壑，勇士不忘喪其元。」趙岐注：「君子固窮，故常念死無棺椁沒溝壑而不恨也。」唐 陳子昂（六六一—七〇二）為將軍程處弼謝放流表：「收骸溝壑，返魄幽泉。」繪，畫。

③先生……命　先生！您替眾庶祈求保全生命。先生，指鄭俠，餘詳釋題。代請，代替祈求。蒼生，眾庶。庶民。百姓。餘參考卷四、六三、注②。

④寫到……無　畫到民生凋敝、災黎掙扎、屍骨遍野的時候，您是不是掉淚了？寫到，意謂畫到……。顛連，困頓，苦難。北宋 張載（一〇二〇—一〇七七）西銘：「凡天下疲癃殘疾，惸獨鰥寡，皆吾兄弟之顛連而無告者也。」下淚無，落淚否？猶今語「是不是掉淚了？」餘參卷一、二、注④，十一、注④，卷四、七五、注④，卷五、八五、注④。

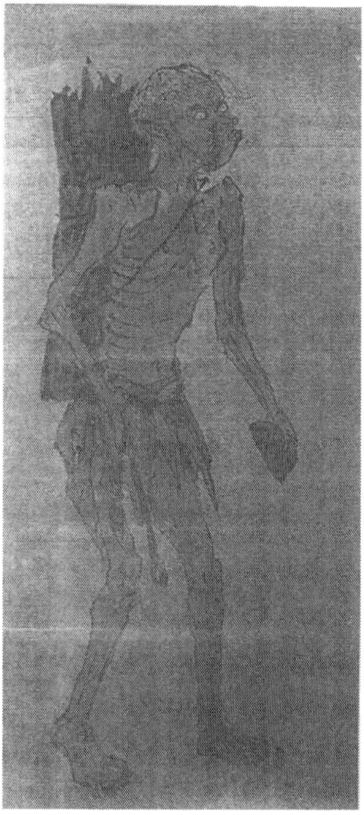
流民圖（局部）

## 一一九、鄭監門繪流民圖

鄭兆璜

先生憂國有深謨①，竟把流民筆底摹②。寫出顛連無告狀③，丹青圖裏尚催租④。

【析韻】

謨、摹、租，上平、七虞。

【釋題】

同前首。

【注解】

①先生……謨　先生！您擔心國事，是有深遠周密的考量。先生，指鄭俠，詳前首釋題。憂國，憂慮、擔心國事。戰國策　齊策四：「寡人憂國愛民，固願得士以治之。」後漢書　祭遵傳：「其後會期，帝每歎曰：『安得憂國奉公之臣如祭征虜者乎？』」深謨，ㄕㄣ　ㄇㄛˊ。深遠周密的考量。謨，計畫。在此，作「考量」解。

②竟把……摹　流民饑餓的慘狀全都在您的筆下畢現。竟，畢竟；引申作「全都在……」解。流民，流浪外地的人。史記　萬石君傳：「元封四年（公元前一〇四年）中，關東流民二百萬口，無名數者四十萬，公卿議欲徙流民於邊以適之。」筆底，筆下。唐　劉禹錫答樂天見憶詩：「筆底心無毒，杯前膽不豩。」摹，ㄇㄛˊ。依樣繪製（或書寫）。

③寫出……狀　畫出民生困頓、群庶苦難、無處投訴的各種情狀。寫出，猶言畫出。顛連，詳前首注④。無告，孤苦無處投訴。書　大禹謨：「不虐無告，不廢困窮。」北宋　王禹偁端拱箴：「約人署吏，侵魚則少，是謂能官，惠于無告。」狀。ㄓㄨㄤˋ，型態，謂情境。呂氏春秋　明理：「其雲狀有若犬、若馬、若白鵠、若眾車。」高誘注：「雲氣形狀如物之形也。」

④丹青……租　這幅設色的圖畫，還看到惡吏正在催繳田賦呢！丹，丹砂（今謂朱砂、朱沙）。青，青雘（今稱空青）。兩者均屬可製顏料的礦石。因用以泛指繪畫用的顏色。丹青圖即著色畫。尚，還（ㄏㄞˊ），猶。詩　大雅　蕩：「雖無老成人，尚有典型。」孟子　滕文公上：「今吾尚病，病癒，我且往見。」北宋　王安石　明妃曲：「低徊顧影無顏色，尚得君王不自持。」催租，促索田賦。租，田賦。南宋　范成大　後催租行詩：「室中更有第三女，明年不怕催租苦。」范詩言人民的困境，竟須賣女繳租。

## 一二〇、宋徽宗畫竹

蔡　振　豐

**枝枝葉葉欲凌雲①，宮本傳觀迥出羣②。獨惜胸無成見在③，江山一幅許平分④。**

【析韻】

雲、羣、分，上平、十二文。

【釋題】

宋徽宗趙佶（一〇八二—一一三五），神宗第十一子，嗣哲宗，登大寶。在位期間（一一〇一—一一二五）窮奢極侈、大興土木；崇奉道教，自稱教主道君皇帝；於京師築艮岳，搜括江南奇花怪石。任用蔡京、童貫，貪污橫暴、苛徵捐稅。於是，河北山東江南均出現民亂。宣和七年（一一二五）冬，金兵南下，匆匆傳位太子桓（欽宗）。靖康二年（一一二七）四月，徽、欽二帝、后、妃等三千人，為金兵所俘。北去，初囚居黃龍（今吉林農安縣；一說遼寧開原縣），終卒於五國城越黠（今黑龍江依蘭）。綜其政績誠乏善可陳；惟繪畫、書法、詩詞等則才藝獨具。繪畫得吳元瑜傳授，承襲崔白之遺，注重寫生，作品臻精工、逼真，富麗堂皇。渠寫墨竹，樸拙挺健、精密不苟、野情生趣、自成一家。花鳥、人物、山水亦均細膩傳神、功奪造化。草書學黃庭堅、真書習薛曜而自我一體，稱瘦金體，筆勢瘦勁、鋒利，屈鐵斷金。（資料來源：宋史徽宗本紀、書史會要、畫史會要、宋詩紀事等）。

【注解】

①枝枝……雲　每一根旁生的莖條、每一片葉子，無不意氣高超，似乎都想直上雲霄。植物主幹所旁生的莖條，稱「枝」，ㄓ。詩檜風隰有萇楚：「隰有萇楚，猗儺其枝。」葉，斜生於植物枝莖上，以司同化、呼吸、蒸等作用者。又分葉片、葉柄與托葉三部分。詩小雅苕之華：「苕之華，其葉青青。」欲，參卷一、十六、注②。凌雲，直上雲霄。多用

以形容意氣高超。唐裴夷直（？－？貞元，大中間人）寄婺州李給事詩之一：「不知壯氣今何似，猶得凌雲貫日無？」北宋蘇軾次韻王定國得潁倅之一：「仙風入骨已凌雲，秋水為文不受塵。」

②宮本……羣　大內作品，卓越出眾，彼此傳遞、欣賞。宮本，大內的作品。書畫碑帖泛稱本。傳觀，彼此轉送欣賞。左傳定公八年：「『顏高之弓六鈞。』皆取而傳觀。」新唐書劉黑闥傳：「突厥得箭，傳觀，以為神。」逈，ㄐㄩㄥˇ。本作「迥」。卓越。明梁辰魚駐雲飛風情曲：「出落精神，曉日臨牕不群。」出羣，猶出眾。尹文子大道上：「今世之人，行欲獨賢，事欲獨能，辯欲出羣，勇欲絕眾。」唐杜甫海棕行：「自是眾木亂紛紛，海棕焉知身出羣。」

③獨惜……在　卻惋惜您缺乏自己的見解。「獨」，在此，屬轉折性副詞，作「卻」解。史記趙世家：「（趙氏）世有功，未嘗絕祀。今吾獨滅趙宗，國人哀之，故見龜策。」西

右圖：宋徽宗（趙佶，公元 1082-1135 年）
左圖：趙佶竹禽圖（局部）

漢東方朔非有先生論：「太公，伊尹以如此，龍逢、比干獨如彼，豈不哀哉！」惜，惋惜，謂值得傷歎。論語顏淵：「惜乎！夫子之說君子也。……」。成見，對事物所形成的自己的見解。鏡花緣第一八回：「學問從實地上用功，議論自然確有根據；若浮光掠影，中無成見，自然水波逐流，無所適從。」

④江山……分　好端端的整片疆土竟同意一分為二。此句在諷刺徽宗誤國失土。江山，參卷二、卅、注③。幅，量詞。平面物一方曰一幅。兒女英雄傳第二九回：「看西牆掛的那幅堂軸，見畫的是仿元人三多圖。」一幅，猶云整片。許，同意。平分，指與金共有。

## 一二一、宋徽宗畫竹

陳朝龍

寶殿風清寫此君①，瀟瀟灑灑獨超羣②。可憐胡虜烽煙警③，兩字平安報未聞④。

**【析韻】**

君、羣、聞，上平、十二文。

**【釋題】**

同前首。

**【注解】**

①寶殿……君　宮殿的四周，吹拂著輕柔的涼風。他正專心地運筆寫竹。寶殿，泛稱宮殿。

恆指帝王的宮殿。元趙孟頫（一二五四—一三二二）宮中口號：「日照黃金寶殿開，雕欄玉砌擁層臺。」三俠五義第一回：「真宗玩賞，進了寶殿，歸了御座，李劉二妃陪侍。」寶亦作「寳」。風清，謂風輕柔且涼爽。南朝梁元帝鍾山飛流寺碑：「雲聚峰高，風清鐘徹。」唐戴叔倫（七三二—七八九）泊湘口詩：「露重猿聲絕，風清月色多。」寫，繪。畫。此君，指「竹」言。梅、蘭、竹、菊，合稱四君子。

②瀟灑……羣　自由自在，超逸脫俗，特別出類拔萃。瀟瀟灑灑，即瀟灑。亦作「瀟洒」。灑脫不拘、超逸絕俗貌。唐李白王右軍詩：「右軍本清真，瀟灑在風塵。」獨，特別。北宋王安石收鹽詩：「海中諸島古不毛，島夷為生今獨勞。」清顧炎武贈林處士古度詩：「受命松柏獨，不改青青姿。」超羣，出類拔萃。淮南子繆稱訓：「同師而超羣者，必其樂之者也。」唐張喬送龐百篇之任青陽縣尉詩：「都堂公試日，詞翰獨超羣。」兒女英雄傳第一回：「所喜

聽琴圖（局部）

桃鳩圖（局部）

以上兩圖均為徽宗遺作。

他天性高明，又肯留心學業，因此見識廣有，學問超羣。」

③可憐……警　令人惋惜啊！金兵傾力來犯的警訊。可憐，參卷一、九、注④。秦　漢時代稱匈奴為胡虜，後世用為與中原敵對的塞外與西北等各部族的通稱。此處係指金兵言。唐　李白　子夜吳歌之三：「何日平胡虜，良人罷遠征。」南宋　岳飛　滿江紅　寫懷詞：「壯志飢餐胡虜肉，笑談渴飲匈奴血。」烽煙，同「烽燧」。即烽火。餘參卷一、四、注④。警，危急的情況、消息。韓非子　外儲說左上：「楚厲王有警，為鼓以與百姓為戍。」陳奇猷　集釋：「凡危急之消息曰警。」

④兩字……聞　可沒聽說、前方回復：「平安」兩個字呀！平安，沒有事故，沒有危險。謂平穩安全。唐　岑參　玉門關逢入京使詩：「馬上相逢無紙筆，憑君傳語報平安。」明　李永周（？—？）旅中望月詩：「欲將數行信，無處寄平安。」竹報平安；如今竹竟未報平安，屬諷語也。報，回復。孟子　告子下：「孟子居鄒，季任為任處守，以幣交，受之而不報。」唐　韓愈　答張徹詩：「辱贈不知報，我歌爾其聆。」

## 一二二、宋徽宗畫竹

吳逢清

金風滿地起妖氛①，猶自深宮寫此君②。太息蒙塵胡地久③，不能壯氣學凌雲④。

**【析韻】**

氛、君、雲，上平、十二文。

**【釋題】**

詳蔡振豐宋徽宗畫竹釋題。

**【注解】**

①金風……氛　遍地秋風，已經湧現不祥的雲氣。金風，秋風。西晉張協雜詩：「金風扇素節，丹霞啟陰期。」警世通言王安石三難蘇學士：「一年四季，風各有名：春天為和風，夏天為薰風，秋天為金風，冬天為朔風。和、薰、金、朔四樣風，配著四時。」滿地，遍地。到處。滿，遍。儒林外史第二七回：「灌醒過來，大哭大喊，滿地亂滾，滾散頭髮。」起，湧現。東漢張衡西京賦：「長風激於別隯，起洪濤而揚波。」妖氛，亦作「妖雰」。不祥的雲氣。多用以喻指凶災、禍亂。左傳昭公十五年：「吾見赤黑之祲。」杜預注：「祲，妖氛也。」隋書衛玄傳：「近者妖氛充斥，擾動關河。」

②猶自……君　還自個兒聚精會神在皇宮內苑寫竹消遣。猶自，尚。尚自。深宮，帝后居住處，即宮禁之中。餘參卷五、八七。注④。此君，竹。餘參前首注①。

③太息……久　唉！您被囚居在冰天雪地的五國城、算來有不短的歲月。太息，參卷一、八、注③。蒙塵，帝王失位，逃亡於外，蒙受風塵之苦。左傳僖公二四年：「天子蒙塵于外，敢不奔問官守。」後漢書劉虞傳：「今天下崩亂，主上蒙塵。」清梁紹壬兩般秋雨盦

隨筆 史閣部書：「徽、欽蒙塵，宋高纘統。」胡地，胡虜統轄之地，指五國城。亦稱五國頭城。有二說：（一）屬三姓。在今黑龍江 依蘭縣一帶。（清 曹廷杰 東三省輿地圖說 五國城考）。（二）在寧古塔東北，即今黑龍江 寧安縣。（嘉慶一統志卷六八吉林古迹）久，表時間不短。詩 邶風 旄丘：「何其久也，必有以也。」唐 韓愈 閔己賦：「久拳拳其何故兮，亦天命之本宜。」三國演義第二一回：「玄德久歷四方，必知當世英雄，請試指言之。」榮按：靖康二年（一一二七）二月，金劫徽 欽二帝及宗戚。四月，二帝后妃等三千人，金人押解北去五國城。紹興五年（一一三五）二月，徽宗卒於囚居地，享年五十四歲。遺言歸葬內地，金主不許。計居留北地長達八年。紹興十二年（一一四二）金人始將徽宗梓宮歸宋。欽宗（趙桓）於紹興廿六年（一一五六）亦卒於囚居所，享年五十七。

④不能……雲 使不出豪邁、勇壯的氣概，更不會直上雲霄、解脫悲情。壯氣，豪邁、勇壯的氣概。三國志 吳書 甘寧傳：「寧厲聲問鼓吹何以不作，壯氣毅然，權尤嘉之。」北齊書 高昂傳：「（高昂）幼稚時，便有壯氣。長而俶儻，膽力過人，龍眉豹頭，姿體雄異。」唐 韓愈 贈徐州族姪詩：「我年十八九，壯氣起胸中。作書獻雲闕，辭家逐秋蓬。」學，效。凌雲，參本卷、一二〇注①。

# 卷七

## 一二三、秦檜力主和議

劉廷璧

和局無容外議紛①，江山半壁許瓜分②。權臣心事書生識③，十載功曾負岳軍④。

【析韻】

紛、分、軍，上平、十二文。

【釋題】

秦檜（一〇九〇—一一五五）。宋 江寧（今南京市西南）人。字會之。政和五年登第。金人虜徽 欽二帝及宗戚。檜隨之北上，為金主吳乞買（金太宗 完顏晟）賜其弟撻懶，頗受倚任。金南侵，檜參謀軍事、任隨軍轉運使。撻懶掠楚州（今江蘇 淮安）縱渠夫婦歸宋。紹興間，拜相。力主和議，反對恢復，深得高宗寵信，先後殺岳飛、竄張浚、排趙鼎，凡主戰之臣，誅鋤殆盡，幾無倖存者。居相位十九年，擅權陰毒，察事吏宦，布滿臨安；而高宗信任未馳，卒贈中王，諡忠獻。寧宗 開禧二年（一二〇六），始追奪王爵，改諡繆醜。宋史入姦臣傳。

【注解】

①和局……紛　雙方和解的局面，不容許外界多發議論。和局，本謂弈棋或比賽的結局不分勝負；在此，用以指宋金雙方維持和平，彼此不再用兵的局面。無容，不容。不接受。外議紛，外界太多的議論。外議，外界的輿論。新五代史李存乂傳：「及崇韜被族，莊宗遣宦官陰察外議以為如何。」宋史陸佃傳：「安石驚曰：『何為乃爾？吾與呂惠卿議之。』又訪外議。」紛，多。盛。楚辭屈原離騷：「紛吾既有此內美兮，又重之以修能。」

②江山……分　固有的國土，竟同意割讓分治。「江山半壁」、「半壁江山」、「半壁山河」、「半壁河山」均同義。謂國土的一部或大半部。清黃景仁滿江紅吳大帝廟詞：「半壁江山成夜火，一生事業憑春水。」江山，另參卷二、三〇、注③。許，參卷六、一二〇、注④。瓜分，如同切瓜般地分割、分配。常指分割國土。戰國策趙策三：「天下將因秦之怒、乘趙之敝而瓜分之。」唐柳宗元封建論：「周有天下，裂土田而瓜分之。」

③權臣……識　位高權重的臣宦，心裏在想甚麼，讀書人是知道的。權臣，有權有勢之臣。多指掌權而專橫之臣。榮按：高宗建炎四年（一一三〇）十月，金縱秦檜還。明年（紹興元年、一一三一）二月，檜參政，旋拜相，與呂頤浩平坐。心事，參考卷二、四〇、注⑤。識，ㄕˋ。知道。了解。曉得。詩大雅皇矣：「大識不知，順帝之則。」東晉陶潛遺荀崧書：「杜曾兇狡；……此人不死，州土未寧，足下當識吾言。」北宋王安石送吳顯道詩之二：「欲往城南望城北，此心炯炯君應識。」

④十載……軍　對不住岳家軍十年來抗金的殊勳啊！十載功，概指岳飛率軍抗金的豐功碩果；計自紹興元年（一一三一）迄十一年（一一四一）十二月遇害於大理寺獄，前後十年餘。曾，ㄘㄥˊ。表示過去的時式。負，參考卷四、七一、注③。岳軍，岳飛（一一〇三—一一四二）所統率的勤王軍。

## 一二四、秦檜力主和議

鄭兆璜

和戎宰相敢欺君①，矯詔班師一日聞②。忍使江山收半壁③，十年涙灑岳家軍④。

**【析韻】**

君、聞、軍，上平、十二文。

**【釋題】**

同前首。

**【注解】**

①和戎……君　主張媾和的宰相，（竟然）有膽量矇騙國君。指秦檜矇蔽宋高宗（趙構）言。和戎，ㄏㄜˊ ㄖㄨㄥˊ。指與異族或異國媾和修好。左傳　襄公四年：「公曰：『然則莫如和戎乎？』對曰：『和戎有五利焉。』」南朝　宋　鮑照　擬古詩之二：「晚節從世務，乘障遠和戎。」宰相，帝制時代輔佐皇帝，統領羣僚，總攬政務之最高行政首長。兩宋時，中書

令、門下侍中、尚書左（右）僕射及同中書門下平章事等同屬相職。榮按：紹興元年（一一三一）八月，高宗以秦檜為尚書右僕射同平章事兼知樞密院事。敢，有膽量。書 多士：「非我小國，敢弋殷命。」欺君，矇騙國君。餘參考前首釋題。

②矯詔……聞　作假的撤軍詔令，一天之內就布達前線了。矯詔，未經皇帝批示或首肯，逕以皇帝的名義所下達的偽造指令。漢書 佞幸傳 石顯：「後果有上書告顯顓命矯詔開宮門。」顏氏家訓 教子：「（瑯琊王）後嫌宰相，遂矯詔斬之。」班師，回師。猶云部隊後撤。榮按：紹興十年（一一四〇）夏七月，岳軍克西京（今河南 洛陽）旋大破金兵於郾城（今河南 郾城），乘勝追擊，直抵朱仙鎮，距汴京僅四十五里。時飛已遣梁興等至絳州，結兩河豪傑義民，金部亦有密受岳軍旗幟以示歸降者。飛嘗語部屬：「直抵黃龍府（今吉林農安），與諸君痛飲耳！」秦檜命楊沂中等將兵回屯，乃稱：「飛孤軍，不可久留，請令班師。」一日十二道金牌。飛憤惋至泣下，稱：「十年之功，廢于一旦。」遂自郾城南歸，民眾遮馬哭留，飛亦悲泣，取詔示眾。稱，『吾不得擅留。』從飛南歸民眾，於漢水上游六郡地以閑田居處。飛遣諸將還武昌，率親兵二千，自順昌渡淮赴行在以應金牌之召。於是潁昌（今河南 許昌）、淮寧（今河南 淮陽）、蔡州（今河南 汝南）、鄭州（今河南 鄭州）諸地又為金所佔。（詳宋史 岳飛傳）

③忍使……壁　忍心讓國土消失一半？忍使，忍心讓……。忍心使得……。江山，參卷二、卅、注③。收，消失。北宋 林逋 秋日西湖閑泛詩：「疎葦先寒折，殘虹帶夕收。」清 納

蘭性德　訴衷情詞：「休休，遠山殘翠收，莫登樓。」半壁，猶言半片。南宋　李光（一〇七八—一一五九）集詩述感：「半壁山河話戰爭，布衣空負魯連名。」清　黃景仁　滿江紅吳大帝廟詞：「半壁江山成夜火，一生事業憑春水。」

④十年……軍　十年戰果，盡付流水。岳家軍人人淚流滿面、傷痛不已。十年，岳家軍伐金前後十年餘，戰無不勝，攻無不克；亦狀時間長久。左傳　僖公四年：「一薰一蕕，十年尚猶有臭。」楊伯峻注：「十年，言其久也。」唐　賈島　劍客詩：「十年磨一劍，霜刃未曾試。」餘參本卷、一二三、注④。淚灑，淚流滿面，形容悲傷至極。岳家軍，岳飛所率領的勁旅。全句另參前首釋題等。

岳飛（公元 1103-1142 年）

岳墳（浙江杭州棲霞嶺南麓）

## 一二五、梁夫人抗疏劾韓世忠

蔡振豐

不因夫壻議從輕①，一疏森嚴上帝京②。博得九重溫語③答，美人未免太沽名④。

【析韻】

輕、京、名，下平、八庚。

【釋題】

南宋建炎三年（金天會七年、一一二九）十月金大舉南侵，十一月掠建康、十二月破臨安。明年，正月陷明州（今浙江寧波），高宗入溫州。三月，金兵北返，受阻於韓世忠軍。初，世忠以前軍駐青龍鎮、中軍紮江灣、後軍守海口，以待金兀朮回師時殲擊之。兀朮由秀州赴平江，世忠乃移師鎮江以待。金兵至江上，世忠以八千人駐守焦山寺（今鎮江北焦山）。兀朮欲渡江，遣使通問，且約戰期。世忠謂諸將：敵必登金山寺以窺我虛實。乃伏兵於寺中及寺外岸邊各百人，聞鼓聲則岸卒先入，寺內伏兵繼出，以合擊之。金兵果至五人，寺內軍士先鼓聲出擊，獲兩騎，另三騎遁。其中一紅袍玉帶者墜馬復逃。詢所俘金兵，知為兀朮。宋金於江心交戰十數合，世忠妻梁紅玉擂鼓助威，金兵終未能渡江。宋俘獲兀朮壻龍虎大王及金兵甚多。兀朮懼，請將全部掠獲物歸還以求假道北去，世忠不許；又請送名駒，世忠仍不許。於是，兀朮率金兵乘舟沿江南岸自鎮江溯流西上。世忠艦循江北岸且戰且行。

宋艦大，前後出金舟數里。于黃天蕩阻擊金兵，相持四十八日之久。四月，金撻懶自濰州（今山東濰坊）遣移剌古引兵來援，世忠與兀朮仍相持於黃天蕩。移剌古軍在江北，兀朮軍在江南。世忠艦泊金山下，健卒持大鐵鉤，接戰時，以大鉤曳沉金舟。兀朮求借道。世忠謂：「還我兩宮，復我疆土，則可以放行。」兀朮不語，見宋艦乘風使篷，往來如飛，閩人王某獻策，教以舟中載土，以平板鋪之，穴船板以櫂槳，待風止，海舟不能行，用火箭射海舟箬篷。兀朮採納此策，天晴無風時，以小舟渡江，海舟風靜不能動。兀朮令善射者乘輕舟，以火箭射海舟，火起，宋軍大敗，乃轉進鎮江。兀朮遂渡江北歸。是役，韓世忠以八千人抗拒金兵十萬眾，阻擊四十八日，雖敗；惟使金兵從此不敢輕易渡江南侵。南宋京師臨安賴之以安。韓妻梁紅玉不僅未居功請賞；反因金兵突破江防，自老鸛河北遁，上疏其夫「失戰縱敵」，請朝廷嚴加議罪。斯舉，朝野動容，傳為美談。高宗敕封紅玉為楊國夫人。梁紅玉（一一〇二—一一三五）。原籍池州（今安徽貴池縣）寄籍淮安北辰坊。父祖皆將弁出身。自幼隨父兄練就一身功夫。父亡、家貧，流離潤州（今江蘇鎮江），不幸淪為平康女（京口倡女）。識世忠於微時，結為夫婦。佐夫抗金，訓練女兵。及世忠貴，累封安國夫人，世稱梁夫人。卒葬蘇州靈巖山。淮安現有梁紅玉祠。（資料來源：宋史高宗本紀、韓世忠傳，宋朝南渡十將傳，中國歷史大事編年卷三）抗疏，上書直言。漢書揚雄傳：「獨可抗疏，時道是非。」劾，ㄏㄜˊ，揭發（罪行）。

**【注解】**

①不因……輕　並沒有因為是自己的丈夫，就不痛不癢地批評。不因，並沒有因為……。夫壻，指稱韓世忠。餘參卷四、七三、注③。議，評論。左傳　襄公三一年：「鄭人游于鄉校，以論執政……子產曰：『何為？夫人朝夕退而游焉，以議執政之善否。其所善者，吾則行之，其所惡者，吾則改之。是吾師也，若之何毀之？』」西晉　劉伶（？—？，甘露、元康間人。）酒德頌：「有貴介公子，搢紳處士，聞吾風聲，議其所以。」從輕，採寬大的角度（原則）。東漢　班固　白虎通　考黜：「君子重德薄刑，賞宜從重。」文心雕龍　練字：「自晉來用字，率從簡易。時並習易，人誰其難？」書　呂刑：「刑罰世輕世重。」孔傳：「言刑罪隨世輕重也。刑新國用輕典，刑亂國用重典，刑平國用中典。」唐　韓愈　原毀：「其責己也重以周，其待人也輕以約。」

②一疏……京　一則奏章，嚴密地呈達朝廷。疏，ㄕㄨˋ。奏章。漢書　賈誼傳：「誼數上疏陳政事，多所欲匡建。」唐　杜甫　秋興詩之三：「匡衡抗疏功名薄，劉向傳經心事違。」森嚴，嚴密。上，呈達。呈遞。帝京，京師。代指朝廷。

③博得……答　換來皇帝一番溫和的回復。博得，換來。取得。南宋　陸游　春雨詩之一：「長貧博得自強健，久矣無心咎化工。」明　袁宏道　答友人：「到處努眼張牙，浩浩談說，博得學道之名，招得泥犁之實，則何益矣。」九重，指帝王。唐　李邕（六七八—七四七）賀章仇兼瓊克捷表：「遵奉九重，決勝千里。」明　無心子　金雀記　作賦：「明朝入禁中，

奏聞九重。」溫語，溫和的話語。答，回話。論語 憲問：「夫子不答。」莊子 知北遊：「非不答，不知答也。」餘參釋題。

④美人……名　美麗的夫人啊！您不免太愛作秀了。美人，指稱梁夫人。沽名，獵取名譽。後漢書 逸民傳 序：「彼雖硜硜有類沽名者，然而蟬蛻囂埃之中，自致寰區之外，異夫飾智巧以逐浮利者乎。」唐 聶夷中 胡無人行：「男兒徇大義，立節不沽名。」

梁紅玉擂鼓助威圖

## 一二六、梁夫人抗疏劾韓世忠

陳濬芝

之一

奏疏居然達帝京①，豈因夫壻議從輕②。和戎已失千秋計③，恨未彈章上聖明④。

之二

夫壻英雄望匪輕⑤，彈章偏欲達神京⑥。乞休想亦閨中疏⑦，驢背西湖擁雪行⑧。

**【析韻】**

京、輕、明，下平、八庚。（之一）

輕、京、行，下平、八庚。（之二）

**【釋題】**

同前首。略。

**【注解】**

①奏疏……京　奏章竟然真的呈遞朝廷。奏疏，奏章。宋史朱倬傳：「每上疏，輒夙興露告，若上帝鑒臨。奏疏凡數十。」明徐師曾（？—？，萬曆間人）文體明辨序說奏疏：「按奏疏者，羣臣論諫之總名也。奏御之文，其名不一，故以奏疏括之也。」居然，竟，竟然。表示出乎意料。唐裴度（七六五—八三九）涼風亭睡覺詩：「滿空亂雪花相似，何事居然無賞心？」明高啟江上晚過鄰塢看花詩：「花開依舊自芳菲，客思居然成寂寞。」達帝京，呈送到了朝廷。帝京，詳前首注②。

②豈因……輕　難道會因為是自己的丈夫，就不痛不癢地批評？豈因，難道因為。夫壻，參前首注①。議從輕，參前首注①。

③和戎……計　息兵媾和，已忽略長遠的盤算。和戎，參考卷七、一二四、注①。已失千秋計，已經忽略了為長久的未來做打算。失，遺誤，引申作「忽略」解。千秋、計，分別詳參卷一、三、注④，卷二、卅六、注①。

④恨未……明　（真）後悔當時沒有及時將彈章上達天聽。彈章，條陳彈劾內容的奏章。聖明，代稱帝王。東晉 劉琨 勸進表：「或多難以固邦國，或殷憂已啟聖明。」北宋 林逋 舒城僧舍呈贈李仲宣文學詩：「莫為無辜惜才術，聖明求治正焦勞。」

⑤夫壻……輕　丈夫、智勇兼備、才具傑出、名望至高。夫壻，參前首注①。英雄，參卷二、廿九、注③。望匪輕，望不輕，即望重。名望大。匪，ㄈㄟˇ。不。書 呂刑：「其今爾何懲？惟時苗民，匪察于獄之麗。」明 馮夢龍（一五七四—一六四六）智囊補 兵智 武案：「學醫廢人，學將廢兵。匪學無獲，學之貴精。」

⑥彈章……京　彈劾的奏摺特別要呈遞京師。彈章，事關彈劾的奏摺。偏，特，指意外等情。唐 劉方平夜月詩：「今夜偏知春氣暖，蟲聲新透綠窗紗。」紅樓夢第三九回：「眾人又拉平兒坐，平兒不肯，李紈瞅着他笑道：『偏要你坐！』因拉他身旁坐下。」欲，（想）要。達，至。神京 帝都。京師。國都。唐 張大安（？—六八四）奉和別越王：「麗日開芳甸，佳氣積神京。」五代 和凝（八九八—九五五）小重山詞：「春入神京萬木芳。禁林鶯語滑，蝶飛狂。」

⑦乞休……疏　您在深閨、可沒想到他：自請辭官歸田吧！乞休，自請辭官。明 費經虞（？—？，隆慶、萬曆間人）乞休詩：「八次乞休歸不得，衰容病骨禮瞿曇。」清 和邦額（一七六三—？）夜譚隨錄 堪輿：「可以卓異授江南一參將，五年後乞休歸里。」閨中疏，您在閨中忽略了的。閨中，兼用作指示代詞。

⑧驢背……行　西湖邊、安坐驢背圍裹著雪花、彳亍流連。西湖，指西湖湖濱言。擁，圍裹。清　卓爾堪（？—？，順治、康熙間人。）送孔樵嵐河南看花詩：「大梁千里路，風雪擁征鞍。」本句，餘參本卷、一二七釋題。

## 一二七、韓蘄王騎驢

陳濬芝

騎驢湖上任徘徊①，載酒長歌歸去來②。回首可憐鞭莫及③，河山一半已成灰④。

**【析韻】**

徊、來、灰，上平、十灰。

**【釋題】**

韓世忠（一〇八九—一一五一）。宋　延安（今陝西　延安）人。字良臣。宣和中，應募入伍，以偏將從王淵平方臘。高宗南渡從之，升浙江制置使。建炎四年（一一三〇）二月，率軍八千破金將兀朮於黃天蕩（今南京市東北）。紹興四年（一一三四）十月，破金兵於大儀（今揚州西北）、承州（今高郵），時論此捷為中興武功第一。旋升京東、淮東路宣撫處置使，鎮楚州。宰相秦檜主和，收諸將兵柄，拜樞密使，以上疏詆檜誤國，罷為醴泉觀使。既解職，隱居西湖，自號清涼居士。孝宗朝，追封蘄王。諡忠武，配饗高宗廟庭。宋史　韓世忠傳（列傳一二三）：「世忠連疏乞解樞密柄，繼上表乞骸。十月，罷為醴泉觀使、奉朝請，進封福國公，節鉞如故。自此杜門謝客，絕口不言兵，時跨驢攜酒，從一二奚童，縱遊西湖以自樂，平時將佐罕得見其面。」奚童，童僕也。

【注解】

①騎驢……徊　在湖濱、騎著毛驢，隨意來回。湖上，猶言湖濱。上，江、河、湖泊等的側邊。論語子罕：「子在川上曰：『逝者如斯夫，不舍晝夜。』」史記孔子世家：「孔子葬魯城北泗上。」司馬貞索隱：「上者，亦邊側之義。」唐韓愈祭十二郎文：「當求數頃之田於伊潁之上，以待餘年。」任徘徊，隨意來來回回走動。徘徊，ㄆㄞˊ ㄏㄨㄞˊ。往返迴旋。來回走動。東晉陶潛閒情賦：「悄悄不寐，眾念徘徊。」儒林外史第四七回：「方六爺行了一回禮，拘束狠了，寬去了紗帽圓領，換了方巾便服，在閣上廊沿間徘徊徘徊。」

②載酒……來　攜帶水酒、放聲吟唱歸去來兮辭。載酒，攜帶水酒。載，ㄗㄞˋ。攜帶。帶著。舊唐書黃巢傳：「傭顧負販屠沽及病坊窮人，以為戰士，操刀載戟，不知鐵銳。」漢書揚雄傳下：「家素貧，耆酒，人希至其門。時有好事者，載酒肴從游學，……。」長歌，放聲高歌。東漢張衡西京賦：「女娥坐而長歌，聲清暢而蜲蛇。」唐李賀長歌續短歌：「長歌破衣襟，短歌斷白髮。」歸去來，歸去來兮辭的省詞。屬抒情賦，東晉陶潛作。「歸去來兮，田園將蕪胡不歸！既自以心為形役，奚惆悵而獨悲。……」全文三〇句、三三九字，前並有序。

③回首……及　回顧過去，令人惋惜！鞭長莫及，徒呼奈何。回首，參考卷五、九二、注④。可憐，參考卷一、九、注④。鞭莫及，鞭長莫及。與「鞭長不及」同義。語本左傳 宣公一五年：「古人有言曰：『雖鞭之長，不及馬腹。』」杜預注：「言非所擊。」謂鞭子雖然很長，但是打不著馬肚上。後因以喻力所不能及。北宋 李之儀（一〇三九－一一一八？）雷塘行：「鞭長不能及馬腹，有限生涯時苦促。」

④河山……灰　國家的疆土，一半已成烏有。河山，參考卷二、卅六、注④。成灰，化為灰燼。謂已成烏有。物經燃燒所餘粉末狀物曰灰。

## 一二八、韓蘄王騎驢

劉廷璧

三字冤成禍已胎①，韓王湖上跨驢回②。從今馬上功名薄③，風雪橋頭覓句來④。

**【析韻】**

胎、回、來，上平、十灰。

**【釋題】**

同前首。略。

**【注解】**

①三字……胎　「莫須有」這項枉曲的罪名既確定，災厄就已形成。三字，指罪名「莫須有」。

榮按：先是紹興十一年（一一四一）七月，尚書左僕射秦檜使右諫議大夫万俟卨劾岳飛，誣稱：「樞密副使岳飛，爵高祿厚，志滿意得，平昔功名之念，日以頹廢。今春敵兵大入，趣飛犄角，而乃稽違詔旨，不以時發。久之一至舒、蘄，匆卒復還。幸諸帥兵力自能卻敵；不然，則敗撓國事，可勝言哉！比與同列按兵淮上，公對將佐謂山陽（今江蘇 淮安縣）為不可守，沮喪士氣，動搖民心，遠近聞之，無不失望。望免飛副樞職事，出之于外，以伸邦憲。」高宗言：「飛倡議不修楚州城，蓋將士戍山陽久，欲棄而之他。飛意在附下以要譽，朕何賴焉！」時，飛以恢復中原為己任，不肯附和議。金兀朮致檜書云：「汝朝夕以和請；而岳飛方為河北圖，必殺飛，始可和。」檜亦以飛不死，終為和議之梗阻，且禍必及己。故飛自楚州返臨安，檜即令万俟卨論其罪，並定計殺飛。十月，檜矯詔誣岳飛下大理寺獄。渠命中丞何鑄、大理寺丞周三畏逼問，飛裂衣示背，舊刺有「盡忠報國」四字，以示心迹。後無實據，鑄知其冤，對檜言：「強敵未滅，無故戮一大將，失士卒心，非社稷之長計。」於是，檜改令右諫議大夫万俟卨誣飛。卨揑造于鵰、孫革敘函張憲、王貴令虛申探報。以震朝廷。又誣稱岳雲與張憲書，令其籌劃使岳飛還掌軍權。謂與張憲書已焚；復使于、孫二人誣稱飛受詔逗留。時大理卿薛仁輔、寺丞李若樸、何彥猷均稱飛無罪。判宗正寺趙士褭更請以百口保飛無罪，且稱：「中原未靖，禍及忠義，是忘二聖，不欲復中原。」韓世忠亦見秦檜問此事，檜曰：「飛子雲與張憲書雖不明，其事莫須有。」世忠乃言：「『莫須有』三字，何以服天下。」（詳宋史 岳飛傳）。冤，ㄩㄢ。本作「寃」。枉曲。唐韓愈陸渾山火和皇甫湜用其韻：「又詔巫陽反其魂，徐命之前問何冤。」胎，ㄊㄞ。孕育。肇始。北宋蘇軾東坡志林本秀非浮圖之福：「稷下之盛，胎驪山之禍。」金段成己題張郎中明皇小決圖詩：「志在馳驅禍已胎，笑顏況更為誰開？」

②韓王……回　韓王！您從湖濱騎著毛驢歸來。韓王，韓世忠曾受封為咸安郡王（紹興十三年）、通義郡王（廿一年追封），孝宗朝復追封蘄王；韓蘄王，簡稱韓王。湖上，詳前首注①。跨驢，騎驢。跨，ㄎㄨㄚ。騎。乘。史記司馬相如列傳：「被豳文，跨野馬。」司馬貞索隱：「跨，乘之也。」唐韓愈寄盧仝詩：「近來自說尋坦塗，猶上虛空跨綠駬。」

③從今……薄　從現在起，征戰的勳蹟，不再受到重視。從今，從現在起。馬上，詳卷二、三六、注③。功名，詳參卷三、五八、注①。薄，ㄅㄛˊ，亦讀ㄅㄠˊ。輕視，鄙薄。孟子盡心上：「孟子曰：『於不可已而已者，無所不已。於所厚者薄，無所不薄也。』」史記孫子吳起列傳：「居頃之，其母死，起終不歸。曾子薄之，而與起絕。」

④風雪……來　又是風、又是雪，在橋邊，彳亍、構思，尋求詩句。風雪、橋頭，均參卷五、一〇二、注①。覔句，本作「覓句」，ㄇㄧˋ ㄐㄩˋ。指詩人構思、尋找詩句。唐杜甫又示宗武詩：「覓句新知律，攤書解滿牀。」南宋計有功唐詩紀事劉昭禹：「（劉昭禹）常與人論詩曰：『五言如四十箇賢人，著一字如屠沽不得；覔句者，若擄得玉合子，底必有蓋。但精心求之，必獲其寶。』」來，表示一段時間。相當於「…的時候」。紅樓夢第一一〇回：「我到你們家已經六十多年了，從年輕的時候到老來，福也享盡了。」餘參卷

六、一〇一。

## 一二九、韓蘄王騎驢

鄭以庠

獄成三字劇甚哀①，策蹇湖西得得來②。昔日墜驢人在否③？華山斜倚夕陽開④。

【析韻】

哀、來、開，上平、十灰。

【釋題】

詳本卷一二七。

【注釋】

①獄……哀　遭誣判「莫須有」的罪名，這種把戲太令人髮指、悲痛。獄，ㄩˋ。罪。罪案。國語 鄭語：「褒人褒姁有獄，而以為入於王，王遂置之，而嬖是女也，使至於為后而生伯服。」史記 周本紀作「褒人有罪。」舊唐書 李德裕傳：「是月，李逢吉亦自襄陽入朝，乃密賂纖人，構成于方獄。」三字，詳前首注①。劇，把戲。甚哀。謂太令人髮指、悲痛。

②策蹇……來　從湖的西面，騎著跛驢，任情地走來。策蹇，策蹇驢。省詞作「策蹇」。乘跛足驢。餘參卷六、一〇一、注③。得得，詳卷六、一〇一、注⑤。

③昔日……否　往日，從驢背上摔下來的那個人還在嗎？昔日，往日。從前。史記 田敬仲

完世家：「昔日趙攻甄，子弗能救。」列子黃帝：「我內藏猜慮，外矜觀聽，追幸昔日之不焦溺也。」唐張鷟游仙窟：「昔日曾經自弄他，今朝並悉從人弄。」墜驢，參本卷一〇九、一一〇、一一一等三首。

④華山……開　傍晚的太陽，斜靠著華山舒展。華山，ㄏㄨㄚˋ ㄕㄢ。五嶽之一（西嶽）。在今陝西華陰市南，北臨渭河平原，屬秦嶺東段。又稱太華山。古稱西嶽。有蓮花（西峰）、落雁（南峰）、朝陽（東峰）、玉女（中峰）、五雲（北峰）等峰，為游覽勝地。斜倚，猶斜攲（ㄑㄧ）。謂斜靠。攲，倚。依。夕陽，傍晚的太陽。東晉庾闡（二九四？—三四七）狹室賦：「南羲熾暑，夕陽傍照。」北宋歐陽修醉翁亭記：「已而，夕陽在山，人影散亂，太守歸而賓客從也。」開，舒展。清龔自珍乙酉十二月十九日得漢鳳紐白玉印一枚喜極賦詩：「小說冤誰雪？靈蹤閟忽開。更經千萬壽，永不受塵埃。」

## 一三〇、韓蘄王騎驢

曾逢時

**殘山剩水任徘徊①，驢背甘心老將才②。應有鞭長難及恨③，不能親見兩宮回④。**

**【析韻】**

徊、才、回，上平、十灰。

【釋題】

詳本卷一二七。

【注解】

①殘山……徊　在殘破不全的山河間，隨意來來去去。殘山剩水，亦作「殘山賸水」。殘破不全的山河。指亡國或經過喪亂後的土地、景物。南宋范成大與胡經仲陳朋元遊照山堂詩：「晴日煖風千里目，殘山剩水一人心。」明王璲（一三四九－一四一五）題趙仲穆畫詩：「南朝無限傷心事，都在殘山賸水中。」任徘徊，參本卷、一二七、注①。

②驢背……才　毛驢背上快意的年邁將才啊！甘心，快意。左傳莊公九年：「管、召，讎也，請受而甘心焉。」杜預注：「甘心，言快意戮殺之。」

③應有……恨　您該會有力不從心的怨氣吧？鞭長難及，參考本卷、一二七、注③。恨，參考卷二、廿六、注④。

④不能……回　無從親自見到徽欽二帝安然返駕。兩宮　指徽宗和欽宗二帝，因其原各居一宮，故稱。餘參考卷六、一二二、注③。

## 一三二、由竇　　陳朝龍

權門獻壽逐淒淒①，只恐遲來拜未齊②。似此求榮翻受辱③，不如圭竇學卑棲④。

【析韻】

淒、齊、棲，上平、八齊。

【釋題】

竇，ㄉㄡˋ。孔穴；洞。門旁小戶。亦指簡陋門戶。由竇，從小門或側門進入。宋史 許及之傳：「黨事既起，善類一空，叔似累斥逐，而及之諂事侂冑，無所不至。嘗值侂冑生日，朝行上壽畢集，及之後至，閽人掩關拒之，及之俯僂以入。為尚書，二年不遷，見侂冑流涕，序其知遇之意及衰遲之狀，不覺膝屈。侂冑惻然憐之曰：「尚書才望，簡在上心，行且進拜矣。」居亡何，同知樞密院事。當時有『由竇尚書，屈膝執政』之語，傳以為笑。」

【注解】

①權門……淒　搶先去權貴豪門送禮祝壽，令人悲傷啊！權門，權貴豪門。東觀漢記 陽球傳：「于是權門惶怖股慄，莫不雀目鼠步。」唐 劉得仁（？—？，建中、咸通間人）贈敬晊助教詩之二：「街西靜觀求居處，不到權門到寺頻。」獻壽，獻禮祝壽。逐，搶先。爭著。唐 韓愈 春雪間早梅詩：「逐吹能爭密，排枝巧妒新。」淒淒，亦作「淒淒」。悲傷貌。南朝 梁 范縝（四五〇？—五一〇？）擬招隱士：「歲晏兮憂未開，草蟲鳴兮淒淒。」唐 長孫佐輔（？—？，興元、長慶間人。）關山月詩：「淒淒還切切，戍客多離別。」

②只恐……齊　生怕來晚了，無法和別人一同祝福禮拜。齊，指行動一致言。

③似此……辱　像這樣追逐榮寵；反而遭來（一番）侮辱。翻，副詞。反而。北周 庾信 臥

疾窮愁詩：「有菊翻無酒，無弦則有琴。」隋 江總并州羊腸坂詩：「本畏車輪折，翻嗟馬骨傷。」清 納蘭性德 如夢令詞：「纖月黃昏庭院，語密番教醉淺。」

④不如……棲　（真）比不上寒微人家，懂得學習安分。不如，比不上。易 屯：「君子幾不如舍，往吝。」顏氏家訓 勉學：「諺曰：『積財千萬，不如薄伎在身。』」圭竇，借指寒微之家。三國志 魏書 公孫淵傳：「誘呼鮮卑，侵擾北方。」裴松之注引晉 王沈 魏書：「臣等生於荒裔之土，出於圭竇之中。」卑棲，本謂居於低下的地位。在此引申作「安於本分」解。

## 一三二、由竇尚書

蔡振豐

**尚書由竇豈無稽①？趨附居然別有梯②；如此衣冠同獸行③，出身何必論高低④。**

**【析韻】**

稽、梯、低，上平、八齊。

**【釋題】**

參前首，略。

**【注解】**

①尚書……稽　尚書專走小門，難道沒有道理？尚書由竇詳前首釋題。豈，難道。無稽，沒

有理由。沒有根據。醒世恆言 黃秀才徼靈玉馬墜：「分明一席無稽話，卻認非常禳禍功。」

②趨附……梯　趨承依附，竟然另有攀登之道。趨附，趨承依附。趨奉依附。北宋 王禹偁 送進士郝太冲序：「進身則默而處、訥而言，蓋惡趨附而好耿直也。」新唐書 張廷珪傳：「且易之盛時，趨附奔走半天下。」明史 王徽傳：「迨趨附日眾，威權日盛，而禍作矣。」清 王韜（一八二八—一八九七）擇友說：「趨附勢燄者，以榮悴為親疏。」居然，參本卷、一二六、注①。別有梯，另有攀登之道。梯，本謂供上、下的用具或設備。在此，引申作攀登、攀附之道。

③如此……行　這樣的士大夫，和畜牲的行為、沒有兩樣！衣冠，搢紳、士大夫的代稱。漢書 杜欽傳：「茂陵 杜鄴與欽同姓字，俱以才能稱京師，故衣冠謂欽為『盲杜子夏』以相別。」顏師古注：「衣冠謂士大夫也。」唐 李白 登金陵鳳凰臺詩：「吳宮花草埋幽徑，晉代衣冠成古丘。」近人高旭（一八七七—一九二五）元旦詩：「劇憐肝膽成屠狗，失笑衣冠盡沐猴。」同，一樣。謂沒有兩樣。獸行，畜生（即禽獸）的行為。

④出身……低　身分、資格，不必衡量它的高或低了。出身，昔專指科舉中試者的身分、資格。父祖三代行業別、宗世謂身分。中舉類別如：舉人、大挑、進士。進士又分：賜進士及第（一甲）、賜進士出身（二甲）、賜同進士出身（三甲）統稱出身（資格）。何必，反詰語氣，謂不必或未必。論，衡量。「高」，與「低」相對。

## 一三三、文信國琴

蔡振豐

獄中歌泣屈雄才①，日托焦桐撥幾回②？不盡孤臣亡國恨③，崖山風雨入絃來④。

**【析韻】**

才、回、來，上平、十灰。

**【釋題】**

文天祥（一二三六—一二八三）。南宋江西吉水縣人。字宋瑞，一字履善，號文山。寶祐四年（一二五六）進士第一。官至江西安撫使。元兵至，受命使元軍談判，遭扣留。後脫險返真州（今江蘇儀徵縣）。端宗即位於福州，拜為右丞相，封信國公。募兵抗元，力圖恢復，兵敗被俘，不屈，作正氣歌以見志。囚於燕京四年。至元十九年十二月就義於柴市（今北京宣武門外菜市口。一說菜市口西舊柴炭市。）著有指南吟嘯等集存世。琴屬弦樂器。遠古作五弦，周初增為七弦，凡十三徽，弦上無柱。指南後錄卷三：「庚辰（按：宋亡之次年、元至元十七年、一二八〇）中秋日，水雲慰予囚所。援琴作胡笳十八拍。取予疾徐，指法良可觀也。琴罷，索予賦胡笳詩。……蓋囹圄中不能得死，聊自遣耳。……」

**【注解】**

①獄中……才　在牢獄裏，亦歌亦泣；委屈了他那出眾的才能。獄中，在監獄裏。獄，ㄩˋ。

監獄。詩 小雅 小宛：「哀我填寡，宜岸宜獄。」朱熹集傳：「岸，亦獄也，韓詩作『犴』。（ㄢ）。鄉亭之繫曰犴，朝廷曰獄。」中，ㄓㄨㄥ。內。裏面。與「外」相對。易 坤：「象曰：黃裳元吉，文在中也。」高亨注：「中，猶內也。」歌泣，亦歌亦泣。唐 白居易 夜聞歌者詩：「借問誰家婦，歌泣何淒切。」清 龔自珍 己亥雜詩之一七〇：「少年哀樂過於人，歌泣無端字字真。」近人馬君武（一八八一—一九四〇）從軍行：「教兒讀歷史，往事足歌泣。」屈，委屈。南宋 葉適（一一五〇—一二二三）惠州姜公墓誌銘：「高宗既歎其屈，而孝宗尤器其才。」雄才，亦作「雄材」。出眾的才能。後漢書 鄭太孔融等傳 論：「方時運之屯邅，非雄才無以濟其溺，功高埶彊，則皇器自移矣。」唐 竇庠（七六六？—八二八）酬韓愈侍郎登岳陽樓見贈詩：「雅論冰生水，雄才刃發硎。」

②日托……回　每日寄託在琴，究竟彈奏多少次？日，每日（一天）。托，寄託。東晉 陶潛讀山海經詩之一：「眾鳥欣有托，吾亦愛吾廬。」焦桐，東漢 蔡邕曾以燒焦的桐木造琴，後人因稱琴曰焦桐。後漢書 蔡邕傳：「吳人有燒桐以爨者，邕聞火烈之聲，知其良木，因請而裁為琴，果有美音，而其尾猶焦，故時人名曰焦尾琴焉。」榮按：琴尚有多稱，如「焦尾」、「焦尾枯桐」、「焦梧桐」等。唐 張祜思歸引：「焦桐彈罷絲自絕，漠漠暗魂愁月夜。」明 陳汝元（？—？，萬曆、崇禎間人）金蓮記 彈絲：「音入藍橋，響振瓊瑤，卻是羨焦桐一曲巧，芳心頓消。」撥，ㄅㄛ。彈奏弦樂器的一種技法。張祜 王家五弦詩：「撚撥間關漫態生，五條弦出萬端情。」

③不盡……恨　子然一身、無奧無援的孤臣，有數不完（的）國滅家亡的怨氣。不盡，參卷三、五二、注③。孤臣，孤立無助的臣工。明無名氏封贈忠臣：「鯁骨孤臣，芳年俊英，塤篪連奏同聲。」清丘逢甲（一八六四—一九一二）離臺詩之一：「宰相有權能割地，孤臣無力可回天。」亡國，猶國家滅亡。恨，參考卷二、二六、注④。

④崖山……來　崖山抗元、帝昺沉海，那種危難、悲淒的處境，引進紘絲了嗎？崖山，參考卷六、一〇八、注④。風雨，形容危難，惡劣的處境。漢書朱博傳：「（朱博）稍遷為功曹，伉俠好交，隨從士大夫，不避風雨。」入，引進。紘，琴絲。來，表疑問語氣。唐段成式酉陽雜組續集支諾皋上：「久之，柳忽語曰：『郭子信來？聲若出畫中也。』」西遊記第三回：「行者道：『你怎的想我來？』」

文天祥（公元 1236-1283 年）

## 一三四、文信國公衣帶贊

蔡振豐

錦繡心胸鐵石腸①，讚成衣帶立綱常②。愧他宗室如椽筆，握袖丹墀寫詔忙③。

**【析韻】**

腸、常、忙，下平、七陽。

**【釋題】**

文天祥，世稱文信國（公）。餘詳前首釋題。宋史 文天祥傳：「天祥臨刑從容，謂吏卒曰：『吾事畢矣。』南鄉（向）拜而死。數日，其妻歐陽氏收其屍，面如生，年四十七。其衣帶中有贊曰：『孔曰成仁，孟曰取義，惟其義盡，所以仁至。讀聖賢書，所學何事？而今而後，庶幾無媿。』」書寫於衣帶表面之贊辭曰衣帶贊。贊，文體名。句式整齊，一般均採四字一句，叶韻，篇幅不長。依內容、用途又分史贊、哀贊與雜贊……。

**【注解】**

①錦繡……腸　懷美好的抱負，有鐵石般的衷腸。錦繡，喻美好。心胸，抱負。唐 李白 魏郡別蘇明府北遊詩：「何時更杯酒，再得論心胸。」鐵石腸，本應作「鐵石心」。上半句有「心」字，故改作「腸」。謂如鐵石般的衷腸。喻堅決。明 劉基沁園春 和鄭德章暮春感懷呈石末元帥詞：「中澤號鴻，苞荊集鴇，軟盡平生鐵石腸。」

②讚成……常　釋明於衣帶，樹起三綱五常的典範。讚成，語出漢書 鄭太傳及北史 穆崇傳。本謂佐助且促成也。此處，引申作「釋明」解。蓋讚原有解釋、闡明諸義，詳曹植王仲宣誄。衣帶，束衣用的帶子。古詩十九首 行行重行行：「相去日已遠，衣帶日已緩。」南史 何敬容傳：「武帝雖衣浣衣，而左右衣必須潔。嘗有侍臣衣帶卷摺，帝怒曰：『卿衣

帶如繩，欲何所縛？』」立，樹起。三綱五常簡稱綱常。君為臣綱、父為子綱、夫為妻綱，是謂三綱。仁、義、禮、智、信，合稱五常。南宋周密（一二三二—一二九八）齊東野語巴陵本末：「古今有不可亡之理。理者何？綱常是也。」

③愧他……忙　唉！他正握著皇家專用的巨筆，為撰製詔書而不得閒。愧，表羞慚的嘆息，作「唉」解。他，指文天祥。宗室，猶言皇家。凡與皇帝有血緣關係者，概稱宗室子弟，歸宗人府管理。如椽（ㄔㄨㄢˊ）筆，如椽之筆。晉書王珣傳：「珣夢人以大筆如椽與之，既覺，語人云：『此當有大手筆事。』俄而帝崩，哀冊謚議，皆珣所草。」握袖，控制衣袖。猶今語捲起袖子。丹墀，本謂宮殿的赤色臺階或赤色地面。東漢張衡西京賦：「右平左城，青瑣丹墀。」在此，借指宮殿言。寫詔，撰擬詔書。詔，參考卷五、九二注①。忙，不得閒。事多。榮按：南宋恭帝

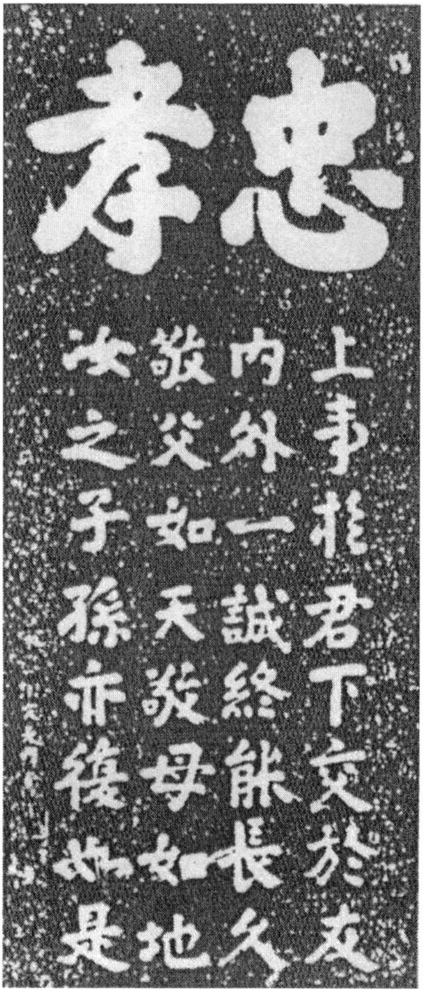


文天祥手蹟

德祐二年（元世祖至元十三年、丙子、一二七六）三月，元將伯顏入臨安，擄宋帝（趙㬎）、皇太后全氏及福王（趙與芮）等北去。五月，張世傑等奉益王（昰）即位於福州，改元景炎，是為端宗。寫詔忙，撰擬登極詔而不得閒。（中國歷史大事編年第四卷）。

## 一三五、鄭所南露筋蘭

鄭鵬雲

**託根無地劇淒涼①，本穴花中枉斷腸②。無限美人香草恨③，殘秋一幅寫沅湘④。**

**【析韻】**

涼、腸、湘，下平、七陽。

**【釋題】**

鄭思肖（一二四一—一三一八）。南宋連江（今福建連江縣）人。字所南、一字憶翁。思肖、所南、憶翁皆為宋亡後改，寓不忘趙宋之意。初以太學上舍生應博學鴻詞科。剛介有志操。元兵南下，渠叩闕上書力陳得失。宋亡，隱居吳下，自稱三外隱人，「不知今日月，但夢宋山川。」不論坐臥，皆必南向，蓋北方夙已淪陷。終身不娶。善繪蘭，惟不畫土，蓋地已為番人所奪矣。傳世有心史七卷。露筋蘭，寫蘭不畫土，蘭根部盡現與紙上。蘭，學名Cymbidium goeringii。蘭科，亦稱春蘭、蘭花、山蘭、草蘭、朵朵香。多年生常綠草本。根簇生。肉質，圓柱形。葉線型，革質，細長而尖。早春自葉叢間抽生數花葶，每葶頂開一花，色淡黃綠色，清香。多生於我國南部及東部山坡林蔭下。為盆栽觀賞植物之一。有諸多栽培類型。分株繁殖，品種甚多，常見者有建蘭、墨蘭（C.sinense），蕙蘭、寒蘭（C.kanran）等。蘭，別稱王者香。東漢蔡邕琴操猗蘭操云：「（孔子）自衛返魯，過隱谷之中，見薌蘭獨茂，喟然歎曰：『夫蘭當為王者香。』今乃獨茂，與眾草為伍，譬猶賢者不逢時，與鄙夫為倫也。」明周履靖（？—？）詠蘭：「欲擷騷人佩，能遺王者香。」清孔尚任（一六四八—一七一八）庚辰元日題翁巖求蘭譜詩：「百花頭上春正月，王者香傳第一枝。」

**【注解】**

①託根……涼　沒有地方附著生根，實在非常孤寂、冷落。託身，喻置足、寄身。晉書文苑傳趙至：「又北土之性，難以託根；投人夜光，鮮不按劍。」北宋張舜民（？—？，慶曆、元符間人。）巖花詩：「託根何太遠，得地亦相宜。」無地，沒有地方。指空間言。劇，極。甚。東漢班彪北征賦：「劇蒙公之疲民兮，為彊秦而築怨。」淒涼，孤寂冷落。南朝梁沈約為臨川王九日侍太子宴詩：「淒涼霜野，惆悵晨鵾。」唐皎然與盧孟明別後宿南湖對月詩：「曠望煙霞盡，淒涼天地秋。」金趙獻之（？—？）浣溪沙詞：「落木蕭蕭風似雨，疎欞皎皎月如霜，此時此夜最淒涼。」

②本穴……腸　原是營窟於眾花之中，徒然思念、白費悲傷。穴，ㄒㄩㄝˋ。營窟而居。枉，徒然，白費。斷腸，參考卷六、一〇四、注②。

③無限……恨　有數不清的忠君愛國的怨氣。美人香草，東漢王逸離騷序：「離騷之文，

依詩取興，引類譬喻，故善鳥香草，以配忠貞；惡禽臭物，以比讒佞；靈修美人，以媲於君。」美人香草恆象徵忠君愛國之情操。恨，參卷二、廿六、注④。

④殘秋……湘　晚秋如畫，隨興塗寫高士美事。殘秋，秋季將盡，猶云晚秋。唐 沈佺期（約六五六－七一四，武后時人）餞唐郎中洛陽令詩：「郊筵乘落景，亭傳理殘秋。」唐 權德輿（七五八－八一八）舟行夜泊詩：「蕭蕭落葉送殘秋，寂寂寒波急暝流。」計算字畫的單位量詞曰幅。殘秋如畫，故稱一幅。繪畫雅稱寫畫。漢字有字畫同源之說。戰國時代楚人屈原遭放逐後，曾長期流浪湘 沅間；後人以「沅芷澧蘭」或「沅芷湘蘭」比喻高潔的人或事。芷、蘭，均為芳草。清 金農（一六八七－一七六四）寄岳州黃處士詩：「沅芷澧蘭騷客遠，朱橋粉郭酒人疎。」方文 酬鄒師可見投之作詩：「沅芷湘蘭昔所聞，十年今始覯羣芬。」

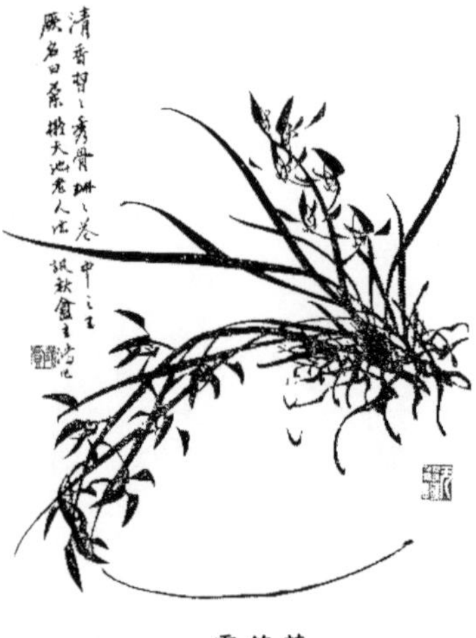

露筋蘭

## 一三六、方孝孺不草登極詔

蔡振豐

方公中外重詞翰①，一詔如何下筆難②？似鑒前車新莽頌③，史書【偏】作黨人看④。

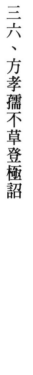

**【析韻】**

翰、難、看，上平、十四寒。

**【釋題】**

方孝孺（一三五七－一四〇二）。明 浙江 寧海（今浙江 寧海縣人）。字希直，又字希古。宋濂及門弟子。洪武年間為漢中教授，蜀獻王聘為世子師，名其書室曰正學，人稱正學先生。建文時，任侍講學士。燕王 朱棣起兵。當時，朝廷詔檄多出其手。燕兵入京師（今南京），棣命孝孺草即位詔，孝孺不從，被殺。宗族親友連坐死者，凡十族，達八四七人。遺有遜志齋集存世。明史 列傳第二十九方孝孺：「……先是成祖發北平，姚廣孝以孝孺為託，曰：『城下之日，彼必不降，幸勿殺之。殺孝孺，天下讀書種子絕矣！』成祖頷之。至是，欲使草詔，召至，悲慟聲徹殿陛。成祖降榻，勞曰：『先生毋自苦，予欲法周公輔成王耳。』孝孺曰：『成王安在？』成祖曰：『彼自焚死。』孝孺曰：『何不立成王之子？』成祖曰：『國賴長君。』孝孺曰：『何不立成王之弟？』成祖曰：『此朕家事。』顧左右授筆札，曰：『詔天下，非先生草不可。』孝孺投筆於地，且哭且罵，曰：『死即死耳；詔不可草！』成祖怒，命磔諸市。孝孺慨然就死，作絕命詞曰：『天降亂離兮孰知其由？奸臣得計兮謀國用猶。忠臣發憤兮血淚交流，以此殉君兮抑又何求？嗚呼哀哉兮庶不我尤。』時年四十有六。」不草登極詔，嚴辭回絕撰作即位詔書也。詔書，簡稱詔，帝制時代下行公文文體名，僉以皇帝口脗通告各部院、地方各省或及於府、州、縣、全體國民。

**【注解】**

①方公……翰　方公！您的詩文、辭章，夙為朝廷內外所推崇。方公，方孝孺。公，對人的敬稱。餘詳釋題。中外，朝廷內外。中央與地方。漢書 元帝紀：「以用度不足，民多復除，無以給中外繇役。」世說新語 言語：「孔融被收，中外惶怖。」北宋 司馬光 與吳相書：「竊見國家自行新法以來，中外恟恟，人無愚智，咸知其非。」重，ㄓㄨㄥˋ。推崇。南宋 陸游 老學庵筆記卷五：「承平日，甚重宮觀。宣和中，晁以道知成州，有請，吏部報云：『照會本官，歷任已曾住宮觀，不合再有陳乞。』遂致仕而歸。」詞翰，詩文，辭章。魏書 儒林傳 序：「其餘涉獵典章，閱歷詞翰，莫不縻以好爵，動貽賞眷。」

②一詔……難　怎麼撰作一篇即位詔書就這麼不容易？一詔，一篇即位詔書。餘參釋題及卷五、九二、注①。如何，參卷一、一、注③。下筆，落筆。指寫詩文、作畫等。漢書 賈捐之傳：「君房下筆，言語妙天下。」唐 杜甫 丹青引：「凌煙功臣少顏色，將軍下筆開生面。」難，參考卷一、十三、注⑤。

③似鑒……頌　過去已有新莽頌這種類似的教訓。似，類似。唐 段成式 酉陽雜俎 語資：「青有古名，齊得舊號，二處山川形勝相似。」鑒前車，前車之鑒。荀子 成相：「前車已覆，後來知更何覺時。」大戴禮記 保傅：「鄙語曰……前車覆，後車誡。」西漢 劉向 說苑 善說：「周書曰『前車覆，後車戒。』蓋言其危。」後以「前車之鑒」、「前車可見」、「前轍可鑒」喻以往的經驗，可以為今日與未來的教訓。新莽頌，漢書 王莽傳下：

「陳崇時為大司徒司直，與張敞孫竦相善。竦者博通士，為崇草奏，稱莽功德，崇奏之，曰：『竊見安漢公自初束脩，值世俗隆奢麗之時，蒙兩宮厚骨肉之寵，披諸父赫赫之光，財饒勢足，亡所牾意，然而折節行仁，克心履禮，拂世矯俗，確然特立；惡衣惡食，陋車駑馬，妃匹無二，閨門之內，孝友之德，眾莫不聞；清靜樂道，溫良下士，惠于故舊，篤于師友。孔子曰：「未若貧而樂，富而好禮」公之謂矣。……公不敢私，建白誅討。周公誅管蔡，……公之謂矣。……詩曰：『柔亦不茹，剛亦不吐，不侮鰥寡，不畏強圉』，公之謂矣。……深執謙退，推誠讓位……公之謂矣。……孔子曰：『敏則有功』，公之謂矣……書曰：『知人則哲』，公之謂也。……孔子曰：『能以禮讓為國乎？何有！』，公之謂也。……書曰：『舜讓于德不嗣』，公之謂矣。……。」

④史書……看　明史竟將您列入並視為朋黨之流看待。史書，指明史。偏，原刊訛作「編」，茲訂正之。黨人，朋黨。明史列傳第二九方孝孺：「鄭居貞，閩人。與孝孺友善，以明經歷官鞏昌通判、河南參政，所至有善績。孝孺教授漢中，居貞作鳳雛行勗之諸人，皆坐黨誅死。……。」

## 一三七、楊椒山膽

吳逢清

何事蚺蛇欲贈渠①，先生膽略有誰如②？少時嘗慣丸熊苦③，千載心寒抗疏初④。

【析韻】

渠、如、初，上平、六魚。

【釋題】

楊繼盛（一五一六—一五五五）。明 容城（今河北 容城縣）人。字仲芳，號椒山。嘉靖廿六年（一五四七）成進士。官兵部員外郎時，上疏論開馬市「十不可、五謬」得罪大將軍咸寧侯 仇鸞，下錦衣獄，貶為狄道典史。仇鸞敗露，繼盛時官兵部武選司員外郎，復上疏劾權相嚴嵩十大罪、五奸，下獄，備受酷刑，在獄三年，送刑部論死。嵩敗，追贈太常少卿，謚忠愍。遺有楊忠愍集存世（明史 列傳第九十七）。膽，勇氣也。史記 張耳陳餘傳：「將軍瞋目張膽，出萬死不顧一生之計，為天下除殘也。」

【注解】

①何事……渠　為什麼要送他紅蛇？何事，為何。何故。西晉 左思 招隱詩之一：「何事待嘯歌？灌木自悲吟。」南宋 劉過（一一五四—一二〇六）水調歌頭詞：「湖上新亭好。何事不曾來？」清 李漁 奈何天 狡脫：「不解天公意，教人枉猜謎，何事癡呆漢，到處逢佳麗？」蚺蛇，ㄊㄨㄥˊ ㄕㄜˊ。紅蛇。蚺，同「彤」。欲，詳卷一、十六、注②。渠，他。三國志 吳書 趙達傳：「（孫公）滕如期往，乃陽求索書，驚言失之，云：『女壻昨來，必是渠所竊。』」

②先生……如　那個人像先生這麼有膽識和才略？先生，楊椒山。餘詳釋題。膽略，膽識才

略。三國志 吳書 呂蒙傳：「公瑾（周瑜）雄烈，膽略兼人。」北魏 楊衒之 洛陽伽藍記卷四：「（崔）延伯膽略不羣，威名早著，為國展力，二十餘年。」

③少時……苦 小時候，經常接受慈母辛勤的教誨。年紀小曰少。音ㄕㄠˋ。論語 季氏：「少之時，血氣未定，戒之在色。」東晉 王羲之 蘭亭集序：「羣賢畢至，少長咸集。」嘗慣，猶言經常接受。嘗，歷。經歷。左傳 僖公二八年：「晉侯在外十九年矣；而果得晉國，險阻艱難備嘗之矣。」習以為常曰慣。丸熊，用熊膽和製的藥丸。新唐書 柳仲郢傳：「母韓，即皋女也，善訓子，故仲郢幼嗜學，嘗和熊膽丸，使夜咀嚥以助勤。」舊以丸熊為母教之典實。清 趙翼 題女史駱佩香秋燈課女圖詩：「可憐一樣丸熊苦，他課男兒此女兒。」勤曰苦。孟子 告子下：「故天將降大任於是人也，必先苦其心志，勞其筋骨。」

④千載……初 長久以來，您：不畏權勢，上書直言，彈劾權相。受誣論死的故事，令人痛心不已。千載，千年。形容歲月長久。漢書 王莽傳下：「於是羣臣乃盛陳『莽功德致周成白雉之瑞，千載同符。』」唐 韓愈 岐山下詩：「自從公旦死，千載閟其光。」清 昭槤 嘯亭雜錄 三年喪：「惟我純皇孝摯性成，力阻浮議，使千載之陋，更於一旦。」心寒，猶痛心。抗疏，參本卷、一二五、釋題。初，故事。禮記 檀弓下：「夫魯有初，公室視豐碑，三家視桓楹。」鄭玄注：「初，謂故事。」

## 一三八、史可法

林榮初

**開濟心殷時不造①，朱明內外盡庸才②。蝸牛角上爭黃左③，大體惟公識得來④。**

**【析韻】**

才、來，上平、十灰。

**【釋題】**

史可法（一六〇一——一六四五）。明河南祥符（今開封市）人。字憲之，號道鄰。崇禎元年（一六二八）成進士。官至南京兵部尚書。十七年（甲申、一六四四）李自成陷北京，崇禎吊死煤山，福王於南京稱帝，加渠大學士銜。馬士英等專朝政，出可法督師揚州。其時，吏治糜爛、諸將驕橫不受調度，國是日壞。清兵南下，渠堅守揚州，嚴拒誘降，城破自刎未遂，為清軍所執，大呼「我史督帥也。」不屈，遇害。（明史列傳一六二）乾隆四十九年（一七八四）其玄孫史開純刻渠遺稿—史文正公集四卷存世。

**【注解】**

①開濟……造　匡濟時艱、開創新局的意向，多麼深切；詎時機未現。開濟，開創、匡濟。唐杜甫蜀相詩：「三顧頻繁天下計，兩朝開濟老臣心。」羅隱上鄂州韋尚書詩：「都緣未負江山興，開濟生靈校一秋。」心殷，意向深切。殷，深。深切。西晉陸機嘆逝賦：

「在殷憂而弗違，夫何云乎識道。」李善注：「殷，深也。」舊唐書 音樂志四：「慕深視篋，情殷撫鏡。」時，ㄕ。時機。機會。論語 陽貨：「好從事而亟失時，可謂知乎？」唐 韓愈 寒食日出遊詩：「桐花最晚今已繁，君不強起時更難。」明 張居正被言乞休疏：「古之聖賢豪傑，負才德而不遇時者，多矣。」造，產生。西晉 左思 魏都賦：「顯禎祥以曲成，固觸物而兼造。」

②朱明……才　大明朝廷與地方，盡是庸才掌權。朱明，明朝（一三六八—一六六一）的建立者姓朱（即朱元璋），故稱。內外，朝廷（內）與地方（外）。盡，皆。悉。左傳 昭公二年：「周禮盡在魯矣。」庸才，才具平常甚且低下的人。南朝 梁 任昉 為齊明皇帝作相讓宣城郡公第一表：「臣本庸才，智力淺短。」

③蝸牛……左　諸將擁兵自重、頻頻內鬥的過程中，屢充調人。「蝸爭」典出莊子 則陽：「有國於蝸之左角者曰觸氏，有國於蝸之右角者曰蠻氏，時相與爭地而戰，伏尸數萬，逐北旬有五日而後反。」明 崇禎十七年（甲申、清 順治元年、一六四四）三月十九日晨李自成攻陷京師（北京）內城，崇禎帝出玄武門（今神武門）登煤山（今景山）自縊，明祚亡。五月十五日，福王（朱由崧，神宗之孫）於南京即位，以明年為弘光元年。旋命兵部尚書兼東閣大學士史可法督師揚州，總兵劉澤清、劉良佐、黃得功、高潔分守江北。馬士英等獨攬朝政；南明內訌自此始。「（高）傑素忌（黃）得功，又疑圖己，乃伏精卒道中，邀擊之。得功行至土橋，方作食，伏起，出不意；上馬舉鐵鞭，飛矢雨集，馬踣騰他騎馳。

有驍騎舞槊直前，得功大呼，反鬪挾其槊而挟之，人馬皆糜，復殺數十人……疾馳至大軍，得免。……。」（明史列傳第一五六黃得功）。「（左）良玉之起，由侯恂。恂故東林也。馬士英阮大鋮用事，慮東林倚良玉為難，謾語修好而陰忌之，築板磯城為西防。……監軍御史黃澍挾良玉勢，面觸馬阮，既返，遣緹騎逮澍。良玉留澍不遣。澍與諸將日以清君側為請，……良玉反意乃絕，傳檄討馬士英，自漢口達蘄州列舟二百餘里。……。」（同前揭書列傳第一六一、左良玉）。黃左，黃指黃得功，左謂左良玉。

④大體……來　內訌的來龍去脈，大概只有您看得真。大體，大概。大致。惟公，渭「只有史公，您。」識，ㄕˋ。知道。了解。禮記樂記：「識禮樂之文者能述。」老子：「微妙玄通，深不可識。」東晉陶侃遺荀崧書：「杜曾凶狡，……此人不死，州土未寧，足下當識吾言。」識得來，猶看得出來，謂看得真。

史公墓（江蘇揚州梅花嶺）

## 一三九、葉小鸞參禪

蔡振豐

召魂欲審三生孽①，認犯偏談一字經②。莫道女郎能了悟③，萬般都是死來醒④。

**【析韻】**

經、醒，下平、九青。

**【釋題】**

葉小鸞（一六一六—一六三二），一作子鸞，明季吳江（今江蘇吳江縣）人。字瓊章，又字瑤期，為葉紹袁、沈婉君膝下第三女。四歲能誦楚辭。工詩、多佳句。善模山水，寫落花飛蝶，均有韻致。將嫁崑山張氏，不幸猝卒，死後遺體輕軟若生，人皆謂小鸞仙去也；得年僅十七。書齋名疏香閣，遺有返生香集、疏香閣詞。小鸞兄姐，五男三女，皆具文藻，父母俱工詩。參禪，屬佛教語。謂玄冥思想，探究真理也。唐玄覺（六六五、一作六七五—七一三）永嘉證道歌：「遊江海，涉山川，尋師訪道為參禪。」

**【注解】**

①召魂……孽　呼喚魂魄，要詳細訊問前生、今世、未來的罪過。召魂，呼喚魂魄。召，ㄓㄠˋ。呼喚。詩小雅出車：「召彼僕夫，謂之載矣。」魂，ㄏㄨㄣˊ。亦作「䰟」。魂魄。易繫辭上：「精氣為物，遊魂為變。」古人想像中一種能脫離人軀體而獨立存在的精神。附著

於軀體則人生，脫離於軀體則人死。左傳昭公七年：「匹夫匹婦強死，其魂魄猶能憑依於人，以為淫厲。」楚辭招魂：「魂魄離散，汝筮予之。」欲審，要詳細訊問且予以論斷。三生孽，前世、今生與未來的罪過。三生，佛教語。前世、今生、來世合稱。唐牟融送僧詩：「三生塵夢醒，一錫衲衣輕。」元宮天挺（？—？，中統、至治間人）范張雞黍第三折：「三生夢斷九泉幽，兄弟也誰想你一日無常萬事休。」孽，ㄋㄧㄝˋ。正字通：「孽，俗孼字。」罪過。佛家謂業障。清蒲松齡（一六四〇—一七一五）楹聯：「壯心尚未酬，空向金城悲綠柳：前身得何孽，欲搔短髮問青天。」

②認犯……經　認罪就範，只談一字禪。認犯，亦作「認範」。認罪就範。犯，通「範」。金瓶梅詞話第九二回：「因見婦人姊夫長、姊夫短叫他，口中不言，心中暗道：『這淫婦怎的不認犯，只叫我姊夫？等我慢慢的探他。』」偏談，只談。單單談。偏，ㄆㄧㄢ。只。單單。南朝宋鮑照梅花落詩：「中庭雜樹多，偏為梅咨嗟。」南宋朱淑真（？—？，紹興間仍在世。）問春詩：「鶯花有恨偏供我，桃李無言抵惱人。」一字經，本應作「一字禪」，為押韻而強易字。碧巖錄六則評唱：「又說一字禪。僧問：『殺父殺母，佛前懺悔；殺佛殺祖，向什麼處懺悔？』雲門云：『露。』又問：『如何是正法眼藏？』雲門云：『普。』」

③莫道……悟　不要說，年輕女子，能夠明心見性。莫道，不要說。女郎，年輕女子。南齊書文學傳賈淵：「孝武世，青州人發古冢，銘云：『青州世子，東海女郎。』」樂府詩集橫吹

曲辭五木蘭詩：「同行十二人，不知木蘭是女郎。」南宋孟元老（？—？，建炎中仍健在）東京夢華錄七夕：「或兒童裁詩，女郎呈巧，焚香列拜，謂知乞巧。」了悟，佛教語。明心見性。景德傳燈錄智感禪師：「師知其了悟，乃付以山門。」剪燈餘話芙蓉屏記：「公遣人說院主曰：『夫人喜誦佛經，無人作伴，聞慧圓了悟，今禮為師，願勿卻也。』」

④萬般……醒　各種各樣的人，都是往生的時候才覺醒。萬般，總括之詞。在此，猶今語各種各樣的人。死，與「生」相對。謂喪失生命。論語先進：「未知生，焉知死。」來，參考本卷、一二八、注④。醒，覺悟。西漢賈誼新書先醒：「故昭然先寤乎所以存亡矣，故曰先醒。」

## 吳江　葉姓系源

吳椿榮

●葉、沈本為同根。二姓之共同祖先可追溯至春秋末年楚大夫沈諸梁（字子高）。

●周敬王四十一年（公元前四七九年、壬戌）七月，楚廢太子建之子白公勝，欲為亂。勝以獻吳捷為名，領兵入郢，殺令尹子西、司馬子期，劫惠王。大夫沈諸梁自蔡率師平亂，得國人之助，敗白公勝，勝自縊。惠王封諸梁於葉，子高後裔遂以國為姓。

# 葉紳派下世系圖

- **葉紳** 字廷縉 成化進士，官至尚寶司少卿。
  - **可畏** 贈奉直大夫。
    - **重第**（妻馮氏）萬曆進士 官至貴州提學僉事
      - **紹袁**（一五八八—一六四八）（妻沈宜修 婉君。一五八八—一六三五）。天啟進士。字仲韶 晚年號天寥道人。
        - 紈紈 長女，字昭齊。（一六一〇—一六三二）
        - 小紈 次女，字蕙綢。（一六一三—？）
        - 世佺 長子，字云期。（一六一四—一六五八）
        - * 小鸞 三女，字瓊章、瑤期。（一六一六—一六三二）
        - 世偁 次子，字聲期。（一六一八—一六三五）
        - 世傛 三子，字威期。（一六一九—一六四〇）
        - 世侗 季子，字開期。（一六二〇—一六五六）
        - 世儋 五子，字遐期。（一六二四—一六四三）
        - 小繁 季女，字千瓔。（一六二六—？）
        - 燮 六子，本名世倌，字星期，號已畦，稱橫山先生。（一六二七—一七〇三）
        - 世倕 七子，字弓期。（一六二九—一六五六）
        - 世儴 八子（一六三一—一六三五）
      - ○○
      - ○○
      - ○○
      - ○○
      - ○○
      （兄五人，早夭。）
    - **重科**
    - ？

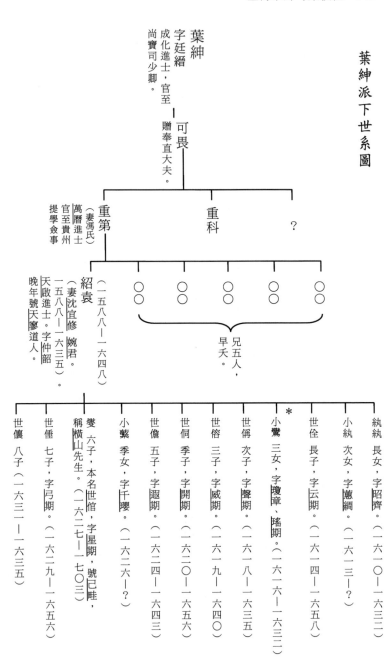

## 一四〇、葉小鸞參禪

陳朝龍

前身紫府好娉婷①，合十皈依悟最靈②。莫怪對詩多綺語③，空原是色本禪經④。

【析韻】

婷、靈、經，下平、九青。

【釋題】

同前首。

【注解】

①前身……婷　前生住在仙府，是姿容出眾的美女。前身，猶前生。前世。紫府，仙人居所，猶言仙府。抱朴子 祛惑：「及到天上，先過紫府，金牀玉几，晃晃昱昱，真貴處也。」好娉婷，面容、體態都很出眾的美女。娉婷，詳卷一、六、注①。

②合十……靈　誠敬地、反歸三寶。慧根天成，覺醒尤其機靈。合十，合十指，即合掌。佛教儀式，合兩掌表示敬意。四十二章經 序：「世尊教勑，一一開悟，合掌敬諾，而順尊勑。」舊唐書 傅奕傳：「（蕭）瑀不能答，但合掌曰：『地獄所設，正為是人！』」皈，ㄍㄨㄟ。同「歸」。佛教稱身心反歸向佛、法、僧（三寶）曰皈依。唐 李頎（生卒年待考，開元廿三年進士。）宿瑩公禪房聞梵詩：「始覺浮生無住着，頓令心地欲皈依。」悟，覺

醒。最，極。靈，機敏。

③莫怪……語　不要責備，她總對老師說好聽的話。莫怪，不要責備。綺語，ㄑㄧˇㄩˇ。藻飾之詞。四十二章經　善惡並明：「眾生以十事為善，亦以十事為惡。何等為十？身三、口四、意三。……口四者：兩舌、惡口、妄言、綺語。」法苑珠林卷一〇五五戒　戒相：「又成實論云：『雖是實話，以非時故，即名綺語。或是時以隨順衰惱無利益故，故雖利益以言無本，義理不次，惱心說故，皆名綺語。』」

④空原……經　佛書不原就有「空即是色」的經句。般若波羅蜜多心經：「色不異空，空不異色。色即是空，空即是色。受想行識，亦復如是。」榮按：無形曰空；有形為色。泛指有關佛教事物，恆稱之為禪。北魏　楊衒之　洛陽伽藍記景林寺：「寺西有園，多饒奇果，春鳥秋蟬，鳴聲相續。中有禪房一所，內置祇洹精舍。」禪經，即佛經。在此，指般若波羅蜜多心經。

## 一四一、題安蕃通事吳君鳳

鄭鵬雲

生為義士死明神①，俠氣如君有幾人②？今日馨香薦蘋藻③，蠻花齊拱墓門春④。

**【析韻】**

神、人、春，上平、十一真。

【釋題】

品評曰題。安蕃，安置撫恤番民。前清臺島先住民泛稱番，又分熟番（平埔族）與生番（高山族）。番，又作「蕃」。日治時期，官方通稱曰高砂族。光復後，改稱山地同胞，今易名為臺灣原住民，略稱原住民。通事，清代未入流職差。由地方遴稍通文墨、恪守清規者，給予度牒。以熟曉番語、番俗者為之。吳鳳（一六九九—一七六九？）清福建漳州平和縣（今仍稱平和）人。幼隨雙親渡臺。渠通番語，康熙末，應徵為阿里山通事。「康熙初，臺灣內附，招撫生番，募通番語者為通事，掌各社貿易事．然番性嗜殺，通事畏其兇，每買游民以應。及鳳充通事，番眾向之索人；鳳思革敝（弊）無術，又不忍買命媚番，藉詞緩之，屢爽其約。番索人急，鳳度事決裂，乃豫戒家人作紙人持刀躍馬，手提番首如己狀、定期與番議。先一日，謂其眷屬曰：『兇番之性難馴久矣，我思制之無術，又不忍置人於死．今當責以大義，幸而聽，番必我從；否則，必為所殺．我死勿哭，速焚所製紙人；更喝吳鳳入山。我死有靈，當除此患。』家人泣諫，不聽。次日，番至，鳳服朱衣紅巾以出，諭番眾以殺人抵命，王法具在；爾等既受撫，當從約束，何得妄殺人！番不聽，殺鳳以去；家屬如其戒。社番每見鳳乘馬持刀入其山，見則病，多有死者；相與畏懼，無以為計．會社番有女嫁山下，居民能通漢語，習聞鳳言歸告。其黨益懼，乃於石前立誓，永不於嘉義界殺人；其厲乃止。居民感其惠立祠祀之。至今上四社番猶守其舊，不敢殺擾打貓等堡。」（雲林采訪冊）榮按：臺灣通史吳鳳列傳從上說。

【注解】

①生為……神　活著，是個義士；死後，已成明神。義士，猶言義人。有節操的人。左傳 桓公二年：「武王克商，遷九鼎於雒邑，義士猶或非之。」明神，古人對神的尊稱。詩 大雅 雲漢：「敬恭明神，宜無悔怒。」左傳 僖公二八年：「癸亥王子虎盟諸侯于王庭，要言曰：『皆獎王室，無相害也，有渝此盟，明神殛之！』」

②俠氣……人　像您這麼有俠氣，究竟有多少人？俠氣，見義勇為的氣概。後漢書 成武孝侯劉順傳：「弘弟梁，以俠氣聞。」北宋 蘇軾 答范祖禹詩：「而今太守老且寒，俠氣不洗儒生酸。」如君，像您。君，指吳鳳。幾人，多少人。幾，表不定的少數。

③馨香……藻　獻上香美的黍、稷、蘋、藻於案前。馨香，香美。書 酒誥：「弗惟德馨香，禮登聞於天。」薦，ㄐㄧㄢˋ。亦作「荐」。獻。進。易 豫：「殷薦之上帝，以配祖考。」蘋、藻，皆水草。古人恆取之供祭祀用。詩 召南 采蘋：「于以采蘋，南澗之濱；于以采藻，于彼行潦。」左傳 襄公廿八年：「濟澤之阿。行潦之蘋藻，寘諸宗室，季蘭尸之，敬也。」

④蠻花……春　蠻花和拱木，平分春色；墓道上的門，益發生氣盎然。蠻花，蠻地的花。唐 李商隱 和孫樸韋蟾孔雀詠：「瘴氣籠飛遠，蠻花向坐低。」北宋 王安石 溯桄詩：「野果寒林寂，蠻花午簟溫。」明 徐渭（一五二一—一五九三）扶桑花詩之一：「憶別湯江五十霜，蠻花長憶爛扶桑。」清 唐孫華（一六三四—一七二三）戲為友人代憶詩：「蛋戶鶯妝黶，蠻花照淚痕。」齊，相等。相同。論語 里仁：「見賢思齊焉，見不賢而內自省也。」

孟子滕文公上：「夫物之不齊，物之情也。或相倍蓰，或相什百，或相千萬。」拱，ㄍㄨㄥˇ。拱木。左傳僖公三十二年：「爾何知！中壽，爾墓之木拱矣。」墓門，墓道上的門。春，形容生氣盎然。

吳鳳廟正殿舊影

吳鳳廟(阿里山忠王祠)舊山門

吳鳳廟一進門廳及廟埕（嘉義縣中埔鄉社口村）

成仁雕塑

紀念碑